霍桑探案 ────

 程小青作品

霍桑探案

程小青 著

DETECTIVE HUO SANG

活 尸

8

海南出版社

· 海口 ·

图书在版编目（CIP）数据

霍桑探案 . 8，活尸 / 程小青著 . -- 海口：海南出
版社，2025 . 1 . -- ISBN 978-7-5730-2069-7

Ⅰ . I247 . 7

中国国家版本馆 CIP 数据核字第 20242QF241 号

霍桑探案 8　活尸

HUO SANG TAN' AN 8　HUO SHI

作　　　者：程小青
策　划　人：彭明哲
责任编辑：高婷婷
插　　　画：杨冬梅
封面设计：张　军
责任印制：郗亚喃
印刷装订：河北盛世彩捷印刷有限公司
读者服务：张西贝佳
出版发行：海南出版社
总社地址：海口市金盘开发区建设三横路 2 号
邮　　　编：570216
北京地址：北京市朝阳区黄厂路 3 号院 7 号楼 101 室
电　　　话：0898-66812392　010-87336670
电子邮箱：hnbook@263.net
经　　　销：全国新华书店
版　　　次：2025 年 1 月第 1 版
印　　　次：2025 年 1 月第 1 次印刷
开　　　本：880 mm×1 230 mm　1/32
印　　　张：10.25
字　　　数：231 千字
书　　　号：ISBN 978-7-5730-2069-7
定　　　价：46.00 元

·目录·

险婚姻

活　尸

阔佬架子

　　我的日记里记录着一件神秘危险的奇案，尽管时间已经隔得很久了，此刻回忆起来，我还觉得有些不寒而栗。我的好朋友霍桑，由于怀着一颗锄强扶弱的维护正义的赤心，想从偏颇的法律网罟中给财势两缺的老百姓找一线公道的生机，而他强烈的求知欲又迫使他产生一种对于任何疑难问题都要求非水落石出不可的钻劲；所以三十多年来，他一直全心全意地干着探奇决疑的侦探工作。他所经历的疑案怪事不知有多少，但总没有我现在正要记叙的这一案那么惊异和突兀。它的开头是突如其来的，对于霍桑来说，真有"横祸从天外飞来"的情况，中间又是惊涛骇浪层层叠叠，几乎使人喘息不得。霍桑一直认为人的名誉比生命更宝贵。这一回事，当时不但威胁他的生命，而且连他的清白无瑕的名誉，也先后两次遭到一时无从辩白的讥讪和误会。这案件曾轰动过整个上海。我现在将它披露出来，让读者们看一看当时上海社会的乌烟瘴气的面貌的一斑，在今昔对比之下，那也许有着某种教育意义吧。

　　那年夏间，我的妻子佩芹带着我们的强儿到嘉兴去，祝贺伊的母舅赵铁生七十寿辰。我因为笔债的纠缠，不能分身，没能同去。八月十三日星期三下午，我送伊上了火车，顺便去瞧瞧霍桑。我知道霍桑最近又出版了一种《犯罪心理学发微》，对侦探工作的理论有了新的贡献，同时那版税的收入又给予他生活上的挹注，他的心境应该是比较愉快的。他仍住在爱文路七十七号那宅老屋子里。他的仆人施桂和老妈子苏妈也依然和他同处。他楼下布置简单的书室和书报纷乱的书桌，仍和三十年前的景状没有多大差异。

我走进他的兼作办公室的书室时，霍桑正仰靠在沿窗口的一只藤椅上。他穿着一条国产白帆布裤子，一件江西白万载夏布的衬衫，袖子卷上了肘节，手中执着一张报纸，嘴里衔着一支白金龙纸烟，两条腿搁在藤椅边上，一双温州出品的细草织花条纹的拖鞋留在藤椅足旁。看他这一种过分安闲舒适的姿态，可以猜想他这几天一定是闲着无事。霍桑是爱劳动而憎恨空闲的。他相信"流水不腐，户枢不蠹"这两句古话是至理名言。他常说人的身体有些像一架机器，机器搁着不运转会生锈，人如果饱食终日，无所事事，也会意志消沉、脑筋迟钝和肢体脆弱。

我笑着招呼："霍桑，这两个星期，你大概闲得不耐烦了吧？"

他丢了报纸，从藤椅上坐起身来，趿着拖鞋，走过来和我热诚地握手：

"包朗，你来得真好，我真惦念着你。"他嘻一嘻："你说我闲得不耐烦了吗？哎哟，你估计错了，刚好相反，这几天我正忙得很呢！"

我料想他空闲无事，他却偏偏说忙。可是他的松懈的神态，他嘴角上的微笑和这两句话语的声音，都告诉我他明明在作遁词。我又瞧见他刚才丢在藤椅边上的那张报纸，恰巧又展露出广告的一面。

"你不承认我的推断力吗？假使真忙，你还有工夫瞧这种无聊的广告？"我又说。

"无聊的广告？哼！包朗，你又错了。"霍桑忽然沉下了脸，"真的，我的忙就和这些广告有关！你不知道这一个星期中，报纸上突然登出了许多新鲜的广告吗？"

我一时不知他说话的含义，他的语气又不像完全是打趣，因此，我怀疑我的观察也许果真错误。

"包朗，你怎么一时懵懂？"他自动地解释，"我所说的这些新鲜的广告，就是五日晚上九点钟茂昌洋货号门前的那一团黑铁引出来的啊！"

我方才明白。原来那时候我们国家的处境真可怜，受足了人家的欺侮，而执政者却不敢哼一声，只能由老百姓用抵制他们的劣货的办法来对抗。可是偏偏有一些奸商，只知自己发财，别的什么也不管。尽管爱国的老百姓大声疾呼："不买劣货！不买劣货！……"可是奸商们不但黑了良心，连耳朵也给塞住了，他们依旧大贩其劣货，企图浑水摸鱼，趁机多捞一把。于是，有一个爱国少年俞惠芳，在民国路上那一家专贩劣货的茂昌洋货号门前，丢掷了一个炸弹。这才引起了那些奸商们的恐慌。这几天报纸上的确平添了大批"某某团公鉴……""某某爱国志士钧鉴：敝号营业一向推销国产商品……"这一类启事。但是霍桑怎么竟因着这些启事忙起来？他为哪一方面忙呢？

霍桑好像测知了我心中的疑团，接着说："是的，那班现任奸商和准奸商，十分之八九是懂得'明哲保身'的。他们要找方法免死，就使我忙起来了。"

这话引起了我的不愉快的感觉。我暗忖那些爱国少年的行动，与法律和社会秩序方面固然有些抵触，但是原情略迹，他们的动机却很可敬。我痛恨一班保障"钱"权的律棍，他们往往淆乱黑白，专为金钱说话。难道霍桑因不耐空闲，竟会饥不择食地给这班奸商们奔走？我这不愉快的疑团，因一个岔子，失掉了直接打破的机会。

"包朗，你约着朋友一起来的吗？"霍桑低声问，"没有？那么，我但愿来的不是奸商。"

这时我听得叭叭的汽车声音已经停在霍桑寓所的门面。霍桑迅速地将藤椅对面客座上的几张散乱的报纸折叠整齐，将他的夏布衬衫的卷着的袖子放下来，又把那条蓝地儿白星的孔雀牌领带抽一抽紧，做出一种准备招待来客的模样。施桂拿了一张名片进来通报。霍桑接过了瞧一瞧，一种厌烦的神气顿时掩盖了先前那种高兴。他向施桂挥一挥手，便把名片轻意地向桌子上一丢。我看见那名片上印着"昌丰海味号经理孟蓉圃，电话九九〇六六"字样。我还来不及推想这个人的来意，来客却早已昂然走进办公室里来。

那人足有五英尺七八英寸高，肥硕的身材像个粗大的圆柱，头已秃了一半，脸色略略苍黑，大蒜形的鼻子配着一张有厚嘴唇的阔口，他的一双小眼睛缀在像一个打足了气的皮球似的脸上，比例上很不相称。他的脸上有一层油光光的色彩，不知是不是汗，或者是由他身体内部的过剩脂肪从皮肤腺上分泌所致。他身上穿着一件不知名目的——多分是舶来品——白丝织品的长衫，因为他腹部的耸凸，好像长衫里面也藏着一个皮球。他挺胸昂头地在门口站住了，两只小眼睛骨碌碌地向办公室中扫了一个圈，便注视在霍桑和我的身上。接着，他旋转头去，举起那只戴着钻石戒指的肥手，扬一扬，做一种命令人的姿势。原来后面还跟随着一个保镖模样的壮大汉子，站在门口外面！上海的大亨们出门时带一个佩带手枪的保镖，原是当时流行的一种装腔作势的派头。

那小眼胖子挺着高肚，昂着头，向霍桑和我瞧一瞧，似乎等我们先招呼他。可是，他的期望落了空，霍桑连睬都不睬。他不得已，才踏前了一步，眼睛注视着霍桑。

"谁叫霍桑？"他傲慢地问。

"是不是乌鸦叫？"霍桑面对着窗口，向窗外瞧一瞧。

来客的气焰显然受到了些挫折，他呆一呆，咬了咬嘴唇，才被迫换了一个称呼：

"霍先生。"

霍桑慢慢地跨前一步，从书桌上拿起了那张刚才给丢在桌面上的名片，有意无意地瞅一瞅，重新轻意地把它一丢：

"你叫孟蓉圃？"

"是，我姓孟，孟夫子的孟——"

霍桑好像没有听见，自顾自在那靠窗的藤椅上坐下来。

主客们初次见面，彼此表现着这样的态度，究竟有些失态。我虽也厌憎那人那种阔佬们常摆的虚骄架子，但总不好意思自己也坐了下来，却让他一个人站着。

"孟先生，请坐下来谈。"我给他解围。

来客略微点点头，便在霍桑对面的客座上坐下，顺手摸出一块大白巾，用力在额角上抹了几抹。那指环上的一粒钻石足有蚕豆瓣那么大，这时在闪闪发光。

"这里有没有电风扇？"胖子问。

"我倒觉得很凉快。"霍桑慢慢地摸出纸烟来，用一只国产的打火机，打火烧烟。

客人初进来时，摆足一副大老板的姿态，明明要借此引起一种趋奉的反应。因为上海社会里确有一些橡皮脊骨的家伙，一看见大官僚大老板的架子，就会条件反射似的弯腰曲背，诺诺连声。这个胖子往日里也许有着这样的万无一失的经验；但这一次，他遭到的却是例外。这时他也已领会到了一些教训。

"霍先生，我有一件事请教你。"他勉强带着笑容。

霍桑仍冷冰冰地答道："什么事？"

来客道："事情很奇怪。昨天夜里我从邵局长那边散席回去——"

霍桑忽然抬头瞧我，插口道："包朗兄，你等一会儿代我拟一个电稿。刚才南京黄部长拍电报来邀我去，我懒得应酬，你给我回绝了吧。"

又是一鼻子灰，孟蓉圃不由得涨红了脸。这种擅长"摆架子"的人，却也天赋着一种看风使舵的聪明，同时又是一个诌媚学专家，碰到财势和地位比他更强的人，他马上又会打拱作揖，嬉皮笑脸。

"好，霍先生，我说得简单些。"他的发窘的胖脸上居然挤出些笑容，"昨天夜里我接到一封匿名信——"

霍桑接口道："不是血魂团写给你的吗？"

"是的——不，那是什么除奸团写的。这班人太可恶！我要请教的，就为这一件事。"

这时我先前的疑团才有了刺破的机会。瞧霍桑用这样的态度对付这个人，可见他是绝不会干为虎作伥的勾当的。

他又冷冷地答道："在一些贩卖劣货的奸商们眼中，这班少年的确是'太可恶'。但是你不见得也是个奸商吧？"

"当然不是！当然不是！"胖汉忙摇着手，"他们是冤枉我的，我一向推销国货，并不贩卖劣货。你想，他们凭空陷害好人，岂不可恶？因此，我不能不想个对付方法。"

"你打算怎样对付？"霍桑懒洋洋地吐出一口烟。

"我料想这一班人一定有组织，有什么秘密的机关。如果把这个机关查明了，就能一网打尽，斩草除根！……霍先生，你能够查明这班人吗？要是你能担任的话，我一定不惜重赏！"

"唉，好一个'不惜重赏'！你准备赏多少？"

"你尽管说好了。"他带着慷慨的语调，又挺起肚子，从衣袋中摸出一只厚厚的皮夹。

这个人真可鄙极了，竟想用金钱来引诱霍桑。在某些人的意识中，金钱是万能的，但一遇到高洁的人格和坚定的意志，它就会失掉万能的效力，而变成"此路不通"。孟蓉圃这句话可能使霍桑发火，但是他只用手缓缓将纸烟从嘴唇上拿下来，唇角上似笑非笑地牵一牵。

他反问道："孟蓉圃，昌丰海味号是不是你开的？"

"是。"

"是你一个人独资开的，还是合伙？"

"唔，我一个人开的。怎么样？"

"一共有多少资本？"

"嗯，你……你问这个干什么？"

"此外，你所有的动产和不动产，包括你老婆的首饰在内，一股脑儿值多少？"

"这个……这个……什么意思？"

"我怕我说出来的赏格数目，你破了产还嫌不够。"他拿起了一张报纸，把他的身子靠着椅背。

孟蓉圃瞪了一眼，却又强笑着说："唉！霍先生，你说笑话了。我是诚心诚意来求教你的啊。"

霍桑默默地看报。

"霍先生，你知道，把这件事交给官家警探们去办，我有些不信任，而且张扬开去反而不美。现在，我请求你给我想个办法。这里有五百元——"

"五百元？那就好办了。"霍桑一边翻着报纸，一边插口。

孟蓉圃有希望似的问道："那很好。怎么办？"

"我想你钻到什么银行的保管库里去躲着，才是一个安全的上策。"

"什么话！你竟敢讥笑我！"来客的希望立刻变成了羞怒。

霍桑又自顾自地说："还有，五百元也足够买一口坚固的杪枋棺材。你不妨先准备好一口，倒也是一种未雨绸缪的办法。"说完了，他又把穿着拖鞋的两足搁在藤椅边上，专心一致地读起报来。

"哼！你咒我！"

来客霍地从椅子上立起身来，把皮夹重新放在袋中，回头瞧瞧书室门口外面的保镖，像要叫他进来示一下威，甚至来一个打局。但是他踌躇了一下，分明又不敢让事态闹大，终于没发出命令。他又转过头来，握着拳头，睁着小眼，气息咻咻地想要大骂一场，但似乎又给霍桑的冷静态度震慑住了，只是哭笑不得。

"这件事敝友是不能担任的，你还是另请高明。"我代替霍桑逐客。

那人又用白巾抹着他的额汗，恶狠狠地向霍桑点点头，仿佛暗示一种"好，过一天给你算账！"的恫吓，随即气愤地走出去。我听得他的保镖也跟着出门。直到汽车开驶之后，霍桑才放下报纸，坐直了向我说话：

"包朗，你现在瞧见了。我真是给这班人弄昏了！前天来了两个大亨和三次电话；昨天清晨五点钟和夜间十一点半，又有同样的主顾。我的门槛真要给那班无赖的家伙踏穿哩！刚才我正在计算这种人的广告，还会有多少人来缠扰不清。"

我道："原来你是这样子忙。那真是讨厌。我起先还误会——"

霍桑忽摇摇手："唉，慢！听，又有汽车来哩！我怕透了，不敢再存什么希望，一定又是这一类家伙。包朗，你给我出去回绝了，我的神经委实再受不住。"

汽车声果然停在霍桑寓所的门前。孟容圃受了奚落，我想他不会回来报复吧？他既带着保镖，一定是有武器的，倒不能不小心准备。我心中的怀疑分明已从我的神态上表现出来，霍桑忙给我解释。

他道："不是的，你放心。我从那汽车喇叭声音上辨得出是另一辆汽车。唉，施桂已经出去开门了。你快出去，我不愿意这种人再踏进我的门槛——至少我不能让我的办公室的地板再给这种人的足迹玷污。"

我立刻走出办公室，打算执行霍桑委托我的任务。可是这项任务终于没有完成，相反，出乎意料地我竟给霍桑招来了一场大祸。

画符动作

施桂已经开了大门，招待来客进来，那来客竟是个摩登装扮的年轻女人。我虽还来不及细瞧，但是伊那袅袅娜娜的态度和色彩惹目的装束，都足以吸住我的神思。高跟皮鞋的咯咯声急促地传过了天井里的水泥通道，伊就登上了石阶，开始踏进门口。我还僵立在办公室门口，霍桑也已从藤椅上站起来，带着惊异的语声向我问话：

"是个女人？谁？"

我没有回答，但用目光瞧着外面。一霎眼间，那女子已从我的肩膀旁擦过，噔噔地走进办公室。我退后一步，索性让霍桑自己去应付。

伊穿一件淡蓝色印百合花短袖的薄绸旗袍，袖子特别短，露出两只雪白的臂膀；旗袍的叉缝中露着两腿，下端直掩盖到那双赤足穿的银色舞鞋的鞋面。伊的头发蓬松着，耳朵上戴一副小块翡翠串成的长耳环。伊的年龄在二十五六，面庞的皮肤很白，不过白得有些可怕；一张小嘴，嘴唇上并无樱红，两条细长的眉毛，眉尖紧蹙着，一双乌黑的眼睛，也分明丧失了原有的灵活。伊的一只手用白巾掩住了嘴，另一只手扶住了办公室的门框，眼睛瞧着霍桑，默默地一言不发，却也不像是害羞。

霍桑有些发窘，期期然说："唉……请问？请坐。"

伊仍旧没有答语，但伊的态度又有了变异。伊的掩嘴的右手忽而放到腹部上去，用力按捺着，伊的腰微微向前弯曲，额上也有些汗珠。霍桑突然伸出两臂，走到那女子的近身，扶住伊的肩臂。

"包朗，请把这藤椅移过来。"霍桑显然很着急。

我忙把那只椅子移近门旁。霍桑便扶着那女客坐在椅上，但是伊的异常状态仍没有好转。伊的两只手都按在腹部，身子

更向前偻着，粉额上的汗点也增粗了些，说明伊的肚子正感到剧烈的疼痛。

霍桑偻着身子，问道："女士，你贵姓？有什么事？"

女子勉强抬起些头。伊的双眉紧锁，面容越发可怕。伊的嘴唇本来没有抹唇膏，这时已没有一丝血色，并且在微微地抽搐，分明伊正感到痛楚难忍。伊似乎摇了摇头，没说话。

"怎么样？可是腹部有什么疼？"霍桑又问。

伊还是哑口无言，伊的头重新低垂了。

霍桑忙高声呼唤："施桂，快出去叫汽车！包朗！你来助我一臂。伊好像已经不能说话。我们赶快送伊到医院里去。……唉，且慢，瞧！"

我瞧见伊有一种奇异的表示。伊举起右手摇了几摇，似乎不赞成霍桑的建议，接着，伊伸出了右手的食指，向空中画符似的划着。我不知道伊为什么如此！但确信伊这种举动不像是痉挛，倒像病人在神经昏乱时指手画脚的样子。霍桑的发光的眼睛注视着伊的手指，他的呼吸也都停住了。

"包朗，你瞧得出吗？"他喘息着问。

我还不了解他问话的含义，只摇了摇头。

霍桑又着急又失望地道："唉……女士，你可能再写一遍？"

我才明白霍桑已经领会到伊的画符动作，伊是在用手代口，写什么字。霍桑的问话并无效果，女子的右手重新回到了伊的腹部。伊的上身不再伛偻，却向后仰着，头靠着椅背，绿豆般的汗珠已经蔓延到面颊骨，脸色已白中泛青，上嘴唇向上蜷缩，微微露出白色的牙齿，伊的眼睛也闭拢了。霍桑急急换上皮鞋，又穿上一件白帆布的外褂。

"汽车已经开走了。"施桂回进来报告。

"唉！……怪事！"霍桑像受了雷震一般，怔了一怔，"包朗，快打个电话给转角上的龙大车行，叫他们赶快放一辆车子来。"

我依照他的意思打了一个电话。女人还像先前那样，眼睛仍没有张开，两手都按在腹上，呼吸更短促，隆起的胸膛在急促地一高一低。霍桑握住伊右手的手腕，在诊察伊的脉息。他紧蹙着双眉，显得他已经感觉到情势非常危险。

"汽车来了。"施桂进来报告。

霍桑一言不发，便把右手插进那女子的左腋，穿到背部，右手伸到伊的腿弯后面，用力一抱，那女子的整个身子便离开椅子。

"包朗，快打一个电话给济众医院的杨崇义院长，请他们立刻做好急救准备，越快越好。"

他早已抱着那女子走出办公室的门，跨下石阶，走过水泥通道，从大门口出去，预备上车。

我不知道济众医院的电话号码，便急急在电话簿上翻查。门外喇叭声响，我知道霍桑的汽车已经开走了。一会儿，医院的电话接通了，但是杨院长不在院里，有一个叫张敏的医生和我接洽，我就把霍桑关照我的话通告他。张医生问我病人是哪一个，患的什么病。我没法回答，只说是一个女人，可能是中了毒。

在已往的若干年中，我襄助霍桑处理了不少的疑难案子，所经历的惊骇、诡秘、紧张的局势委实计算不清，但是这一次又突兀、又焦急、又困惑的情景竟浸透了我的脑膜！这女子姓甚名谁？是什么人？伊的来意怎样？不但我在梦中，连霍桑分明也毫无头绪。伊既然是主动地来见霍桑的，怎么见面后不说一句话？不见得是个哑巴吧？伊仿佛患着某种急病，或者竟中了毒。但是中毒和患病，应得去请教医生，怎么来害霍桑？据我估计，伊的来临分明使霍桑遭受到一种不易辩白的横祸。伊的病如果还能好转，霍桑固然还可以查究伊的真相；可是，万一不测，霍桑受了这意外的牵累，又将怎样交代、怎样应付呀？

这时已是下午五点半钟。外面骄阳还没落下，它的威力仍然控制着整个天空，空气是热烘烘的。这办公室虽两面通风，窗外又遮着竹帘，但是我的额上和嘴唇上仍不断地渗出着汗珠。我站起来开了电扇，又脱下了府绸外衫，走到书桌前面，烧着一支白金龙，开始在室中踱来踱去。我不但替霍桑担忧，连我自己也感到万分不安。

看这女人的打扮，分明是一个受过时代洗礼的所谓摩登人物。伊的翡翠的耳环、花绸旗袍的式样和高价的银色皮鞋，显示伊很像是一个阔佬的娇女。不过现在那班所谓交际花、舞星甚至"庄花"的女子，装束上也往往这样子富丽华贵。所以不经过相当的接谈，一刹那间，要从服装上辨别和确定伊的身份，也不是容易的事。

我踱来踱去的脚步声音，似乎引起了施桂的好奇心，他站在办公室门外，仿佛在窥探我的举动。我一瞧见他，脑子里忽然触动：这女子到这里来，会不会出于误会？

我招招手，说："施桂，进来，我有话问你。"

施桂跟随了霍桑二十多年，他的忠顺的服务曾给霍桑不少的助力；并且因着经验的积累，在观察功夫上他也有相当的能力。他的年龄已在四十五岁以上，头发带些灰色，但坚实的体格还在现时代的一般少年之上。他走进来时，脸上也带着愁容，分明他也体会到霍桑的不幸遭遇。

我问道："施桂，你认识那个女人吗？"

施桂摇摇头："我从来没见过伊。"

"那么，你刚才开门时的情形怎么样？"

"我听得了汽车停在门前，知道有客人便出去开门。我把前门拉开时，那女客已经走下了汽车，正把什么东西交给司机；接着，伊抬头瞧了瞧门牌，便急急地走进门来。"

"唉，你看到伊瞧过门牌的？"

"是，我看见伊抬着眼睛，站住了好几秒钟。"

"这样说，伊是特地来这里的，不会是误会的了？"我自言自语。

施桂自动地接嘴道："那没有疑惑。伊还问过我霍先生是不是在家。"

"唉！伊开过口的吗？"

"正是。"

"伊怎么说？"

"伊只说了一句话：'霍桑先生在里面吗？'"

一个疑团解除了。伊是专程来访问霍桑的，也不是个哑巴。我仿佛从黑暗中得到一星火光，精神上兴奋了些。

"施桂，说下去。伊可还有什么别的表示？"

"伊没说过第二句话。"

"你对伊说些什么？"

"我只应了一声'霍先生在里面'，便站在一边，让伊走进来。"

"伊说的什么方言？"

"北方话，不过声音很特别，低得几乎听不出。"

"那么，你会不会听错？"

"不会。伊说话时和我距离不到两尺。"

"你可觉得伊有什么异样？"

"我觉得伊很慌张，这一点我倒不奇怪，因为那些来求教霍先生的，都是这个样子。不过伊说话时声音太低了，说一句话又急忙用手巾掩住了嘴，仿佛感到什么疼痛；伊走路时也有勉强支撑的样子。这些我觉得都是异样。现在，我看霍先生非常为难呢。"

"是啊，我也正替他担忧。"我应了一句，把烟尾丢掉了，重新烧着一支新鲜的纸烟。我又想起了另一个问题："还有，你可曾注意伊坐的那辆汽车？"

"没注意，只看见是一辆黑色轿车，漆的颜色显得有些陈旧。"

"可看见汽车前面的号码？是白牌还是黑牌？"

"我也没注意。后来霍先生叫我出去，汽车已经没有影踪。"

我吸着烟不答，暗忖那汽车一送到便立即开走，也很奇怪。

"包先生，你不妨打个电话到济众医院里去问问，这女人究竟能医得好不能。"施桂向我提议。

这句话提醒了我。我也承认唯一的希望就在那女子能够医好，最低限度也得叫伊能开口说话，这样才可以明白伊的来由和真相，使霍桑脱离难关。电话接通了，接电话的是医院的挂号的人。

"杨院长在不在？"

"他回去了。你哪里？"

"爱文路七十七号，我姓包。请张敏医生接电话。"

"他在急救病人。你等一会儿再打来吧。"

我怕他挂断电话，急忙应道："喂，喂，你可知道这个急症病人怎么样？"

"听说是中了毒，此刻正在洗胃。"

"有希望没有？"

"这个我不知道，也许已经好了些。"

"那么，请你通知那一位陪急症病人来的霍桑先生，我要和他谈一句话。"

"那也不方便。他也在急诊室里。"

他说完了这句，接着是咯笃一响，分明他觉得不耐烦，便将电话挂断了。施桂站在我的旁边，似乎也从我的脸上得到了什么暗示。

"包先生，可是伊还有希望？"他忙着问我。

我答道："那是位挂号的，据他说急症病人已经好些。"

"那很好。济众医院就在那边民权路上，离这里很近。包先生，你不如索性走一趟，听听确实的信息。"施桂的眉峰展开了些，又第二次建议。

施桂的提议确有意思，因为我与其这样子坐不稳站不定，倒不如亲自去瞧个究竟。我就丢了烟尾，穿上那件山东府绸外褂，拿了草帽，急匆匆出来。

经过了五分钟的步行，我就走到济众医院的门前。我抹一抹汗，向挂号处问了一声，才知急诊室在第二层楼。霍桑还没有下过楼，料想那女子大概还有些希望。我又知道杨崇义院长因着霍桑的请求，已经从寓所里回到医院来，这时也在楼上急诊室里。

我一步两级地上了楼梯，匆匆赶到了急诊室的门前，先定了定神，又把耳朵凑在门上听听，里面很安静，听不出什么声音。我不顾冒昧，曲着一个手指，在那厚重的橡木门上轻轻叩了两下。一会儿，门轻轻开动，但只开了两寸光景，门缝里面有一个穿白色衣裙、头上覆着一块三角形白帽的女护士。伊向我瞧了一瞧，没有说话，随即摇了摇头，重新将门关上。

　　这原是医院的规章，医生在实施手术的当儿，不容许闲人进去。我虽不是一个绝对无关系的闲人，但已没有解释的余地。怎么办呢？我心里焦急不耐，很想不顾一切地推门进去。可是我平时常痛恨一些缺乏守法精神的人，尤其是那班阔佬、大亨、闻人们，因着他们特权阶级的劣根性，滥用权力，把超越规章法律算作有面子的事。此刻我身处其境，怎能不维持我的守法精神呢？

　　我在急诊室门外徘徊了四五分钟光景，焦急的情绪实在不能用文字形容。不过，我的希望却逐渐增高，既然医生还在里面施救，显见病人还有希望。只要伊能够开口说话，说明伊的身份、来历和伊到霍桑那里去的用意，霍桑的肩头上立刻可以轻松。

　　一会儿，急诊室的厚门自动地开了。那个先前拒绝我的女护士，右手提着一只白搪瓷的巨罐，连着一条橡皮管子，左手另有一只箕形的器具，里面盛着呕吐物，轻步从里面出来。

　　我忙迎前一步，低声问："对不起，我问一句话。那个病人怎么样？"

　　伊略略向我瞥一瞥，摇摇头。

　　"怎么样？伊……伊醒过来没有？"我再问。

　　"死了！"

　　女护士低低说了一声，沿着那洁净空落的通道走开去。

两条线路

死了！这消息真像满盆炭火给泼上一桶冷水。我呆住了，目送那女护士慢慢走开。

我想霍桑把一个垂死的病人送进医院里来，却交代不出伊的来历！现在人死了，死无对证，这怎么得了？一转念，我心里又产生一种无聊的怀疑："不会弄错吗？"这疑团立刻被打破。急诊室的门继续开动，一个穿着烫得硬挺的白纱斜外褂的少年医生从里面走出来。他的脸上虽保持着相当的镇静，但仍略略有些忧容。

我上前问道："张医生吗？……这女子没有救了吗？"

他向我瞧一瞧，摇头说："完了。怪可怜的。"

"伊中的什么毒？"

"来沙尔。来沙尔液中含有甲酚的混合物，有剧毒，非常厉害。伊所服的分量一定不少。"他顿一顿，向我端详了一下，"你和伊有什么关系？"

我答道："我是包朗。"

他略略带些笑容，接嘴道："唉，你是霍桑先生的朋友，他还在里面呢。"他点了点头，便踏着稳重的脚步，自顾自走开。

急诊室的门已完全开着。霍桑和一个四十多岁戴眼镜、穿白外褂的男子正在一边谈话，一边缓缓走出来。我认识那人便是杨崇义博士。他见了我，只点点头，并不招呼，继续和霍桑谈话。霍桑也只向我摇头示意，并不停步，一层阴影罩上了他的脸。他那副沉脸锁眉的忧愁神气，我委实难得看见。

我趁势向急诊室里面瞧去。病榻上躺着一个人体，上面给一条白被单覆盖着，完全瞧不见什么。病榻旁边有一张椅子，那件淡蓝色印着百合花的短袖绸旗袍搭在椅子背上，病榻底下留着一双银色的高跟皮鞋。室中静得有些可怖。我觉得没有再进急诊室里去的必要，便跟在霍桑和杨院长的后面。

霍桑说："不错，我应得担负完全责任，你尽管放心。"

杨崇义道："那么，警厅方面呢？"

霍桑道："我们不妨各自进行。你可以依照合法的手续正式报告，我也亲自去接洽。"

"好，就这么办。"

杨院长在一个办公室门前站住，和霍桑点头作别。霍桑旋转头来招呼我，我便跟着他走下楼梯。出了医院，我才悄悄地问霍桑：

"这女子进医院后开过口没有？"

"没有。"他在人行道上站住，脸色显得忧郁沉着。

"那么，你对于伊的真相可有什么线索？"我又问。

"伊身上没有足以辨认伊真相的东西。"霍桑摇摇头，"衣袋里除了两张中南银行的五元钞票以外，连摩登女子们常常带的粉盒唇膏和钱夹之类都没有。此外，伊的细麻纱汗衫是飞鹰牌子，皮鞋是陶拉斯厂的制品，都是高级的美国货。这一点或许可以给我一些端倪，不过很渺茫。"

"嗯，这两种牌子我没有听过啊。"我应了一句，又带着希望的语调，问道，"那么，你想这两种东西会不会是伊从美国带回来的？伊不会是个美国留学生吗？"

"唔，还难说。这两种牌子的美国货，在上海的确不大看见。不过对于舶来品，我缺少享用经验，还得调查一下。"

医院邻近有一家汽车行。霍桑走进去，向一个司机招一招手，说了一声"警察厅"。那司机便转身拉开了车厢的门。我决定跟霍桑一块儿去，便一同上车。汽车开出了车行，向东驶去。我们都静默无言。我明知霍桑正处在困难的境地，也很愿尽一些患难相助的朋友义务，可是想不出办法，连安慰的话都找不出一句。

汽车过了平等路，因街道的热闹，速度减低了些，并且在岔路口又停顿了几次。霍桑端庄地坐着，他的嘴唇紧闭，眼光下垂，可以想见他的精神上的烦恼。

他忽然问我道："你可曾问过施桂，有没有注意女人的汽车？"

我答道："问过的，他只瞧见那是一辆黑色的旧汽车，连出租的或者自用的都不曾注意。"我把我和施桂的问答复述了一遍。

霍桑保持着静穆状态，没有表示。

"我想眼前唯一的关键就在查明这女人的来历。这一着你想有没有希望？"我问。

"希望，那是永远有的。"他顿一顿，"这样一个摩登女子绝不会是从天上落下来的，不过怎样查明伊，眼前我还没有把握。"他咬一咬嘴唇："我担心的就是在短时间中外界对我的非难。"

这几句话使我的精神提振了些。无论处在怎样危难的境地，霍桑从来不消极失望。不向困难低头，是他的优良品性之一。

"你想伊的来意究竟是什么？"我又问。

"那当然不会是恶意的。我想伊大概遭到了什么损害或冤屈，希望我给伊解决。可惜中毒太深，伊的咽喉烧伤了，已经来不及说话。"霍桑忽然伸出他右手的食指，在空中画符似的画着，接着又自言自语，"这样三曲定是一个'之'字。"

我想起了那女人在霍桑办公室中画字的举动，说道："很惭愧，我当时没有注意到这个，不能帮助你一下。"

霍桑道："这不能怪你。伊的举动太突兀，我也来不及注意。我只觉得伊画的第二个字是个'之'字，第三个字仿佛两横一直，是个'干'字。不过我没有瞧清楚，或许伊没有写完。"

"姑且假定是'之''干'两个字，你想有什么意义？"

"想不出，这两个字实在没有连贯的意义。不过……"他忽然皱着眉毛，停顿了不说下去。

我催逼道："不过什么？"

"据我料想，伊或许要告诉我一个人的姓名，伊画过三个字，第一个字我错过了，第二第三'之''干'两个字，却又不像人的名字。唉，真伤脑筋。"

汽车停在警察厅的门前。霍桑先下了车，付了车钱，便首先进去。他把名片交给一个传达员以后，又低声向我表示："这件事必须请汪银林出面帮忙。"

汪银林是上海警察厅的侦探长，在以往的十多年中，他得到的霍桑的帮助简直计算不清。有一次他碰着一件命案，束手无策，几乎丢掉差使，砸破饭碗，幸亏霍桑挽救了他。他吃的是公事饭，也不免沾些官气，哄吓敲骗这一套，有时也要试试身手。但是他见了霍桑，总是规规矩矩，绝不敢耍什么花招。这一次霍桑移樽就教，谅来不至于失望。

不巧，汪银林不在厅里。霍桑叫我在会客室中略等一等，他自己进去和一个姓唐的秘书长接洽。约莫经过半个小时，霍桑才从里面走来，他的神气仍像先前那么严冷。我问他接洽的结果。

霍桑说："毫无结果。那位秘书长官腔十足，把一切责任推到我身上。"他略顿一顿，补充说："其实情势太尴尬了。一个来历不明的年轻女人竟突然死在我家里，责任是应该由我负的。"

我忙道："我也同样可以负责。事情发生时，我是个目击者，万一有什么意外，我情愿和你共同负担。"

我说话时的声调和态度，竟使霍桑沉着的脸上勾起一丝微笑。他一边引着我走下警察厅的石阶，一边婉声回答：

"包朗，你真是我的患难知己。我想凭着我几十年来在社会上的信用，这件事谅来还担当得住；意外的铁窗风味，我大概还不至于领受。"他嘻一嘻："这几天尊夫人既然往嘉兴去了，你的笔务如果可以暂时搁一搁，不如到我那边住几天。你总也知道，楼上你的那只旧榻至今还没有拆卸掉哩。"

我也笑着应道："我也很愿意温一温旧梦，恢复我们两个独身汉的同居生活。"

回到寓所以后，已是晚膳时分。霍桑先问施桂有没有人来过，施桂回答没有。霍桑就叫苏妈预备夜饭，随即打电话到济众医院里去。

一会儿，他告诉我道："那女人进医院时，我要求给伊照一张照片，现在照片已经洗出来了，据说除了伊的眼睛闭拢以外，别的都很满意。"

"你打算从伊的照片上探查伊的真相？"我问。

"是啊，这是一条线路。像这样的女人，一定是擅长交际的，即使新从外国回来，也可能是舞场、餐馆、电影院或者剧场里的主顾。伊的照片在报上登出来以后，我不相信会没有一个人认识伊。现在，你等一等，休息一下，我到邻近去实地调查一下。"

我卸下了我的府绸外褂，把它挂在衣架上，又开了电扇，点着一支纸烟，坐下来等候。

实地查究一直是我的朋友的侦查工作的不二法门。他对事实情况的推测和估计，也都依凭着可靠的事实和物证，处处从实际出发。数十年来，他经历了无数的疑难危险的巨案，他所以往往能绝处逢生，转危为安，就靠着这一种实事求是的科学方法。

隔了十多分钟，霍桑才回进来。

我问道："你是出去调查那辆汽车的？"

霍桑点点头："是的，可是偏偏不巧。隔壁七十九号的胡老妈妈，对于孟蓉圃的那一辆灰色新汽车，倒瞧得非常清楚。那女人的汽车竟没有一个人注意。"

"也许是汽车一送到就开走的缘故。"

"对。这汽车也是线索之一，我不能不注意。如果是出租的，费一些功夫，总可以查明白。"

"此外，还有没有别的？"

"别的意外的线索也可能随时发现，不过不能凭空虚拟，也不应坐着等待。"他瞧瞧我的脸，又说，"包朗，你不必过于担忧。"

我竭力想安慰霍桑，霍桑却反而给我安慰。我们两个的确可以算得上患难朋友。一会儿，我产生了另一种意念：

"霍桑，那个孟蓉圃怎么样？可会和这个女人有什么关系？"

"就眼前的情势看，我实在想不出有什么关系。"霍桑的双眉紧锁着，"况且他们俩的汽车的来路方向不同。我刚才听得孟蓉圃是从东面来，又从东面回去的；那个女人的汽车却是从西面来的。"

进晚餐时，霍桑仍照常进食，我的胃口却至少打了一个七折。我们刚才罢膳，警厅侦探长汪银林汗流喘息地赶来了。汪银林是个身体比较胖的人，性子又有些近乎急躁。心急和体肥就尽够构成多汗易喘的条件；何况他因关怀霍桑，心里确实有些担忧。他坐定了以后，抹了一会儿汗，点着一支他惯吸的不知什么牌子的粗雪茄。

"霍先生，刚才我在保大庄上调查一件卷逃案子，不在厅里，抱歉得很。"他先来了个道歉，"据唐秘书告诉我，这件事情真是奇怪得很。"

霍桑说了几句承情劳驾的话以后，便把这案子的经过说了一遍。汪银林咬着雪茄，一眼不眨地倾听着。接着，他说明厅里已正式呈报检察厅，明天要正式检验，那时候霍桑必须到场。

霍桑点头道："那自然。不过法院方面要是不分青红皂白，把我当作谋杀的嫌疑犯拘押起来，我失掉了活动的可能，那倒是很可虑的。"

"不，不会的。万一有这事，我可以尽力担保！"汪银林显露出义形于色的样子。

霍桑微笑道："我很感激你的好意。不过这是刑事案子，公务员是否可以担保，还不可知。"

"不会，你放心，绝不会糟到这个地步。"汪银林连连吐出两口浓烟，"霍先生，你想伊的中毒是主动的还是被动的？"

"这问题不能凭空猜想，我还没有把握。"霍桑烧着了一支纸烟，低垂着头，"你这句话有什么意思？"

汪银林答道："我以为这女人也许是被人毒害的，说不定另有用意。"

"银林兄，你想有什么用意？"我听了汪银林的新颖的见解，禁不住问一句。

汪银林向我瞧了一瞧，答道："或许有人和霍先生过不去。那人因某种原因，毒害了这女人，同时想借刀杀人，用伊来陷害霍先生。"

"你以为那人下毒之后，又雇了汽车，故意将伊送到这里来的吗？"我又问。

"大概如此。"

霍桑摇摇头，插口道："不会的，因为女人到这里来的时候，还会开口。照你的想法，如果伊觉悟到被人毒害了，当然要把事实的真相告诉我，那么，那主谋的人岂不危险？我不相信有这样精于计算和科学知识的人，竟能准确地预算到那毒药的效用，一准在什么时候损伤伊的发话机能，在什么时候损伤伊的神经的活动和使伊在什么时候断气。你得知道，伊走到这里门口时，还曾开过一句口；走进办公室之后，又还能用手指划字。假使我的感觉更敏捷一些，等伊一进门，我就将纸笔授给伊，那么，如果真有什么主谋的人，这个人岂不是弄巧成拙吗？"

汪银林牵一牵嘴角，又说："这样说，伊是主动服毒的了。"

"这只能解释有人利用伊来害我的想法不能成立罢了，还不能就算是伊主动服毒的反证。"霍桑吐吸着烟，用目光瞧着那条细草织成的宁波地席，"我想伊到这里来的动机怎样还是次要问题，眼前急切需要解决的是怎样查明伊的真相。"

汪银林拿下了雪茄，皱着眉峰，说道："不错。可是我刚才到济众医院去走过一趟，看过那女人的面孔，我相信我不曾在哪个交际场中碰到过伊。"

我又插口道："据施桂说，伊所说的是北方口音，或许本来是个北方都市社会的交际花。"

银林说："那么，等照片印出来之后，不妨到北方去调查一下。"

霍桑摇头道："这个范围太广泛了。华北、西部、东北、西北，都是说北方口音的。这样漫无限制，不免会劳而无功。我们必须把范围收缩一些。"

"那么，你有没有具体的入手方法？"银林问。

霍桑道："我看有两条路可以进行。一条路要劳你的神，请你设法调查一下本市各汽车行里的司机们。据我料想，那汽车多分是出租的。施桂曾瞧见伊交什么东西给司机，或许就是车钱。这司机未必知道这女人已经服毒，一定没有犯罪的意识。这样，调查起来，司机也不至于故意掩饰和抵赖，不过全市的汽车司机人数很多，调查也相当麻烦。这一着不能不仰仗你的大力。"

汪银林应承道："那可以。我回去立刻派精细可靠的弟兄们去进行。如果查着了这个汽车司机，我们就可以知道女人乘车时的出发点了。"

"正是，这就是我的希望。另一条路，我自己去进行。我要调查伊穿的汗衫和皮鞋的牌子在上海市上是否可以买到。假使没有卖，那就可以证明伊是新近从美国回来的，至少可以假定伊回来了还不久，因为伊身上穿的汗衫和皮鞋还相当新。这样，我们向那些新近回国的留学生们去调查，范围就比较狭小得多了。"

　　这两个侦查方法，汪探长完全同意。霍桑又亲自草了一段启事，交给汪银林顺便带往新闻报馆里去。

　　这一夜我实在没有酣睡。我辗转推想，觉得霍桑所希望的两条路线实际上都没有多大把握，但是，他目前所负的责任却十二分沉重。我真不知道我们怎样渡过这个难关。可是事情的变幻竟又出我的意料。到了第二天即十四日，这案子忽然有了惊人的发展。

奇怪的电话

　　八月十四日星期四的早晨，我在六点钟便起身。我走到窗口，仰首一望，东方的天空布满着朝霞，红里带紫，呈现着画师们没法渲染的色彩。高空中都是一片蔚蓝，没有丝毫云片，炎热的阳光已经挟着热力照射到大地上来。这景象显明地预示这一天的热度准会超过华氏表九十五度①。我起身虽早，但霍桑比我更早。他这时又循着数十年如一日的旧例，出外去实施户外运动了。户外运动，对霍桑来说，和一般人也不同。他不是专攻一门，而是多种多样的；而且又因季节和气候各殊而有所变换——比如夏天打太极拳，冬令练少林拳，晴朗天做柔软操，刮风时跑快步，下雨下雪他就散散步。总之，一年三百六十五天，他从来没有间断过，除非他害病卧床；而害病卧床，对他是非常陌生的。

　　我走到楼下办公室中，看见书桌上堆积了一叠大报小报。我点了一支烟，拿了这一叠报纸，坐到近窗的一只椅子上披

---

① 95 华氏度即 35 摄氏度。

阅。《上海新闻》的封面上，登着一节一二行字的《霍桑启事》
的广告。启事的内容很简括扼要，说明十三日下午五点钟左
右，有一个素不相识的女子登门造访，不料伊顿时毒发，噤口
无言，虽立即被送往济众医院，竟医治无效。启事中关于女人
的年龄、衣饰、状貌和所乘的汽车说得很详细，希望死者的家
属或和伊有关系的人往医院领尸。

我读报的目的，原要瞧瞧新闻上的论调，对于霍桑有没有
影响。《上海新闻》上的一段消息非常详细，那张女人弥留时
的照片印得很清楚，所记的事实经过基本上也可算相当忠实，
不过语调上仍不免有些铺张，因此使这件事越发显得严重。这
记载的来源一定是间接得来的。据我猜想，也许就是龙大汽车
公司里的那个司机所搬的嘴舌。因为新闻上对于霍桑将那女人
抱上汽车的一幕，竟是用了小说笔法描写的。内中有两句不必
要的讽刺："霍桑当时的处境颇有一种'软玉温香抱满怀'的
情味，可惜他所抱的不是一位活色生香的美人，却是一个奄奄
一息的艳尸！"

此外，如《每日电讯》《时事报》《申报》等，都比较的略
而不详，对于霍桑个人也没有讽刺或怀疑的论调。可是有一张
《日日电讯》，却载着一段使人难堪的新闻，它的标题竟写作
《大侦探家霍桑的情人或女友？》。这明明是有讥刺和诬控性质
的。因为这女人假使真是霍桑的情人或女友，霍桑自然难卸责
任；即使退一步，使人认为是霍桑的素识，那也免不掉舆论的
非难。这不是诬控是什么？

可是标题下面加着个疑问符号，狡猾地留着推诿的余地。
我细读那节新闻，除了前面一段鸡零狗碎渲染多于事实的记叙
以外，后面还附着一段捕风捉影的文字：

据某方面消息，我们所崇拜的这位私家侦探霍桑先生，虽至今标榜着独身主义，但是，他对于女性的交接和追求，并不是绝端戒忌的。有人常见他陪着女友在光华影戏院里进进出出。又据间接方面的消息，一星期前，有人看见霍桑先生陪着一个剪发穿银色高跟皮鞋的时装女子，在大亨西餐社里饮冰。据说那女子的面貌和昨天死在济众医院里的一个有些相像。这消息虽还不能证实，但我们相信这位精敏强干的大侦探，总会把事实的真相明白地告诉我们，我们是用不着虚费猜想的心思的。

我读了这末段的新闻，我的耳朵骤然感到热灼，胸间升起一股闷气，无从发泄。

上海的报纸竞争得非常激烈，为了推广销路，增强广告的效用，多多招揽广告，让老板们发财——那时商业性报纸的主要收入是广告——记者们大多违反忠实报道的准则，写些捕风捉影离奇惊怖的新闻，来耸动读者们的视听。这原也是司空见惯的。可是《日日电讯》上的这一段新闻不但是恶意的讽刺，而且凭空捏造，简直有公然诽谤的性质。可是它的措辞又非常狡猾，处处带着疑问和不负责的口气。若要正式交涉，他们又尽可更正了事。霍桑矢忠矢勤地在社会上服务了三十多年，大多数有健全理智的公正人民，都对他有相当的尊敬。但在这矛盾百出的社会里，他当然不能使各方面都有好感。譬如，那些作威作福的军阀政蠹，颠倒是非的律棍，唯利是图的奸商，以及其他一切为富不仁或在法外行动的特权阶级，他们都是霍桑的仇敌。现在，霍桑遭到了意外，他们自然要拊掌称快，或者竟会落井下石。

我用这一叠报纸足足消磨了一个钟头,霍桑仍没有回来。他平日的户外运动至多不出一个钟头,今天他破了常例,大约正在进行侦查。苏妈送进来黄米粥和牛奶,我因胃纳呆滞,只稍稍吃了一些。

八点二十分时,汪银林有电话来,十点钟检察官要正式往济众医院里去检验,霍桑必须到场陈述案情。我告诉他霍桑一早就出外去了,这消息目前没法转告。我觉得汪银林的声调有些疑迟,就自告奋勇地向他建议:

"银林兄,你不必为难。十点钟之前,霍桑要是不回来,我不妨代表他陈述。因为这件事我是同样目睹的,检察官如果叫我负责,我也同样可以承受。"

汪银林顿了一顿,方始答道:"照法律上的手续,你是不能代表的。好在此刻还只八点半。在一个半钟头之内,我想霍先生绝不会不来。"

我乘势问道:"喂,银林兄,请问汽车司机方面的调查,你可曾进行?"

汪银林道:"昨夜里我已经通知各区,此刻他们大概在进行中了。"

电话挂断以后,我继续我的吸烟工作。一支,二支,三支……不多一会儿,烟灰盆中的烟尾已堆成了一个小丘。时间跟着缭绕的烟雾飞驰,我却仍枯坐在办公室中,丝毫没有活动的可能。霍桑既处在这样的境地,我难道能袖手旁观?可是我又能做些什么呢?

九点半钟,霍桑的电话来了:

"包朗,你觉得寂寞吗?可有什么人来过?"

"没有,我一个人在这里,已经消耗了近半罐白金龙!"

"唉，耐心些。今天报纸上的启事和新闻登出来以后，或许有人会到我那边去。我请你再坐一会儿，代替我接洽一下。"

"可以，可以。现在你在什么地方？刚才银林有电话来通知你。"

"我已经见过他了，此刻就准备往医院里去。我已经忙了一个早晨。"

"你得到些什么？有新线索吗？"

"有一些眉目，停一会儿和你细谈。"

"喂，《日日电讯》上的新闻你可曾瞧见？"

"看到了，不过你用不着气闷，也不必打算做辩证一类的玩意儿，那反而会落进他们的圈套。事实胜于雄辩，我们但从这方面着力好了。"

我认为霍桑的积极精神和乐观态度，是他成功的最重要的因素。我受了连带的影响，精神也振奋了些。他说有一些眉目。什么样的眉目呀？他不会借此安慰我吗？他不理会《日日电讯》上的诬蔑，又说事实胜于雄辩，可见他在事实上的确有了把握。我本想赶到济众医院去听听检察官的见解和瞧瞧他对于霍桑的态度，但霍桑既然叫我守在寓里，我也不便自由行动。

果然，不一会儿，电话机上的铃声又琅琅地响起来。

这是一个奇怪的电话，也是一个重要的电话——它竟使这一件神秘的案子打开了一条新的线路。

听筒中有一种急促的语调，口音是长江以北的：

"你哪里？"

"爱文路七十七号霍家。"

"你是霍先生吗？"

"唔——是的。"我权宜地代一代,"喂,你哪里?"

"霍先生,你不用问,我要告诉你一个消息。"

"好啊。什么消息?"

"昨天死在你府上的那个女人,伊和一个姓瞿的男人有关系。"

消息真出乎意料,我全部的神经都激奋起来。我自己感觉到当我答话的时候,我的语声有一些颤动:

"唔,一个姓瞿的男人?……他住在哪里?"

"这个我不知道,但我知道他的电话号码,等一等。……五五六〇六……五五六〇六……听清楚了没有?"

"听清楚了。请教你尊姓?"

"霍先生,我不能告诉你。你只要找到这个人,就可以知道那女人的来历。"

"唉,谢谢你。这个人叫什么名字?"

"我也不知道。"

"喂,喂,你究竟是谁?我愿意当面和你谈一下。"

"这个不行,对不起。"

"喂……喂……"

咯笃一声,电话挂断了。我仍旧握着听筒不放,又在电话钩子上捺了几下,希望从电话公司的接线生方面调查这刚才挂断的电话号码。因为我们有过好几次这样的经验,现在就想如法炮制。电话很突兀,用意如何,不得而知,若能查明它的来源,一定大有好处。不料我偏偏碰上一个不肯多嘴的女接线生。伊只说了一句"那边挂断了",以后便无下文。我问挂断的那边是多少号数,那女接线生竟给我一个不睬不理。我不知伊是否因着工作繁忙,或者竟误会我故意调弄伊,才不理会我。因为那时候上海的风俗败坏，一些浮滑无耻的少年男子，往往空打电话，故意调笑取闹这些年轻的女接线生。如果伊这样误会，我这一次失败，不能不说是受了这班轻薄少年的贻害。

我们对于那女人的真相，原像是黑夜漫漫，毫无把握，这一个意外的电话不能不算是黑夜中的一线光明。我急急拿过电话簿，翻到瞿字部，一行一行地检查，却不见五五六〇六的号数。我不敢自信，便从瞿字部的第一行起，再仔细复查一遍，却终于失望。

第二个奇怪的电话接着来了！

"你是霍桑吗？"

"是的。你是谁？"我索性再权且代一代。

"我是你的老子！……你干得好事！"

"喂，你哪里？"

"流氓坏！你奸拐了人家的女人，谋杀了伊，还乱造谣言。"那声音粗大得刺耳。

"喂，不要乱说。你是谁？"我仍耐心地问。

"我是你的老子！"

"你疯了吗？"

"流氓！这一次我看你再硬！"

"混蛋！你竟乱骂人！"

"骂你这畜生！"

"你有胆，说出你的姓名来！"

"老子的姓名你不配听，贼坏！"

我既不愿意和那人在电话中对骂，又不能伸手掴他一掌，只得把电话挂断了。这个电话可算是意外的意外，我竟挨了一顿臭骂。我曾说过，霍桑有不少死敌，这人分明就是其中的一个。我代替霍桑受了恶骂，虽然也动了些肝火，但是我的听觉并不曾丧失常度，觉得这个人的声音非常熟悉。我定神追想了一下，禁不住直跳起来，这个人就是昨天被霍桑冷待奚落的奸商孟蓉圃啊！

我起先以为第一次来的电话，或许就是这个奸商打来欺骗和取笑霍桑的。仔细一想，这第一个人的来由虽带些诡秘，但语调很诚恳，不像是出于恶意的。那么，他为什么又藏头露尾地不肯把真姓名告诉我？他所说的电话号数和姓瞿的人，电话簿上何以又找不到？

过一会儿，我抱着彻查到底的态度，打到〇九号电话查询部去，问问五五六〇六号的姓名和地址；回答说这号数是金山路八八九号赵尚平律师。

这个姓名虽不能和我所知道的那个姓瞿的互相符合，但是我仍不能不承认是一种希望，一个线索。从一方面看，姓氏既不能合符，报告的人又不肯说出真姓名来，这消息似乎不足重视；但从另一方面着眼，那个人如果恶意戏弄，尽可以假造一个姓名，何必明明白白地守秘？因而他的守秘反而是真诚的表征。也许他处于困难的地位，不能不有所顾忌吧？还有，瞿和赵的差别，是故意改换的吧？因为一个人要干犯罪的勾当，变换姓名是常事，何况这个人又是一个懂法律的律师。因此，那第一次电话委实值得重视。

十一点钟了，霍桑仍没有回来。我关怀着他，不知检验的结果怎么样，就打电话到济众医院里去问。一个挂号的回答，检察官还没有到，检验还没有开始。

我不禁暗暗地叹息。官僚们的作风竟如此恶劣，指定十点钟检验，到了十一点钟，连人还没有到场。老百姓的时间，在他们眼中简直不值一文钱！

等着，等着，兀自消息沉沉。我的情绪既复杂，又紊乱。希望，焦急，加上因忧虑而产生的种种可怕的空想，使我感到身上所有的神经都在给无形的针头钻刺着。纸烟尽管一支接一支地在燃烧，可是丝毫也起不了镇定的作用。霍桑这样子迟迟不归，会不会竟被扣押起来了呢？官僚们是只重权势而不讲理的。霍桑平日孜孜不息地努力，在广大人民的心目中，固然受到重视和称颂，但是对官吏们来说，他说不定还是他们的眼中钉，因为他是只重公道而不畏权势的。现在，霍桑陷进了尴尬的境地，官僚们不会幸灾乐祸地借此难为他吗？

午后三点钟了，我的焦虑到达了高峰，正挂虑着霍桑会不会真有被嫌疑的危险，忽然看见他悄悄地踱进办公室来。

一个摩登人物

霍桑仍保持着他那种静穆安详的神情，丝毫没有我所预料的懊丧失望，我也感到安慰。他挂好了草帽，开始卸他的白帆布外褂。我把那奇怪的电话消息暂时搁一搁，先向他发问：

"霍桑，怎么样？"

"你问检验的那回事？"他一边向我反问，一边安舒地在窗口下的藤椅上躺下来，又摸出一块白手巾来抹了抹脸，就打火点他的纸烟，"总算侥幸，我没有被押起来。"他深深呼了一口烟："不过我现在的自由，也不是无条件的。"

"什么条件？"

"那检察官姓严，还算懂些道理，对于我也还算有相当的信任。他叫我具了一个结，限我在两天内找到尸主。"

"唉，只有两天的限期？"

"你还不满足？本来，他限我明天就得把尸主交案的。"

"唉！那么，限期这样短，你想你有没有把握？"

"我相信——"他似乎因着我的语声的表示，竟将他的目光射到我的脸上，"包朗，你不是有什么消息告诉我吗？"

"正是，有一个很好的消息。"我笑一笑，"我要请你先说一说你在电话中说过的'眉目'。"

霍桑又向我瞧一瞧，才道："我曾到银河路去，调查过那个孟蓉圃——"

"唉，现在你也认为这个人有关系吗？"我惊诧地问。

"不是。我为了周密起见，在这一团漆黑的当儿，对于任何可能的线索，我都不轻易放过。……唔，你为什么这样子惊异？"

"刚才这个人打过电话来，我冒顶你，受了一番恶骂。他骂我'流氓'，'贼坯'，'畜生'。"

"喔！"

"他大概读到了报纸上的新闻，便幸灾乐祸地乘机报复，因此，我也在怀疑他。你调查的结果究竟怎么样？"

霍桑微微笑了一笑，答道："我瞧他的昌丰海味号门前，已经贴出一张'除奸团公鉴'的启事，写了几句'爱国不敢后人，营业悉凭良心'一类的鬼话。我又知道他是一个头脑顽固和唯利是图的吝啬鬼，因此，他和那个堪称享用舶来品专家的时髦女子，似乎不会有发生关系的可能。……但是你所应许的好消息可就是指这个电话？"

我摇摇头道："不是，还有别的呢。但是这个孟蓉圃既然不一定有关系，你所说的眉目又是怎么回事？"

"好啊，你倒也学会了卖关子的本领哩。"霍桑连连吐了几口烟，"我已经查明那飞鹰牌汗衫是美国纽约出品，上海并无发售。陶拉斯的皮鞋，只有惠罗公司一家出售，在这里销行不广，而且代价很贵——这样一双鞋子需要三十多元。因此，我敢假定这女人一定是新近回国的，因为皮鞋和汗衫都还是新的。这一来，侦查的范围就缩小了些。刚才我已经打电话到留美同学会里去，和那朱小梅干事接洽了一下。现在，我可以听听你的好消息了吧？"

于是，我就把第一次电话的消息和我个人的见解，仔仔细细告诉了霍桑。起初，霍桑的神气非常淡漠，可是他吸了几秒钟烟之后，把我的话加上一番咀嚼，忽然丢了烟尾从藤椅上立起身来，在书室中往返踱步。他虽然没有说话，两只眼睛却在闪闪发光。

一会儿，他站住了，说："包朗，你推想得很正确。假使那人要来取笑我，戏弄我，他尽可以乱说一个姓名，何必明明白白地守秘？……对，真是好消息，好线索，一条意外的好线索！……嗯，我应该马上进行！"

"你打算怎样进行？"我也从椅子上仰起身来。

霍桑瞧瞧他的手表，说："此刻已四点钟，我不妨立刻到金山路走一趟。"

他看见我忙着立起身来，点点头："也好，我们一块儿去。你已经闷坐了大半天，也应得出去散散步。这里的事让施桂来照料。"

我们的汽车在金山路北端的转角上停住。这条路是南北向的，住户大部分是自由职业者和专营批发的商号，也有几家住宅和零售的小店铺，不过都是稀疏零落，不集中在一起，故而从市况上看，并不怎样热闹。马路的宽度也只有二三等之间。朝东的一面是单号，朝西的一面是双号。霍桑在门牌上瞧了一瞧，便向我们的汽车司机招一招手，叫他跟在我们的后面。那北端的号数，从九〇九号开始。我们一家家倒数下去，不一会儿已走到八九五号的前面。那是一排西式房子，一共有十多宅，每宅两幢，每一宅的结构彼此相同。前门有一排三尺光景高的青砖短墙，短墙上装着二尺多高的铁栅，连着两扇盘花铁条的门，里面一小方草地，镶着一条水泥的通道。草地和通道合在一起，有一丈多深二丈半多阔。屋子前有三层石阶，连接着一个浅长的阳台。阳台上一面有两扇花玻璃门，一面有两个窗口，都是法国式的着地长窗。屋与屋之间，有一堵齐肩的矮墙分隔着。这十几宅屋子的唯一不同点，就是有几家草地上种些花木或棕榈树等，有几宅却空无所有。

我们站住的位置就是西式屋子第一宅八九五号，门前挂着一块全是英文的铜牌，是一个姓鲍乃脱的美国会计师。第二宅八九三号是一个中国牙科医生，叫作李星辉。第三宅八九一号，是一家裕成布号。第四宅八八九号就是我们的目的地了。这一宅房子的门前果真挂着一块长方的铜牌，标着"赵尚平律师"五个颇有颜鲁公气息的大字，那两扇盘花的铁门却紧紧地关着。

霍桑继续向前走，我也跟着他继续观察。第五宅挂着航业俱乐部的牌子；第六宅却贴着招租的广告。第六宅和第五宅之间有一条小弄，似乎是这一排屋子后门的通路。第七宅又是外国字的铅皮牌子，我没心思仔细瞧了。

这时霍桑停止了脚步，旋转身来，挥一挥手，叫那汽车远远停住。接着，他穿过街面，到对面的人行道上站住。我也一

同走到对面，瞧见有几家卖纸烟糖果的小店。霍桑走到了正对
那第四宅西式屋子的一家石库门前，站住了摸出纸烟盒来。

我低声问道："能不能进去访一访他？"

霍桑摇摇头，说："不行，他是当律师的。我们自己的脚
步必须站稳，不能乱来。"

"那么，你打算怎样入手？"

"那南隔壁第五家航业俱乐部是个公共所在，我们不妨进
去问问，说不定会有什么熟悉的人在内。"

"唉，我想起来了。我们的同学陈艻山，不是在招商轮船
上做领航吗？我们不妨就假托进去找他。"

"很好。"霍桑一边点头，一边烧他的纸烟，"唉，慢，里
面有人出来哩。"

我向对面一瞧，第四宅八八九号屋子里，果真有一个穿白
色短衣、仆人模样的中年男子，开了里面的花玻璃门，正在从
石阶上走下来。一会儿，盘花的铁门被从里面拉开，那仆人走
到了门外人行道上。

"跟我来，别说话。"

霍桑低声说了一句，穿过街心，直向仆人的所在走近去。
那仆人走出了铁门，正在反身将门拉上。霍桑迎上前去，向他
点一点头：

"在里面吗？"他故意含糊着问。

那人是个黑脸麻子，年龄在三十六七，眼白有些黄，眼珠
敏活有神，头发却剃得精光。他向我们俩端详了一下，也点头
答礼：

"先生，找谁？东家上南京去了。徐先生在里面。"

这光头仆人说的是浦东话，他的面貌和声音似乎都很干

练。我觉得霍桑的眼睛好像打了一个转：

"我们是来找你主人赵律师的。他几时走的？"

"前天礼拜二。先生有什么事？"

"我为诉讼的事找他商量一下。那位徐先生可是他的书记？"

"不是，他是东家的亲戚，寄寓在这里的。书记是金先生，刚才已经回去了。"

这时，忽然有一辆汽车驶到我们所站的人行道旁停着，车中只有司机一人。霍桑一见，立即向那人点一点头，说了一声"我们过一天再来"，便拉着我向南急走。我跟着他直走到那一排西式屋子的末一家门口，方才站住。霍桑又远远向我们雇的汽车司机招一招手，才低声向我解释：

"留心瞧，那个光头见那辆汽车到来后又转回去了。"

"是。但是汽车里没有乘客。"

"不错，这就告诉我们八八九号里有人要出去哩。"

我们所雇的汽车驶到我们面前，停住了，霍桑走过去开车厢的门。他的动作似在故意延缓，开了车门，不立即上去，又不让我先上，分明他有所等待。那第四宅八八九号的两扇盘花铁门果真又开动了，一个穿白色法兰绒西装的男子从里面出来。他头上戴一顶漂白巴拿马草帽，胸前露出一条蓝色斜条纹的领带，手中拿着一根细长的手杖。我们和他虽距离六七家门面，不能够看得怎样清楚，但是他的时式整齐的服装、斜角度的帽子和走路时那种活泼潇洒的姿态，已经十足地显示出他是一个摩登人物。霍桑不等那人上车，便把身子一侧，让我先上车去，同时他低声向司机说话：

"后面有一辆汽车，小心些跟着，别太接近。"

上车之后，我从车厢后面椭圆形的窗洞里向后面窥视。那少年用手杖的弯钩把汽车司机给他拉开的车厢门更钩开一些，接着弯腰踏上车去。霍桑拉上了车厢门，也回头到这小洞里来偷瞧。

我和霍桑并肩坐着，我的眼睛便向左侧的街面上观察。那辆深棕色的汽车立即开行，从我们的左侧超过。一瞥之间，我瞧见那少年的脸带些长形，雪白的皮肤，墨黑的眉毛，嘴里正衔着纸烟，在用打火机点燃。他的注意力似乎集中在纸烟上，决不留意我们的停着的汽车。霍桑在前面车窗上轻轻地拍拍，等司机旋转头来时，又用一个指头向前面点一点。我们的汽车也就叭叭地开动。

"瞧清楚了没有？"霍桑问我。

我点点头："很漂亮，鼻梁笔直，眉毛浓黑，皮肤白嫩——"

"那是雪花霜的成绩。"霍桑接口说，"我还瞧见他的一双乌黑黑的眼睛，具有勾引女子的魅力。……是的，的确很漂亮。他右手的无名指上还戴着一只钻戒。"

"这个人是谁？你想有关系吗？"停一停，我问。

"是谁？我知道他姓徐。"霍桑的眼光疑滞了一下，"你说他和那女子有关系吗？我不知道，也许有。"

话有些模棱两可，不痛快。我正待再问，霍桑忽然把他的背脊挺一挺，又抢先问我：

"刚才你说那个打电话报告的人是苏北口音？"

我呆一呆，又点点头，并不答话。

"你知道苏北口音念'徐'字，类似上海口音的什么字？"霍桑继续问，他的声调有些异样。

我暗暗念了一念，不禁惊呼起来："唉，他们念'徐'字的确类似我们的'瞿'字！"我顿一顿，又惊喜地问道："莫非我在电话中听错了？"

"正是。大概如此！否则不会有这样的巧合。"

这的确是一个重大的发现，不过这线索究竟还很浮泛，不能就轻信。

霍桑补充说："包朗，你总记得有句俗谚，快要溺死的人，看见一根浮草也要攀抓的。这一条线索，我认为比浮草总可靠得多。……唉，前面的车子快要停哩。"

我们的汽车经过了几条热闹的街道，正驶进了那条比较清静的两旁都是高大洋房的静安路。我从车窗中向前瞧去，那辆深棕色的汽车已经停在一〇八号一宅西式的大厦门前。

那宅大洋房是用灰色水泥建筑的，嵌着白瓷漆的窗门。前面有一大方碧油油的草地，修剪得像地毯一样，草地上有个五彩缤纷的花圃，还有三四棵大树，展布着可爱的浓荫。这时虽六点钟已过，但夏天的骄阳还没有西沉，草地上的光影也像油画一般地鲜明清晰。

漂亮的少年走下了汽车，从那开着的两扇大门里进去，穿过草地，走上石阶，便伸手按铃。为了避免怀疑，我们的汽车早已停在这灰色大厦右隔壁另一宅较小洋房的门前。

"他已经进去了。我们要等到几时？"我问。

"耐心些，他的汽车是租来的，不会太久。"霍桑安闲地仰靠着车座的背，"他一定是来接他约会的人的……我相信准是个女人。"

十五分钟以后，霍桑的预料便得到了证实。漂亮少年果真陪着一个穿淡绿色洒紫花薄纱的西式衣裙的年轻女子，说说笑笑地从大门里出来。

"他们大概是往什么西餐社去的。"霍桑做第二度预料。

"这个推测不算太难，时间上已给你充分的依据。"

霍桑不答，又照样用手在车窗前拍了一下。司机很敏捷，立即点了点头；等到前面的汽车回过来时，他也就拨动机关，缓缓地将车子掉转头来。深棕色汽车从我们面前驶过，我瞧见了那女子的面貌——乌黑的鬈发，狭长的柳眉，灵活的眼珠，猩红的樱唇，位置都匀正可爱；伊的雪白的颈项袒裸着，袖子短到臂弯以上。我又看见少年的右手似乎钩在伊的腰部，女子的左颊却靠在少年的肩上。这一种相依相偎的状态，充分显示出他们俩相恋的热度已经达到了沸点。

"别瞧得着魔！"霍桑用手肘骨在我的手臂上抵了一下。

"我在猜测这一男一女的关系。"我说。

"这还用猜测？要知道的是他们两个已往的小史。"他又偻着身子敲车窗，"喂，快开啊。前面的车子已经转弯哩。"

我们的汽车虽已掉转头来，但是只听得啪啪的声响，车辆却停着不动。

"怎么样？要抛锚？"霍桑有些着急。

司机不答，但用力拨动点火开关，不一会儿，连啪啪的声音都停止，引擎熄火了。我也非常焦灼，因为这一耽搁，分明会断送一种最好的机会。前面的汽车转弯不见了，追上去可来得及？

那司机急忙跳下车去，开了前面车头盖，汗流满面地在察看发动机各部件。霍桑叹了一口气，就开了车门下车。我也跟着下来。他倒并不怎么失望，一边打开皮夹拿钞票，一边带着微笑向我说话：

"包朗，你的眼福太浅了，这一幕好戏，今天你瞧不见了。"他又向司机招招手："喂，朋友，不用着急，算了吧。这是车钱，多余的给你喝酒。"

司机的脸上显出十二分的抱歉神气，他的左手接受霍桑的钞票，右手的手背却在抹他额角上的汗，嘴里连声道谢。我心中未免懊丧，同时向街的两边探望，还希望找到另一辆汽车，或许可以补救。

"包朗，不要痴想哩。"霍桑拍拍我的肩膀，"赶不上了，即使赶上了，实际上也不一定有什么好处。这两个人的地址，我们都知道了，就好了。要查究他们的历史，尽可以从别方面进行。天快黑下来了。或许有什么好消息在我家里等我们呢。"

这几句话分明是霍桑自己安慰自己的解嘲。不料，这预言竟得到了验证。我们回到他的寓所时，施桂忙迎出来报告：

"霍先生，汪侦探长来过两次电话。他说昨天送那女人来这儿的汽车司机已经找到，今夜八点钟，他把那人带到这儿来，让你问话。"

单身旅客

这消息可算春云乍展，预示着晴朗的光明，不但振作了我的精神，连带地刺激了霍桑的食欲，晚餐时他显得格外高兴。

"银林在这件事上干得这样子迅速，对于你分明有着酬报的意味。"晚饭后，我开始对霍桑说，"现在横祸的阴霾应该算消散了，至少，你的责任总可以先卸了。"

"是的，不过我希望的还不止此。"霍桑靠在藤椅上，吐出了一口烟，"清刷我本身的嫌疑事小；据我料想，这里面还有着诡秘和严重的事实。"

"那么，这个司机就能供给诡秘事实的线索吗？"我的好奇心又升了起来。

霍桑简单地说："我希望如此。"

八点还少七分，那司机来了。他并不是由汪银林陪来的，是由银林手下的一个瘦高个子倪金寿代表着陪送来的。倪金寿也是我们的旧识，曾和霍桑联手办过好几件案子，得到过不少好处，因此，他对待霍桑显得比银林更加恭敬。但我好几次看到他对付一般老百姓时，也像其他官家侦探一样，却另有一副可憎的嘴脸。他的身材比银林瘦而且高，脸色微黄，也不及汪银林那么红润。他走进来鞠躬招呼，说明汪银林因为别的公事忙，故而不能亲自来，接着，便将汽车司机钱阿森带进办公室来。

钱阿森的年纪在三十上下，身材虽不高，胸肩却很阔厚，看上去很富于体力。他穿一件玄色纺绸长衫，里面衬着糙米色的府绸衫裤，头颈里的纽子却敞而不扣。他的脸色苍黑，眼睛很大，嘴唇里面露出三四只灿烂的金齿。他在飞轮车行里已经做了三年，平日专门接送临时的顾客。

倪金寿说道："阿森，说吧，仔仔细细说给霍先生听，别漏掉什么！听清了没有？"他的口气竟像对付一个犯人。

霍桑却和钱阿森握一握手，有礼貌地请他坐下来。

霍桑道："阿森兄，刚才你在警厅里大概已经说明白了。现在，费心再说一遍。事情和你完全没有关系，尽管实说。"

钱阿森点点头，果真毫不犹豫地说："今天四点钟，我在四海楼茶会上听得同业们说起，警察厅里派了侦探们往各处车行里去调查，昨天下午五点钟光景，有没有人把一个年轻女客送到爱文路霍先生家里；同时有人谈论今天报上登着的新闻，有个女人来找霍先生，没开口就死了。我想起了这个女客就是我送到这儿来的。我一向知道霍先生不怕大亨，常常帮助穷人，是个好人，这件事我应该站出来做个见证。有几个弟兄也撺掇我赶快到警厅里去报告。忽然，旁桌上的一个探伙走过来，招呼我。说明之后，他便邀我一同到警厅里去。"

"多谢你的好意，我很感激你。"霍桑一边拿出纸烟来敬客，一边连连点头。

钱阿森不推辞，坦率地接受了烟。

"这女客在什么地方上车的？"霍桑问。

阿森烧着了纸烟，说："在民国路亚东旅馆门前。往日里，我的空车是常常停在旅馆门口的。"

这一点好像本来在霍桑的意料之中，所以他并不表示惊异。他也递一支纸烟给倪金寿。倪金寿忽像卖功那样，接过了烟，不立即烧着，却睁大了眼睛瞧阿森。

倪金寿问道："你亲眼看见伊从旅馆里走出来的？"

"这个……唔……"司机显出一些疑迟的样子。

"这个，那个，做什么？快说！"

"喂，金寿兄，让他慢慢说。"霍桑觉得金寿又在要官腔，赶紧插口，又笑眯眯旋转过头来，"阿森兄，请说下去。"

阿森向金寿瞪了一眼，才回答霍桑说："因为旅馆门前停着四五辆自用车，我的车子排在自用车的后面，当时我没注意到旅馆的门口，所以说不上亲眼看见。不过回想起来，伊多半是亚东旅馆里的客人。"

霍桑点点头道："好。现在请你说一说伊上车时的情况。"

"那时候，马路上有一辆黄包车撞翻了一副卖绿豆汤的担子，闹得不可开交。我正在瞧他们，忽然听见一个女人声音的呼唤。我急忙回头，女人已经走到我的车厢门前。伊问我：
'车子出租吗？'我应了一声是。伊就说：'爱文路七十七号。'
接着，伊自己把车门旋开，跨上了车。伊虽然说的是北方口
音，模样儿倒很老练，像是个老上海。我没说一句话，就开车
将伊送到这里来了。"

"伊上车时有没有人陪着？"

"没有，那时人行道上虽有不少人来往，但只有伊一个人
站住了和我讲话。"

"上车以后，伊可曾和你说过别的？"

"也没有。车子送到了你的门口，伊下了车，拿出两张一
元的钞票给我，挥一挥手，叫我将车子开走，也没说一句话。"

"那么，伊上车时的声音态度，你可曾觉得有什么特别的
情况？"

"声音很低，脸儿铁板板的，好像有些少奶奶的架子。我
可没有想到伊马上会死。"

霍桑一边问答，一边缓缓地吐吸着他的纸烟。倪金寿却拼
命地抽，分明他心头不太舒畅。

霍桑又问道："还有一句。这女人可有什么东西遗留在你
的车上？譬如，皮夹或者阳伞之类？"

"完全没有。伊的打扮虽很时式，可是手上戒指手表都没
有，当时我也觉得有些奇怪。"

霍桑点点头，丢了烟尾，立起身来，好像预备送客的样
子。钱阿森也模仿着他的动作。

霍桑道："金寿兄，有劳了。现在这女人的真相虽还不能
揭露，但是我敢说这只是时间问题。这位阿森兄既然仗义出来
作证，你们不能留难他。如果法律上需要证明，可以随时通知

他，他一定会随传随到。"

他再一次热烈地和汽车司机握了握手，然后亲自送他和倪金寿出门。

"霍桑，我看这个阿森很热情。"我等霍桑回进来时，发表我的见解，"他既然肯出面给你作证，那些对你恶意中伤的人大概不会再兴风作浪了。"

霍桑摇摇头，说："你不能盲目乐观。"

"喔？你以为报纸上还会借端攻击你吗？"

"你不是说恶意中伤吗？那么，'欲加之罪，何患无辞'！"

"如果这样，我们可以用法律解决，控诉他们恶意诽谤。"

"这也不是最恰当的办法。"霍桑又摇摇头。

"那么，你说什么样的办法才最恰当？"我问。

"在限期之内，查明这个神秘女人的真相，进一步再找到伊的家属，那才是扫除流言的最切实的办法。"

"你说得对。"我表示赞同，"那么，你对这方面有没有入手的措施？"

"我估计那女人准是从亚东旅馆里出来的。"霍桑在自言自语，又像在答复我。

"你这个估计有什么依据？"我问。

霍桑说："你想伊中毒以后，既然要急急忙忙到这里来找我，难道会走了很远的路才雇汽车？"他停一停，补充说："还有，亚东旅馆是个比较高级的旅馆，也合得上这个女人的打扮和身份。"

"不错。那么，入手的第一步就是到亚东旅馆里去查一查，是吗？"

"是的。"霍桑应了一声，瞧一瞧手表，"时间还早，我想立刻去调查一下。"他收束着他的领带,又把卷着的衬衫袖口展开来。

我说:"我可能一块儿去走走——"

忽然,电话的铃声叮叮地响起来。霍桑正弯着腰在扣他足上的黄皮鞋的鞋带,我便代替他接电话。这电话竟使我喜出望外,同时又证实了霍桑在一两分钟前的设想。

"唔,银林兄?我是包朗。……此刻你在民国路亚东旅馆里?……喔?查明白了?这女人叫秦——什么?……秦守兰?……好,好。霍桑也在这里,我们立刻就来。"

当我将电话筒搁好的当儿,霍桑已经扣好了皮鞋带,旋转身来,先向我说话,因为他在我背后听清了银林的电话:

"银林兄肯这样子出力,省掉我一番调查,倒难得。"他向我点点头:"你愿意一块儿去,再好也没有。独木不成林,这样一件事本不是单枪匹马干得了的。现在,你快打个电话到龙大车行去,我们不能再耽搁。"

十五分钟后,我们已经到达民国路上那高大的亚东旅馆门口,汪银林早已派了一个年轻的探伙在门前迎候。探伙说银林在账房里向好几个人查问过,方才查明这女人的姓名,此刻他已经到三层楼三四七号房间里去察勘。霍桑点头和我跟探伙一直上三层楼去。那探伙一边走一边解释,据旅馆的账房先生说,这个女人叫秦守兰,写的是四川籍贯,在这里已经住了十五天,旅馆费还没有付清。

走完了两组宽大的楼梯,我们终于到达了三层楼的三四七号室前。室门关着,里面却灯光灿亮。霍桑用手指在门上叩了两下,不等里面有人答应,便推门进去。我也跟着进去,探伙却在门外站住。

卧室的面积相当宽大，还连着一个浴室。室内布置很富丽，一张双人铜床，床上的枕席和两条薄薄的紫绸夹被都折叠整齐；还有玻璃衣橱、柚木镜台、龙须草席垫的沙发和大理石面的小圆桌，都非常精致。这时电扇正在习习地转动，室中很觉凉快。汪银林穿了一件黑绸长衫，衔着雪茄，脸色很沉着，似乎正在沙发上养神。另外有一个穿白纺绸长衫年龄在四十光景的男人，靠圆桌坐着，正面向着沙发。他面颊瘦削，两只骨碌碌的小眼兀自瞧着银林。

"银林兄，劳神得很。你竟办得这样子迅速。"霍桑先开口向他致意。

汪银林忙站起来，拿下了雪茄，答道："霍先生，这是我应尽的本分啊。"他向那坐着的人努一努嘴："这个姓李的账房满嘴'不知道''不知道'，我真觉得头疼。"

那账房先生撑着大理石面的圆桌，也站了起来，向霍桑点点头，又用他的小眼对我上下打量。

他先说："唉，先生，这不能怪我。我们在楼下账房里，这里有百多个房间，客人这样多，怎么能够知道他们一个个的详细情况？我只知道伊是个单身女客，进来时伊付了一百块钱，已经住了十五天，天天吃着西餐，连宿费计算，早已超过伊所付的钱。昨天伊一夜没回来，我们正在担心伊会漂账。别的事我都不知道。"

账房说了一大串话，显示出他的口齿果真伶俐。汪银林重新坐下，他的眉毛紧皱，眼睛怒视。但是霍桑的脸上却仍含着笑容。

他说："李先生，你口口声声离不了钱，足见你忠于职守。不过这件事关系很大，你最好把职务以外的事实，也告诉我们几句。"

账房道："我不知道啊！说不出来啊！"

汪银林凶狠狠地插口道："真可恶！'不知道！不知道！'"

姓李的并不屈服，冷冷地答道："笑话，汪探长，你是办公事的，你要强迫人家告诉你人家不知道的事情吗？"

霍桑从中解围似的说："喂，大家别动肝火。李先生，请坐下来谈。"

他先自在圆桌旁边的另一只椅子上坐下来。我也占据一把椅子。账房先生也重新坐了下来。

霍桑继续道："李先生，请放心，我们决不勉强你说你不知道的事情。现在，我有几句简单的话请你答复。你说这女人是个单身客，但是伊进来的那天有没有人陪着？"

"没有。"姓李的简单地回答。

"过去的十五天里，可有人来找过伊？"

"没有——我不知道。"

"伊可有什么贵重值钱的东西寄存在账房里？"

"没有——要不然，我也不会担心伊漂账了。"

"我想伊总有些行李吧？"

"有两个皮包，但是我不知道皮包里有没有值钱的东西。"

"你没有检查过？"

"这怎么可以乱来？照旅馆的规则，旅客们如果失踪漂账，先得报告了警厅，才能检查行李。"

"那么，伊昨夜里既然一夜不归，你怎么还不报告？"

"一夜不归还不能就算失踪。我希望伊今天会回来的。"

"这样说，你还没有瞧今天的报纸？"

"我没注意。刚才这位汪探长把报纸指给我瞧，我才知道。"

"还有一句话。伊是服毒死的。这一点你可也知道？"

"汪探长在浴室里找到了一瓶来沙尔液，说伊是中了来沙尔毒死的。是不是真的服了毒，我也不知道。"他顿了一顿，又忙着补充说，"不过，来沙尔液每一间浴室里都有，原是给旅客冲洗浴缸用的，不是叫伊吃的，我们不能负责。"

账房先生的谈话处处不离他的主题——卸责和推脱，可见他吃这碗旅馆饭，已达到了炉火纯青的地步。汪银林乱喷着雪茄烟雾，瞪视着账房，像要发威咆哮。霍桑又急忙阻止：

"银林兄，你总明白，李先生在楼下账房里，对于旅客们的情况当然有些隔膜。我想茶房们比较接近，大概可以供给我们一些事实。——唉，慢！伊的行李检查过没？"

汪银林从沙发上立起来，走到玻璃橱前，把橱门拉开，用手指着里面：

"这里面有几件衣服和几双皮鞋。"

我跟着霍桑走到衣橱前去瞧。电灯光照见橱里面挂着几件颜色鲜艳的丝织和毛织的旗衫，另有一件纯白绸料的西式跳舞衣裙。霍桑弯着腰，把橱底上的几双皮鞋翻了一翻：

"这里面也有一双陶拉斯牌子的舞鞋。"

"那只皮包是空的。"汪银林又指着铜床底下说。

霍桑仍偻着身子，把空皮包拉到床外，皮包外面果真贴着纽约旅馆和西雅图轮船公司的标签。霍桑把这标签指给我瞧，我点点头。这一着已经证明女人真是新近从美国回来的。汪银林走到那只摆满化妆品的镜台前去，开了镜台的抽屉，拿出一只小皮袋来，顺手把皮袋拉开。他道：

"这大概是伊的首饰袋了，可是没有什么贵重的东西，只有两张当票。"

我瞧见小皮袋中有一条细的金链条，连着一个小蚕豆大小的金鸡心；一只小金表，面积比铜元还小，系着一条扁阔的黑丝带；一支金墨水笔和一只金壳小纸烟盒；此外，还有些粉盒和蔻丹指甲油等化妆用品。汪银林取出两张当票和四张五元钞票单另夹在一起。

"这里还有几件内衣，几方手帕和半罐茄力克纸烟。"汪银林又抽开了另一只抽屉，"有一种东西出乎我的意料。像这样一个女人，竟也会爱看包先生的作品！"

原来抽屉中除了几本英文原本的生理卫生一类书外，还放着几本我所记述的《霍桑探案》。霍桑把书翻了一翻，旋转来瞧我。

"伊昨天到我那边去，介绍人仍然是你。"他的嘴角微微牵一牵，又旋转头去，"银林兄，你没有发现信札、日记或任何文件吗？"

"我已经找过了，完全没有。"

霍桑转脸向账房道："李先生，你们有没有给这位女客接受过外来的信件？"

这一句问句又照例换得了"没有"两个字的答语。我开始觉得这账房先生的确狡猾可恶。他处处藏头缩脚，一味卸责，说不定会因此妨碍霍桑的侦查。但是霍桑仍保持他的宽容态度，既不动火，脸上也没有憎恶的表示。他把两张当票拿了起来，缓缓展开来细瞧。

他自言自语地说："唔，这两张当票倒是值得注意的。"

汪银林接嘴道："是啊，我已经看过。一张是三百元，在汉口恒丰当铺当的，日期在七月二十日，已经隔了二十多天。另一张是三天前在上海的顺泰当铺当的，当价只有八十元。可是朝奉的字迹像鬼画符，我瞧不出当的是什么东西。"

"给我瞧，我也许识得几个典当朝奉的字。"我自告奋勇地走上前去。

霍桑把两张当票授给我，指着一张八十元的向我说："这里面似乎有一个'表'字，你瞧对不对？"

我仔细瞧了瞧，应道："正是，八十元的一张，当的是一只嵌细钻的长方手表，汉口的一张是一只钻戒。"

汪银林道："这样，闷葫芦又打破了一个。可见这女人的经济已很是拮据。"

"这样说，伊大概是因经济困难而自杀的。"那个死不负责的账房先生忽而自动参加。

霍桑不理会他，仍自顾自向汪银林说话："还有一点，也可以证明伊最近是从汉口来的。伊不是写着四川籍贯吗？"

"伊回国以后，先到伊的故乡去看看，回来时经过汉口，那也是可以理解的。"我插一句。

"我看八十元的一张当票是三天前当的，比较有些线索可寻。"霍桑继续推测，"伊这样子打扮，绝不会亲自拿了手表上当铺去。我料想一定有别的人代伊办这个手续。"

汪银林点头道："不错，现在就把茶房们叫进来问问。"

姓李的又插嘴道："这一部分的茶房有日夜两班，一个叫马祥宝，一个叫朱阿大。我去叫他们进来。"

汪银林分明防账房做什么手脚，暗中把"不知道"和"没有"传授给他们，便抢前一步，一把抓住那账的臂膀：

"喂，不用你假讨好。我会去叫他们进来。"

账房立即止步，哭丧着脸，用手抚摸他的左臂，显见汪银林这一抓是故意用了些力的。银林当着霍桑的面，不敢太放肆，就暗暗地借端发泄一下。

"只能智取，不可力敌"

马祥宝和朱阿大都是三十上下的壮年人。祥宝的身材短一些，脸色枯黄得有些病容；阿大的身材比较健壮，神气上也比较活泼。这两个人正在互相换班，身上都穿着白长衫号衣——马祥宝是二十九号，朱阿大是四十一号。他们俩跟着汪银林走了进来，都在玻璃橱前面站住。李账房虽不开口，眼睛却骨碌碌地瞧着二人，像在暗暗警告他们不要多嘴。我觉得在这样的情势之下，茶房们一定不会提供什么情况，可是又没法阻止账房的眼睛转动。

"你们两位谁当日班？"霍桑先开口问。

朱阿大用本地的口音应道："我是日班。"

霍桑向朱阿大点点头，说："阿大兄，我问你，这几天里有几个人来看过这个房间里的女客？"

朱阿大摇头道："没有，没有。"

霍桑注视着他，接嘴道："唔，你何必瞒我？我已经知道有人来过的。"

汪银林沉着脸，厉声道："小心些！你敢撒谎，我——"

银林的话没说完，忽然从沙发上立起来，举起右手，像要上前去捆阿大一下。霍桑赶紧瞪着他干咳一声，他才慢慢把手落下来，重新坐下。不过这一"行凶未遂"的恫吓也产生了意外的效果。阿大有些慌，用眼睛向账房先生瞟去。这时，银林可怕的眼光也射到了姓李的脸上，警戒他不许弄什么鬼把戏。姓李的愣住了，再施展不出什么花招。阿大才吞吞吐吐地回答霍桑：

"先生，在十天光景以前，有两个男人来问过伊。刚才你问这几天，那的确没有。"

"唉，在十天光景以前？有什么两样！那这两个是什么样人？"

"两个人都穿西装——一个是胖子，一个是长条子，年纪都二十多岁了。"他说到这里，又畏怯地瞧瞧账房。

汪银林又站了起来，挺着他那肥硕的肚子，踏前一步，他的右手指夹着那支熄灭了的雪茄，威胁地向阿大指一指。

他厉声道："你用不着看他，只顾说！这两个人叫什么名字？住在什么地方？"

阿大的阅历自然远不及他的上级同事那么老练。他变了脸色，答道："先生，这些我委实不知道。我……我只知道那矮胖的西装少年姓何，他的名字已记不清楚。"

"混蛋，你明明在骗人！记得了姓，会记不得名字？"

阿大张开了嘴，呆住了。那小眼睛家伙也显然在暗暗着急，可是没有办法。霍桑似乎看到了阿大的窘态，便从旁调解。

他道："阿大兄，你只要据实说就行，我们决不难为你。现在你说说看，这两个人怎样来访问伊的？"

阿大用舌尖舔舔他的嘴唇，答道："我记得是这位女客来了三五天之后，傍晚七点钟光景，女客恰巧从电梯中走出来，一胖一高的两个少年跟在伊的背后。伊叫我开了房门走进来，便砰一声关上房门，把那两个人关在了房门口。那胖子悄悄地问我，伊是不是自己住在这里。我回答是的。这两个人嘻嘻一笑，就下楼去了。我瞧他们俩分明在'盯梢'。先生，你懂得上海人说的盯梢的意思吧？"

账房先生又坐立不安地移动着身子，睁大了他的一双小眼，似乎在给阿大播送某种警告。汪银林踏上一步，用手把姓李的推一推，叫他重新坐下。他自己把身子横隔在他们俩的中间，他们的视线就受了阻隔。

霍桑答道："盯梢就是调戏女人，是不是？好，以后怎么样？"

"隔了一天，这胖子又来过一趟。那是下午两点光景。"阿大继续说，"他走上楼来，拿出一张名片，叫我送到三四七号房间里来。我敲开了房门，女客便出来接应。我将胖子的名片交给伊时，胖子紧跟在我的背后，打算跟着踏进来。但是女客一瞧见他，便把名片向我手里一塞，急忙将门关上。我才知道盯梢碰上了钉子。我在名片上瞧一瞧，还给他，才知道他姓何，名字却没有细瞧。他并不发火，依然笑嘻嘻的，临走时还在门上敲一下，隔着门搭讪了几句，就走开了。"

"说了些什么搭讪的话？"

"他说：'喂，今天大光明的片子叫《游龙戏凤》，真新，七点半我在那边等你。'"

"以后呢？"

"胖子说完话，就下楼去了。"

"他可曾再来过？"

"没有。"

"当天傍晚，那女客有没有出去？"

"也没有。"

"你记得清楚？"

"清楚的，因为……因为……"阿大忽然咬一咬嘴唇，停住了。

"因为什么？你再弄花巧，我揍你！"汪银林又耐不住地发病了。

"因为……因为……"朱阿大胆怯地吞吞吐吐说，"因为我……我想看看鱼儿是不是上钩，所以那一天我特别留心。可是鱼儿到底没上钩，我亲眼看见伊在这房间里吃夜饭，没出去。"

霍桑点了点头，又侧过头去问当夜班的马祥宝，曾否看见这胖子来过。马祥宝低垂了头，弯着舌子回答"不知道"。

霍桑又问道："除了这个胖子，可有别的人来过？"

"没有。"祥宝的眼光依旧低垂着。

霍桑又转过脸来："阿大兄，这胖子你既然瞧见过两次，大概记得吧？"

朱阿大连连点头，应道："对，他的脸圆得像个皮球，看了教人发笑，我一定认得出。"

姓李的账房在银林背后咳了一声，他的两只脚也在地板上不住地擦动。他要站起来，又像怕吃汪银林的耳光。

汪银林突然转过头，睁圆着眼瞧他。

账房羞窘地自言自语："我……我这几天喉咙里有些发燥。"

霍桑仍耐着性子，问道："阿大兄，这位女客可是天天出去的？"

"不，伊难得出去。"

"昨天伊什么时候出去的？"

"大约五点钟光景，伊是乘电梯下楼去的。"

"那时候你觉得伊有没有异样状态？"

"没有。"

"伊出去以前，你可曾听得伊在这房里有什么声音？"

"没留意。"

"这东西是你给伊拿出去当的吗？"

霍桑拿着那张八十元的当票给朱阿大瞧。朱阿大侧过头瞧一瞧当票，又向账房的坐处瞅一瞅。可是他们俩视线的交接并不怎么畅通。

他摇摇头道："不是。"

"是你吗？"霍桑又把眼光移向马祥宝。

"我不知道。"马祥宝依旧保持着沉默态度。

霍桑虽耐足了性子，想用迂回的方法完成他的钩索任务，可是他费了好一会儿工夫，结果还是一无所得。我觉得有许多重要事实可能都给掩藏在"不知道"三个字的幕后，但我们若使没有办法制服这个狡猾的账房，这"不知道"的难关就无法攻破。霍桑摸出一块白手巾来，抹抹他的脸，站起来，走近镜台，随意地拿起那只系黑丝带的小表玩着，又用指甲剔开了后面的表盖，凑近些灯光，忽然低低地惊呼了一声。

"霍先生，什么事？"汪银林忙问。

霍桑答道："这表盖里面有一张男子的肖照。"

我忙凑近去一瞧，是个少年的头像，颔下只露出些中式长衫的领子。少年眉目清秀，剪着平顶头发，年龄似乎还只十八九岁。

霍桑旋转身来，将照片交给阿大瞧："你看见过这个人吗？"

朱阿大凑过头来瞧一瞧，说："没有。我已经说过，那个姓何的胖子是圆脸。"

"你大概也没有看见过他吧？"霍桑又把照片给马祥宝看。

马祥宝在照片上注意地瞧了一瞧，也答一声"不知道"。

霍桑搓搓手，向汪银林说："好了，这里已查不出什么。

这些东西，你可以带回警厅里去。关于法律手续，我想你可以跟这位李先生接洽。"

账房终于得到了立起身来的机会，淡淡地应道："如果有什么事情，我们总经理洪先生可以负责。"他随即挺一挺腰。

我知道这亚东旅馆的总经理叫洪标堂，是个上海社会的所谓"闻人"。闻人是徒弟多、交游广、有着法律之外的势力的人。社会上有三四个大号"闻人"霸占着整个上海，干着种种表面合法、暗里犯罪的勾当。这小眼睛账房仗着有靠山，才这样子处处卸责、刁难。此刻他搠出总经理牌头来，显然有一种示威意味。可是霍桑只撇撇嘴，鼻子里冷冷地哼一声，便回身出室。

当我们离开旅馆的时候，汪银林还留在楼上。霍桑曾轻声叮嘱银林，不要乱来，特别是不能吓唬那两个茶房。下楼时，霍桑又要我到他的寓所里去住，我照样答应了。

我听了这一番没结果的问答，胸膛间好像给什么东西阻塞住，觉得闷郁不爽。我们费心费力，好容易找到了关于这女人来历的线索，可是因那账房和两个茶房通同守秘，关于伊的真相依旧是一团漆黑。霍桑企图揭穿这诡秘事件的内幕，简直像大海捞针，毫无把握。因为我们这一场奔波，除了朱阿大供出的那个不可捉摸而又未必有关的姓何的胖子以外，好像翻开了一张没字的白纸。霍桑仍保持沉默，神气上并不像我那样懊丧。在汽车里，我好几次问他，他只摇了摇头，似乎叫我不要多说。

我们回到寓所，时钟已敲十一点。天气比日间凉爽得多。夜风从南面的窗口里一阵阵吹进来，我身体上比在旅馆里时舒服得多。霍桑卸了衣帽，换上拖鞋，又把衬衫的袖子卷了起来，便靠在藤椅上吸烟。我也烧着了一支烟，在对面的椅子上坐下，胸臆间的闷懑依旧没法消释。

一会儿，霍桑问我道："包朗，你为什么这样子闷闷不乐？"

我答道："我觉得白白地费了唇舌，委实有些难受。"

"唉，你太不知足了。我们的口舌并不是完全白费的，我们所得到的已经不少哩。"

"得到的不少？得到了些什么？"

"我知道这件疑案的密钥就掌握在那两个茶房的手里，特别是那个沉默寡言的马祥宝。"

"你说他知道这件疑案的真相？"

"那没有疑问。据我估计，他知道的一定不少。"

"但是，他刚才却如此沉默，岂不可恶？"

"这是因那姓李的账房的缘故，不能怪他。"

"是啊，这个小眼睛一味推卸责任，真刁滑！不过，我们当着他的面向两个茶房问话，委实失策。"

"那没有关系。我料想他在事前早就向这两个茶房下过不许多嘴的警告了。我们不用些手法，即使背着他查问，他们也绝不敢说什么真话。"

"那么，你打算用什么方法？"

"'只可智取，不能力敌。'"霍桑说着，把两条腿伸一伸直，吐出了一缕不规则的烟雾，显得很从容安闲。

这两句旧小说里的套话的意思非常含混，我还是捉摸不透，因为"智"字的含义实在太广泛了。我真像热锅上的蚂蚁，急于想揭开这个迷阵，霍桑却还是这样子"好整以暇"！

霍桑又自言自语说："我觉得那个苏北人马祥宝很有些城府，说话时故意低垂了头，他的眼光始终不曾和我们接触；而且他的沉着的态度和'不知道'的语声，都显得他比那本地人朱阿大深沉多智。所以我料想他可能掌握着这疑案的钥匙。他所知道的也一定比朱阿大多。"

"他是苏北人吗？"我感到一种不可名状的冲动。

霍桑反问我道："你难道不曾听得他的口音吗？"

我的脑子竭力追索马祥宝的语声，嘴里也不期而然地学着"不知道""不知道"。突然，我从椅子上跳起身来，偻到霍桑面前，用力握住他的左腕：

"霍桑，是他！……真是他！……真是他！快跟我去！……"

"跟你往哪儿去？"霍桑果然急急从藤椅上立起来，丢了纸烟。

"亚东旅馆！"

"干什么？"

"找马祥宝！因为……因为他就是今天早晨打第一次电话来的人。"

霍桑惊异地说道："什么？你可是听得出马祥宝的声音和电话中的声音相同？"

"正是，完全相同！"

霍桑静静地向我端详了一会儿，安闲地说："包朗，你的神经太兴奋了，姑且坐一坐。"

他用手把我拉到椅子上。我重新坐下，觉得我的呼吸还很急促。

我道："霍桑，你不必疑心，我不是神经过敏，我相信我绝不会误会。刚才我因那个讨厌的账房，心中烦闷得很，故而不曾当场辨出来。"

"但是对于'徐'和'瞿'字，你也不曾听清楚啊。"

"那是因为这两个字太容易含混了。但是，我记得在早晨的第一次电话里，我也听得过两次'不知道'。我觉得他所说的'不知道'的那个'道'字，特别像我们这里的'套'字。我深信绝不会错误。"

"既然如此，那更容易办了。"霍桑的信心显得增强了，"起初，他既然肯把消息告诉我们，他对我们一定有相当的好感。刚才他所以不说，不消说是受了那账房的威吓，不得不有所顾忌。"

"对，现在赶快到亚东旅馆去，想个办法，约马祥宝到外面来谈。"

霍桑点点头，正要提出约会的方法，忽然电话的铃声响了，他便立起来接电话。我看见他握着听筒接应了一句，他的目光就闪一闪，似乎消息出乎他的意料：

"……唉，正是。谢谢你的好意！……唔，唔，哪儿话！……不敢当。好，……八点钟下班？……我一定等你。明天会。"

霍桑挂好了电话听筒，不等我开口，便把这消息告诉我：

"包朗，你的听觉应当考九十九分——对不起，'瞿'和'徐'字的错误是应当扣一分的。是的，这一个电话是马祥宝打来的，他约定明天早晨八点半到这里来。他还说他曾经受过我的恩惠。我很惭愧，竟想不起他。现在，你安心些睡吧。你的神经不能再这样紧张下去哩。"

不期而然的消息

八月十五日星期五早晨八点半之前，我感到特别兴奋。我同样起身得很早，霍桑也同样没有放弃他的户外运动。火红的太阳也和上一天一样地布满了天空，朝霞的色彩也比上一天更觉绚烂炫目。但有两点和上一天不同：第一，这一天的早餐，我是和霍桑同桌吃的；第二，昨天我的精神惴惴不安，今天却抱着无限的希望。因为报纸上的舆论变更了。上夜里我们在亚东旅馆所发现的秦守兰的真情和飞轮车行的司机钱阿森出面作证的事，各报上都已披露。那《日日电讯》上的充斥着讥讽和造谣的记载也因事实的证明而变了腔调。这样一来，横祸消散，霍桑的责任减轻了许多。霍桑还说过这秘案的钥匙就掌握在马祥宝的手中，所以我热烈地希望着，只要马祥宝一到，这案子便可迎刃而解。

早餐终了以后，我们俩都静静地翻阅报纸。八点三十五分，我的热望所寄托的亚东旅馆的侍应生马祥宝果然来了。他换了一件细白夏布长衫，头发梳得很光整，但神气上有些东张西望。他一踏进办公室，连连向我和霍桑拱拱手，态度很斯文。他看见室中没有第三个人，似乎安心了些，坐定后，赶紧向霍桑道歉：

"霍先生，昨夜里的事，我真对不起你。我为了保牢饭碗，不得不那样，其实我是不愿意欺骗你老人家的，因为我受过先生你的恩惠。"

霍桑摇着手道："唉，祥宝兄，不用客气，我们完全谅解你的处境。唉，我很惭愧，我在什么地方曾给你服务过，我自己却也记不清楚。"他向来客脸上细细地端详，好像要追忆这个人曾在哪里见过。

马祥宝道："这不能怪先生，我们本来没见过面，可是我的妈至今还念叨着你。"

霍桑皱紧了眉峰，现着困惑的神气，他向我瞧瞧，似乎希望我能够帮助他追索似的。我也茫然不知所答。

马祥宝继续说道："我们住在闸北宝通路大庆里七号。那年我还在盐城，我妈几乎被那个姓叶的房客吓出病来。幸亏霍先生帮助，才能叫姓叶的搬出去。"

我记起来了。有个住在阁楼上的测字先生叫叶时仙，穷昏了心，只想发横财。他迷信报纸上登着巨幅广告的《符咒大全》里的鬼话，杀了一只鸡，用鸡血画成一张符，藏了符去买骗人的航空奖券。鸡血漏到楼下马婆婆的蚊帐顶上，伊认为阁楼上的房客杀了人，吓得不得了，赶来请求霍桑，霍桑义不容辞，前去给伊解决了。

霍桑的嘴角上现出微笑，说："是的，我记起来了，那是一出有趣的鬼把戏。但是这样一件小事，怎么值得挂齿？"

马祥宝道："当时我妈几乎被那个奇怪人吓出病来。我到了上海之后，伊常常说起你的好处，我爸爸也很感激你。你看得起我们穷人，给伊出了一番心力，竟不拿一个大钱的酬报。因此，昨天我在报纸上瞧见了一个女人忽然死在你这里的新闻，还附着一张照片，就大吃一惊。我认得出这个女人的状貌，伊就是我们旅馆里的客人，我便想借此报答你。不过，当时狐狸先生——对不起，他的名字叫李安礼，大家背地里叫他狐狸。嗯，这位李先生很凶，昨天早晨便把我和阿大叫到账房里去，严厉地吩咐我们，不许我们说什么话。他说：'要是有人来调查，你们什么都回答不知道。要不然，小心你们的饭碗！'霍先生，你知道他这话是叫人不敢不听的，因为现在要找一只饭碗多难啊！有多少人饿着肚子找不到！为了这个，我一面要顾着饭碗，一面又不忍叫先生蒙在鼓里，故而悄悄地打了一个电话，可是我还不敢说出我的姓名。昨夜里，你们几位到旅馆里去，我当着他的面，自然更不敢说什么话。但是我受了恩惠没法补报，良心上实在过意不去，所以决意冒着危险来见一见你。"

"谢谢你的好意，我很感激。"霍桑由衷地表示谢意。

马祥宝忽然停顿了不说下去。他的眼睛张大了，露出惊骇和诡秘的神气。他侧过些身子，向办公室的门口望了一望，像防人偷听的样子。霍桑立起来，将门上锁孔中的钥匙旋一旋。马祥宝才安心了些，继续低声说：

"霍先生，这里面有黑幕呢！这个女人的死，我敢说一定和那个男人有关系，他曾在伊的房间里住过两夜。"

"这个男人是谁？"

马祥宝忽然从他的夏布长衫的衣袋中摸出一个小纸卷，展开来瞧一瞧："他的电话是五五六〇六，姓瞿。"

霍桑也操了苏北口音，问道："姓瞿，还是姓徐？"

"啊——！对了，是姓徐，不是姓瞿，因为我的口音往往把徐念成瞿。"

这时，我向霍桑瞅了一眼，这一瞅中确含着"我的听觉应当考一百分了啊"的暗示。霍桑但微微笑了一笑。

"这个姓徐的住在哪里？"霍桑又问。

"这个我不知道。"

"那么，你总瞧见过他吧？"

"是的，我瞧见过他三次。女客到我们旅馆的第二天夜里，这个男人就来住过一夜；隔了三天光景，又来宿过一夜；后来一连过了好几天没来。女客曾打过好几次电话。有两次我在旁边偷瞧，伊拨的电话号码都是五五六〇六；伊找的人又都是姓徐。大约在一星期前的晚上，那男人又来过一次，不过只耽搁十多分钟就出去，以后我就没有见过他。"

"那个男人最后一次瞧伊，还是一星期前的事吧？"

"是的，但是前天十三日下午，他也曾到旅馆里来过。不过那时候我还在六层顶楼上睡觉，没瞧见他。昨天夜里我细细地问了阿大，方才知道。"

祥宝停一停，用白手巾抹抹他嘴唇上的汗珠。霍桑忙站起来，斟了一杯凉茶送给他。他慌忙起身道谢，随即喝了几口，继续说：

"阿大这个人还爽直。他昨夜漏出了两句关于胖子的话，先生们去了之后，着实受过那狐狸……嗯……嗯，李先生的斥骂，我真替阿大担心，说不定阿大会因此卷铺盖哩！"

霍桑同情地叹口气，又问道："那么，阿大说的有个姓何的流氓盯梢碰钉子的事是实在的？"

"实在的。这一回事，本来李先生也不许说，阿大是在无意中给逼出来的。还有，手表也是阿大替伊去当的，当了八十元，不过这一着连李先生也不知道。"

"好，现在请你说说阿大告诉你的前天的事情。"

"阿大说前天下午四点钟过后，那男人又来过一次。阿大给吵闹声惊动了，就在房门外听，因为这个人进房间以后，就和女人吵嘴，吵得很凶。半个钟头不到，他就气冲冲走出去。接着女人就在房间里啼哭。不多一会儿，女人也跟着出去。阿大本来不知道伊往什么地方去，后来我和他谈过一回，料想那时候女人大概就是到先生你这里来。"

霍桑点点头，答道："是的。伊大概是受了那男人的亏待，前天和他争吵以后，一时沉不住气，就服毒自尽。后来伊或许感到白白地死去，心有不甘，才赶到我这里来。"他思索了一下："有一点很重要，伊打电话时所拨的号数，你不会看错吗？"

马祥宝坚决地答道："不会错！一定不会错！因为我看见伊常常独自长吁短叹，心中也很可怜伊。故而伊第一次打电话的时候，我就留心伊拨动的号码，暗暗地抄在纸上。第二次我又把纸偷偷地对过，的确是五五六〇六号。"

"那么，那男人的面貌怎么样？是不是表盖里照片上的人？"

"不是。昨夜里我仔细看过那照片，年龄相差很远，面貌也不同，衣服虽同样是中式长衫——"

"什么？那男人也是穿中装的？"我不禁失望地插口。

"是啊。他穿一件深灰色印度绸长衫。怎么样？"祥宝瞧着我发愣。

霍桑解释道："祥宝兄，我告诉你。我们已经知道这五五六〇六号是一个姓赵的律师。他有一个寄寓的亲戚，姓徐。我们看见这个姓徐的穿的是漂亮的西装。不过服装是尽可以改变的，没有多大关系。你只要说明他的状貌好了。"

马祥宝应道："他的身材和这位包先生差不多，戴一顶软胎的白草帽，帽子的边缘盖得很低，好像故意要掩藏他的脸。"

我又插口道："他的皮肤不是很白的吗？眉毛不是很浓的吗？"

"眉毛我没有看清楚，但脸的确很白。他的脸带些长形。"

"要是你再看见他，还能认得出？"

"当然，我想我一定认得出。"

"假使他变了服装呢？"我再问。

马祥宝沉吟一下："只要能够瞧见他走路的姿态，我总可以认得的。"

"一个人穿惯了中装，一旦改穿西装，走路时的姿态也同样会改变的啊。"我又有些失望。

霍桑向我摇摇手，道："包朗，不用多顾虑。祥宝兄既然见过他三次，一定有很深的印象。只要找个机会，叫祥宝兄再瞧一瞧，问题立刻可以解决。祥宝兄，今夜里如果我们找到了一个嫌疑人，你可能走出来辨认一下？"

马祥宝踌躇了一下，有些为难的样子："霍先生，你知道我是当夜班的，这几天如果请假，李先生一定要疑心，有些不方便。如果在白天，你有什么吩咐，只要打个电话，我一定到。我们三层楼的电话是九九七八九。"

霍桑摸出一本记事簿来，把电话的号数记下来，又从皮夹中拿出两张钞票，立起身来，双手送到马祥宝面前。马祥宝慌忙立起身来，乱摇着两手，身子向后倒退。

他拒绝说："霍先生，这个我万万不能领受。我的妈受了你的好处，正苦没法子向你报答。现在这件事是顺便的，我应该做，又不费什么！怎么能受你一个铜子？不！霍先生，我决不受！"

他说完了，向我们俩拱拱手，抢步逃出办公室，奔向大门去。霍桑追出去送他也来不及。

我赞叹说："只有劳动人民才懂得以德报德！"

霍桑燃着了一支纸烟，说："包朗，你说得对。现在的一些所谓上流人，对于什么朋友的交情、夫妻的结合、师生的关系，一切都商品化看待了。"他吐出一口烟，又瞧瞧手表："好吧，这件事有急速进行的必要，现在我打算去调查一下。"

"你从哪一方面去调查？"我问。

"不限定一方面，譬如女人和男人的身份来历，都需要查明白。"

"那么，这件案子的性质究竟怎样，你有什么见解？"

"有一点是很明显的。秦守兰多分是受了那男人的引诱，始而失身，继而被遗弃，最终不能自拔而寻短见。"

"你相信伊是自杀的？"

"根据朱阿大所听到的情况推测，前天下午，那男人曾和秦守兰吵过嘴，而且吵得很凶，显见他们俩的感情已经决裂。妇女们在感情冲动之后，一时气愤自杀，原是很可能的。"

"你想那男人不会用什么威胁的方法，强迫伊服来沙尔液吗？"

"唔，这也是一种可能。"霍桑缓缓地吐着烟，低头沉吟一下，"但是我们在搜集证据查明事实以前，还不能轻下断语。"

我又问道："还有，表盖里照片上的男子，你想有什么关系？"

霍桑摸摸下颏，答道："这一点最不容易解释。或许他们间的分裂，这照片就是一种导火线。"

"你说照片上的少年是女人的另外一个情人？"

"谁知道呢？现在所谓的摩登女人，同时有两个以上的恋人本是平淡无奇的啊。"他低头寻思了一会儿，继续道，"包朗，你总也承认，知识分子犯了罪，侦查起来就比较困难得多。现在，我们的对方准是个头脑精到家的人物，他干件事，事前一定有过周密的布置。"

"你指哪一点说？"

"但瞧女人的遗物里面，除了那张表盖里面的照片可能是偶然的疏忽以外，别的信札、纸片、字条都不留一张。这便可以想见那人的周密的一斑。"

"他是在事前把证据搜罗干净的吗？"

"当然如此。你想伊服毒出外之后，男人没有再去过，可见是事前布置好的。我料他遗弃这不幸的女人，一定蓄意很久，他两次去和伊同宿，实际上无非要消灭他所留下的种种证据。"

我点点头："对，你这样推想的确很近情。不过这个受了高等教育的人——他可能也是个美国留学生，别的不学，却学会了一套玩弄女性的手法，回来欺侮一个女子！岂不可叹？"

霍桑叹了口气。他立起来伸伸腰："我要往各方面去调查了。天气这样热，你不必跟我去。你回自己家里去瞧瞧，好好地布置一下。你夫人既有一星期的耽搁，你不妨就在我这里住一个星期。这件事不是在短时间内所能解决得了的；而且必须群策群力，才能成功，我要借重你的地方多着哩。"

我回到了林荫路我自己的寓所，离家两天，书桌上已经堆积了一大沓信件书报。内中有一封信是佩芹从嘉兴寄来的，伊已经平安到了舅家，不过强儿的夏衣带得不多，叫我再寄几件去。

另外有两封信是当天来的本埠信，一封是个小学教师写的，另一封是个中华书店的店员写的，我和他们都素不相识。他们都是从报纸上知道了霍桑遭到了意外的困难，表示深切关怀，要求我为朋友出一些力，赶紧给他洗刷清楚。我读了之后，不但受到鼓舞，也深深为霍桑庆幸，因为他多年来的辛苦努力已经在群众的心坎中留下了记载，这是最有意义而值得高兴的事。

午饭后，我因上两夜少眠，补睡了两小时，起身时浑身是汗，便洗了一个澡。我先把强儿的衣服拣出几件，打了一个包，又写好了几封重要的复信，叫王妈送到邮局里去。

等到我到达爱文路霍桑寓所时，天已经黑下来了。施桂告诉我，霍桑还没有回寓，他已经有电话来找过我，但没有说明情由。

他的书桌上有六七张展开着的字迹各异的信笺，给一块镂花鸟的铜镇尺压着，好像霍桑在出门之前，时间太急促了，匆匆读了一遍，来不及把它们一一纳入封套，就赶着出去侦查。我拿起信笺来看看，都是本市居民对霍桑表示慰问和同情的信，写信人的身份，有厨工、皮鞋匠、银行职员、中学教师、纱厂女工等等，几乎各个阶层都有。他们也像汽车司机钱阿森和亚东旅馆的马祥宝一样，都关心着霍桑的处境，愿意帮助他解决困难。内中一个还热诚地提了建议，说这个女人很像是个舞场里的舞女，要查究伊的真相，应该到舞场方面去打听。我相信这些对霍桑是一种无价的鼓舞，一定会加强他的信心和力量。

八点钟时，霍桑第二次电话来了，消息使我振奋。

他说："包朗，案子有进展了。你赶快到南京路梅园酒楼十八号来。"

舞场中

梅园酒楼是个新式的中等餐馆，一间一间分隔的雅座，布置很清洁，也没有旧式菜馆的喧嚣吵闹。我到达的时候，看见十八号一间小室中霍桑一个人坐着，正举杯独酌，显得非常高兴。

他招呼我道："包朗，请坐，请坐。刚才我本要请你担任一种任务，不料找不到你，只能叫汪银林代劳，但愿他不会弄僵。"

"唉，抱歉得很，我在家里睡了一会儿。"我脱了外褂坐下来，"你要我办的是什么事？"

"我本想请你到亚东旅馆去，用些柔和的方法，把朱阿大请来。此刻该是他的下班时候了。不知道汪银林能不能办妥这件事，我真有些不放心。"他喝一口酒，"你知道银林在和我合作时，尽管十分敛迹，可是还是会露出狐狸尾巴来的。"

"对，官腔要惯了，要在某一件事上完全改革掉，真是不简单。"我换了一个话题，"你还要问问朱阿大？"

"是的，原来打算请马祥宝去辨认一下，现在想来有些事还需要找朱阿大聊一聊，反正他们两个都见过徐之玉，就顺便请朱阿大辨一下，不再麻烦马祥宝了。"

"辨认那个姓徐的男人？"

"是的。这个人的确姓徐，他的名字叫之玉。"

我惊喜道："叫之玉？那么，你瞧见那女人所划的第二个字本是个三曲'之'字；第三个字，你当时认为两划一竖是个'干'字，其实伊当时一定痛得厉害，少掉了一划一点。这样看来，不是合符了吗？"

霍桑点点头道："正是，他在留美同学会里登记的姓名是徐之玉。事实上本已没有什么疑问，但是为了谨慎起见，我再要叫朱阿大来辨认一下。现在，你先吃点东西，等一会儿你或许还要担当些任务。"

我和霍桑本来都不大饮酒，偶然有兴，也只略略点缀点缀。这时我也浅尝辄止地喝了一口花雕，酒味的确不坏。我虽不善饮，辨酒味倒颇有些经验。入口醇而喝后不口燥的，才是好酒。

我又问道："关于徐之玉的历史，你知道了多少？"

霍桑答道："不多。据留美同学会的干事朱小梅告诉我，徐之玉是纽约大学的社会学博士，回国还只两个月。暑假以后，已经接受了东华大学的聘约，担任社会学教授。他在美国的行径和他回国之后的境况，因为是新近相识，朱小梅不知道。我又到东华大学去调查过，那周校长正在庐山避暑，教授们也没有一个在校。我好容易找到了一个留校的于秘书，当一个月前徐之玉到校里去时，于秘书曾见过他一面。近来这一星期中，于秘书又在明月舞场里遇见徐之玉两次，每一次他都有一个漂亮的女伴陪同。因此，我打算今夜里就到明月舞场里去瞧瞧他。"

我道："他的女伴可就是我们昨天瞧见的跟他坐汽车的那一个？"

霍桑道："这一点我怕露了迹象，反而不美，不曾向于秘书细问，但料想起来，多分就是这个女人。"

"其他方面呢？"

"我又曾到静安路一〇八号那宅灰色洋房附近走过一趟。从隔壁一〇六号的一个汽车司机嘴里，查明那少女是大利银行经理的独生女儿。我又从银行方面去调查，才知道经理姓冯，名叫一龙，他家的住宅电话是八八九〇八。这些就是今天我奔走所获的成绩。"

我赞扬道："霍桑，你的成绩着实可观哩。"停一停，我再问："今夜里你如果瞧见了徐之玉，打算怎样对付他？"

霍桑正放下了筷子，看他的手表，似乎没有听得我的问句。他自言自语地说："怎么还不来呀？会不会出乱子？我再三叮嘱他该破些小费，好好地劝说。他如果不听我的话，还是老一套，用什么硬功，那说不定要坏事哩。"

我知道霍桑在惦念着汪银林的任务。汪银林本性有些粗暴，习惯于呼么喝六的；现在希望他能变换方法，的确有些困难。这件事万一失败，而当初我不能及时接受霍桑的委托，未免对不住他。到了八点三刻光景，我们刚刚吃完了面，汪银林总算带着朱阿大走进来了。我一瞧朱阿大翘着嘴跟在汪银林的背后，便猜知汪银林的差使虽已办妥，但是他一定是用了劝说以外的方法逼着朱阿大来的。霍桑也瞧破了这一点，连忙立起身来。

他含笑着招呼道："唉，银林兄，劳神得很。阿大兄，还没有吃晚饭吧？请坐。喂，茶房，加两副杯筷，再添几样菜来，请快一些。"

朱阿大呆立着，有些疑迟不安，摇头道："先生，我已经吃过夜饭了。"他不肯坐。

霍桑道："请坐啊，别客气。来，请吸一支烟。"

阿大在半推半就的状态中接了一支纸烟，勉强坐下来，但瑟缩的状态仍没有消失。霍桑还用打火机打着了火，送到朱阿大面前，给他烧纸烟。阿大慌忙立起来，摇着手推让。

霍桑笑盈盈地说："用不着客气的，一遭生，两遭熟，是不是？……来。"

阿大的纸烟烧着了，他重新坐下来。汪银林看见霍桑对待阿大这样客气，皱着眉毛，努着嘴，似乎认为霍桑的态度有些失当。霍桑斟满了一个茶房送来的空酒杯，旋转头来瞧他：

"银林兄，陈年花雕，的确够味，来，喝一杯。"

"谢谢你，我也早吃过了。"银林不大乐意地坐下来，拿出一支新鲜的雪茄烟，开始用牙齿咬去雪茄烟的尖端。

霍桑放下酒杯，自己也烧着了纸烟，婉声说："阿大兄，放心，我们决不难为你。我知道你是个爽直人，昨夜里你当着那狐狸的面，才不敢把真话告诉我们。现在有几句话问你，你尽管老实说。那狐狸绝不会知道，我们也准备给你一种酬报。"

朱阿大的纸烟虽已烧着，但他仍夹在指缝中间，不敢放到嘴唇中间去。他听了霍桑的话，又瞧瞧汪银林并不注视着他，他脸上的疑惑和畏惧的神气才略略消失些。

霍桑又说："阿大兄，我先要问你一点。前天十三日下午四点钟过后，那个穿深灰色印度绸长衫戴白草帽的男人，不是到三四七号房间里去瞧过那女客的吗？"

朱阿大低垂了目光，疑迟了一下，才点了点头。

"你还听得他们在房间里吵过嘴。对不对？"

阿大抬起头来，反问道："是祥宝告诉你的吗？"

霍桑点点头："是的，不过他是间接的。直接的一定更清楚，故而我必须和你亲自谈一谈。"

朱阿大沉吟地答道："是的，我的确听得的。"

"他们怎样吵嘴？"

"起初，我听得男的拍着桌子，女的带着哭声说话。后来，大家就高声吵起来。"

"他们吵嘴时说些什么？"

"我只听得两三句。男人好像说：'牵丝攀藤的！'……'太不漂亮了！'……'你死关我什么事？'……'不要脸！'……'你别做梦！'"

"那女人说些什么？"

"女人的声音很低，并且带着哭声说话，我完全听不清楚。"

"以后呢？"

"不多一会儿，男人开了房门走出来，女的仍旧在里面哭。"

"后来女人也跟着出来吗？"

"不，哭的声音停止了以后，房里静默了，我也忙走开。约莫过了二十分钟，我才看见伊走出来。"

"伊出来时神色怎么样？"

"脸上带些怒容，没说一句话，便急匆匆走向电梯间去。"

霍桑顿一顿，又换了一个话题："除了这个和伊吵嘴的，可还有别的人去瞧过伊？"

"还有，就是那一胖一高的盯梢家伙，我早说过了。"

"表盖里的那张照片，昨夜里你也瞧见了。这个人你见过没有？"

"没有。我问祥宝，他也说不曾看见过这少年。"

"还有，昨天早晨，这女人的新闻在报纸上发表出来之后，有没有人到过三四七号里去？"

"李狐——李先生进去瞧过一瞧。"

"他可曾翻动过女人的东西？"

"他开了抽屉和衣柜瞧过，但没有拿走什么。他吩咐我们不许乱说，又将三四七号的钥匙拿去，亲自把房门锁好。"

"以后他可曾再进去过？"

"没有，我一直在楼上，如果他进去，我总要瞧见的。"

霍桑点点头，又瞧瞧手表，说："好了。现在请你跟我们到舞场里去走一趟，瞧瞧那个吵嘴男人是不是在场。你想你认得出他吗？"

"认得出。"阿大毫不犹豫地回答。

"假使他改换了服装呢？"

"没关系，我认得出他的面孔——长脸，白皮肤，浓眉毛。"

"那再好没有。银林兄，现在，我们就一块儿去吧。"

十五分钟以后，我们离开梅园酒楼，乘了汪银林的汽车，向紫霞路明月舞场进发。

交际舞是从外国输入的，本来是一种高尚的娱乐，茶余酒后，男女宾主翩翩起舞，可以增进彼此间的了解和友谊。可是上海的舞场，它们的作用完全不是那么一回事，却变成了一种出卖色相的所在。舞场老板大半是些恶霸流氓之类的所谓"闻人"，他们用以金钱诱骗的手段，勾引一些穷困家庭里的美貌姑娘，来舞场充当舞女，专供那班凭搜乱剥削发了财的大亨和他们的子侄们玩弄和泄欲。舞场老板便从这些变相妓女身上来挣钱发财。所以舞场顾客，男的自己带了女伴去跳的固然也有，那只是少数，绝大多数都是不带舞伴专门来玩舞女的单身男客。我们的国家正处在外欺频仍、内讧不绝、荒灾连年、民不聊生的境地，而这班舞客却无动于衷，只图个人的放纵淫乐，简直说得上醉生梦死！因此，我一直憎恶舞场！

舞场内部，布置得富丽炫目。正中央是个宽大的舞池，上了蜡的狭木条拼砌的地板，在灯光下面闪闪发光。四周排了大理石铺面的柚木小圆桌，桌旁有两只或四只精制的白帆布的软椅。墙壁上是淡红色的油漆，加上许多金柜镶镂花玻璃的壁灯，还有数不清的各式各样蒙着浅紫或浅蓝绸罩的吊灯，真是色彩纷呈，使人眼花缭乱。大厅一边有一只大的柜橱，摆满了各种名牌的香槟、威士忌、白兰地之类的外国酒，每瓶的价格都是数百元。舞客为舞女一连开几瓶香槟，就是他们的勾引手法的一种。总之，这里是个销金窟、迷魂场，也是使青年一落千丈的无底深渊！

我们走到舞池旁边，霍桑拣了一张比较静僻的圆桌坐下，只叫了几杯冰鲜橘水，等候我们期望中的对象到来。有几个打扮得花枝招展的舞女，袅袅娜娜地向我们的桌前走过来，脸上做出一种卖俏弄姿的媚笑。她们看见了我和霍桑都正襟危坐，目不斜视，也就撇撇嘴，失望地溜过去了。这时候时间还早，到场的舞客还不太多。

舞场里开放了冷气，我身上固然不致出汗，但那欲醉欲眠的爵士乐声，半明半灭的迷人灯光，四周种种色彩刺目的装点，以及舞女们为了生活而强为欢笑的媚态，都使我的视觉听觉陷于被迫接受的苦境。

闷坐了约莫一个钟头，我的失了常态的听觉忽而感受到一种刺激：

"来了！"

这惊呼是从朱阿大嘴里透出来的。我定睛向舞场的入口处一瞧，果然，在陆续而进的男女顾客之间，那徐之玉陪着昨天我们瞧见的那个头发鬈曲的女人，臂挽臂地缓缓走进来。他已经换了一身白底黑条纹西装，酱紫色的领带，足上漆黑的舞鞋，的确漂亮异常。女的也换了一身浅绛色镂孔白小花的西式舞衫，袒裸的颈项间戴一条粗细匀整的精光的珠项圈，脚上穿一双金色的高跟舞鞋，举步时袅袅娜娜，比前次看见时更加妩媚。

霍桑低声警告朱阿大道："轻些。你不会瞧错吗？"

阿大斩钉截铁地应道："不会。就是他！"

"好。还有他的女伴，你可曾见过？"

"没有。"阿大摇摇头。

霍桑便从皮夹中摸出两张钞票，暗暗地向阿大手中一塞，同时又按住了阿大的手，不让他拒却：

"阿大兄，这是你应得的酬报，不用客气。……包朗，请你送他出去，让他早些回旅馆吧。"

我送朱阿大到明月舞场门前，阿大很满意地向我谢了几声。我重新回进舞场，走到霍桑的座前，看见他的手正把握在汪银林搁在圆桌边上的拳头上；汪银林却睁大了眼睛，像要立起来的样子。

"你打算怎么办？"霍桑低声问。

汪银林答道："我要把他叫到这里来问问。"

霍桑庄容道："唉，你又要捅乱子哩！这件事绝不能这样子蛮干的。"

汪银林咕哝了一声，勉强把握拳头的手松开了，靠椅背坐着。我也在原座上坐下来。

霍桑凑近些银林的脸，说："你记着。他目前是个最最吃香的留美博士，又是东华大学的教授，他的亲戚就是有名的赵尚平律师。现在，我们假定秦守兰的死和他可能有关系，但是还没有可靠的证据啊。"

"朱阿大就是个证人。"汪银林又开始烧他的雪茄烟，眉宇间仍露着倔强的神气。

"是的。但是你想像阿大这样一个证人，若使没有补充的物证，在法律上会有多少效力？"霍桑向舞池中瞥一瞥，冷冷地笑一笑，"银林兄，一句话，他是个有知识有地位的人，我们不能不处处谨慎。"

汪银林反问道："那么，你打算怎样对付他？"

霍桑道："我想我们应得想个方法，先和他接近，用友谊的方式先和他聊聊，就比较有益。"

"唉！机会来了！"我不由自主地发出惊呼声来，"霍桑，你可认识那个正在和他招呼的人？"

我说到最后两句，语声已经故意减低，但霍桑仍不放弃警告：

"包朗，这是什么地方？！我们要对付的又是个什么样的人呀？！"

我默默不答。我承认我太兴奋了些，一时竟不能自持。这时有个穿淡灰色西装的少年走向徐之玉的座前，徐之玉忽然起身和他握手招呼，这少年恰巧是我们的旧识。

"不错，他是我们的老同学谢敬文的弟弟敬渊。"霍桑又像回答，又像自言自语，"好几年没看见他，他竟变成了一个摩登的美少年了。"

"你瞧，他和徐之玉似乎非常熟悉。"我低声说，"唉，徐之玉和他的女伴进舞池里去哩。"

这时场中各式各样的电灯暗淡了许多，醺醺醉人的音乐又"蓬尺尺蓬尺尺"地响起来。一对对的男女舞侣搂抱着活动起来。徐之玉抱着那个穿浅绛舞衫的女子，混进了光滑如镜的舞池中心去。场中的气氛酝酿得浑淘淘的。

谢敬渊仍旧站立着，不住地向熟识的男女挥手招呼。我也突地起立，准备把他招呼过来。霍桑忽拉着我的衣角，阻止我。

他低声道："小心些！如果惹人家注目，反而会劳而无功的。你坐下来，他正要走向这方面来哩。"

我勉强坐下，目光仍凝注在谢敬渊的身上。他穿一身时式的浅灰派力司西装，烫得笔挺，膏泽墨黑的头发整齐而又闪光。他的瘦长的身材，白皙的皮肤和招呼时那种"修养有素"

的姿态，处处都显示出他在交际场中厮混的资格已达到了老练
的程度。不一会儿，他果真越走越近，到了距离我们三个座头
的地方。我便抬起身子，举起右手向他招了一招。他的视线正
对着我们的座向，他略一注视，便也挥手作答。可是一转瞬
间，他忽向左右瞧瞧，踌躇起来，仿佛他不认识我，以为我的
招呼也许出于误会。

我带着微笑，呼道："敬渊兄，不认识我了吗？"

他走过来时，脸上虽也装着笑容，但一种犹豫不决的神气
仍禁不住从他的敏活的眼睛里透露出来。

我放低了声音，说："我们阔别了好久哩，怪不得你记不
起。我来自我介绍吧。我是包朗，这位就是霍桑，这一位是汪
先生。……嘿嘿，我们的姓名在你的脑子里也许多少有一些印
象吧？"

谢敬渊忙伸出手来和我们交握，欢呼道："唉，真该死！
我一时竟记不起来。你们两位这几年在社会上——"

霍桑不等他说出什么露痕迹的话，立刻插口说："敬渊兄，
请坐下来谈。……令兄不是还在汉口吗？"

"正是，大哥还在汉阳厂里。"谢敬渊在朱阿大的空座上坐
下，一边摸出一只镂花的金壳纸烟匣来，匣子里当然都是些高
级香烟，"今年二月里我回国的时候，我和大哥曾会过一面，
他也曾提起过两位。"他拿出纸烟来敬客，我和霍桑都享受了
一支，我看纸烟是美国产品吉士牌。汪银林谢了一声，仍衔着
他的粗黑的雪茄。

我说："敬渊兄，你是今年春天回国的吗？那么，你是在
美国认识徐之玉的吧？"

谢敬渊又拿出一只小小的金烟嘴来。他的华贵精致的烟具

和那种吸烟时熟练的姿势，大概都是他留学的成绩。这些的确是一般不出国门的人望尘莫及的。

他作惊异声道："正是，你也认识他？可要请他过来谈谈？"

这建议原是我们求之不得的，可算是一拍到题。霍桑不等我答话，立刻接嘴说：

"敬渊兄，你肯给我们介绍，再好没有。不过我先有几句话请教。你熟悉他吗？"

"我对他的情况不太了解。据说，他是个官费生，河北人，他的父亲做过县知事，已经死了。现在他住在他的表兄赵尚平家里。"

"这一位舞伴可是他的恋人？"

"现在可以算是他的未婚夫人了，他们不久就要结婚。"谢敬渊微微一笑，接着忽凑近些霍桑，"我听说这位冯雪蕉小姐有过不少人追求，伊却偏偏拣中了之玉。我们都羡慕之玉的艳福不浅！"

霍桑也微笑着说："其实除了漂亮不算，他的功夫也着实不错。你瞧，他对女伴殷勤小心的神气，怎能不使女人们倾心？冯小姐可也是在美国求学时跟他相识的？"

"不，伊是上海人，梵王渡毕业的，没留过学。伊爸爸是个银行经理。之玉回国后不到两个月，便有这样的成绩。霍先生，你说他功夫不错，这评语真是恰到好处。"

"在美国的时候，他总也曾有些艳史吧？"

"当然有，不过我并不深悉。"

"他不曾和你谈起过？"

"这个人很有城府，我和他的交情也够不上谈知心话。"

霍桑似乎要表示他的问话只是随便谈谈，因而又附加了几句题外的而含有讽刺意味的话打趣。

他说："敬渊兄，你虽然回国不久，也已经是这里的老顾客了吧？"

"唔，不，我难得来。"谢敬渊的答语有些不大自然，"这叫作逢场作戏，嘿嘿嘿。"

"那么，你的未来夫人是哪一位呀？"霍桑又问。

敬渊合着眼缝笑一笑，又像得意又像谦虚地说："毫无成绩！毫无成绩！"

我从他的服装、姿态和谈话的语调上推测，他在追求女性的问题上一定也下过功夫，而且目前说不定正是在这一条道路上兼程前进。他也是个留学生，学的又是自然科学的重要部门——化学，那也是我们国家急需发展的一门学术。回国之后，他怎么不进一步研究或者发挥所长，却到舞场里来厮混？霍桑方才的"老顾客"的问句确是含有深意的，而不仅仅是单纯的讽刺。不过转念一想，我又不禁暗暗叹气。因为在目前的政治和社会情况之下，执政的既然只重表面，不求实际，一个有志的人要找个实事求是、尽其所长的机会，真是谈何容易！何况上海社会又满布着诱惑青年的色情陷阱，恶风披靡，使多少青年都把追求女性看作人生唯一重大的事情。谢敬渊也只是狂澜汹涌中的一个与波浮沉者罢了。

"唉，音乐停了。"敬渊低声说，"霍桑兄，要不要叫之玉过来谈谈？"

霍桑瞧瞧手表，仿佛突然想起了什么事情："唉，对不起，我还有些事，过一天我再来请你约他谈谈。你府上不是仍在南大街吗？"他向我和汪银林丢了一个眼色，自己先立起身来。

谢敬渊也离了座位，答道："正是，有便请过来叙叙。"

霍桑付了账，谢了一句，便和谢敬渊握手作别。我也照样和他握了握手。汪银林却只冷淡地点点头。

岔　子

到了舞场门外，接触了比较新鲜的空气，我的呼吸顿时舒爽得多。时间刚近十一点半，舞客们正在一群群涌到，一辆辆的汽车也在络绎地排展开去。

汪银林抱怨地说："霍先生，你既然要和徐之玉接近，为什么又白白地放弃这个现成机会？"

霍桑答道："在这种地方和他谈，不会有什么好处。眼前我们正有一件更加重要的工作。"

"什么工作？"

霍桑走到人行道上站住，低声道："马上往金山路他的寓所里去，也许可以找到些物质证据。"

"喔，你准备去搜索？"银林的语调有了些活力。

"搜索？这怎么可以凭空乱干？"霍桑摇摇头，"我知道赵尚平律师已经往南京去了，之玉本人又在这里，料想一两个钟头内他不会回去。我们不妨假托访问，在他们的屋子里等候一下；然后乘机观察，或者可以得到些物证，也说不定。"

汪银林淡淡地问："这办法有把握吗？"刚才的活气又像溜走了。

"这自然难说，但是不妨试一试。"

"霍先生，我说一句老实话，这个办法不太痛快。"汪银林皱着眉头说。

"不错，但是我们总得依照合法的步骤，眼前既然还没有有力的证据，就不能考虑痛快不痛快。"

"好吧，现在如果用不着我，我打算先回去。"

"也好，你回去休息吧。如果有什么收获，我会通知你。"

汪银林点一点头，就和我们分别。

从明月舞场到金山路，只有两条马路。夜风习习，很适宜于步行。我和霍桑一边步行向西，一边低声谈话。

"你希望找一些什么物证？"

"这不一定。我们进去以后，只能随机应付。"他停一停，"包朗，你还记得他们那里有个光头的黑脸麻子吗？这个人也许知道什么。我们要是能够想个方法，利用他做个证人，那么两方面都有了人证，即使缺少物证，也就不怕他狡赖。"

"你想这个仆人会知道些什么？"

"这个要看我们的手段了。他是赵尚平的仆人，对于暂时寄寓的徐之玉，未必有怎样密切的感情。你知道在目前这个时代，在一般人眼中，金钱是万能的东西。现在，为着要达到除恶灭害的目的，我们也尽可以利用这个工具。"

我们已经走完了公园路，再走过一条枫林路，就到金山路了。

"我们用什么名义去访问？"我问。

霍桑道："我们可以假托有一件重要事情去访问赵尚平，那仆人一定会说主人不在家。我们就说我们的事情很要紧，不妨坐一会儿等徐之玉回去，请他代表我们打个电报，请赵律师马上回来。在这当儿，我们就可以向这仆人施展我们的刺察手段。"

"假使徐之玉当真回去了，岂不要当场穿破？"

"不会，此刻刚过十一点半，正是舞场中的全盛时期，他绝不会立刻回寓。"霍桑想了一下，忽又现出踌躇的样子，"哎哟！我太疏忽了！这的确不能不防！"

我忙问道："你说什么事？"

"谢敬渊说不定会把我们的谈话告诉徐之玉。如果这样，那就会引起徐之玉的疑心。"霍桑停住了脚步，向左右瞧了一瞧，"我想还来得及补救。那边有一家枫林餐馆，我去打个电话给谢敬渊，叫他不要多说话。你不妨先到金山路八八九号去敲门接洽，我立刻就来。"

霍桑穿过马路，急步向枫林餐馆走去。我也独自向金山路前进。两分钟后，我已走进了金山路的北口。这时街上已很清静，除了几家小商店门前的人行道上有几个赤膊的人躺在藤椅上乘风凉以外，马路上已不见车辆来往。我先靠着朝西的一面人行道进行，忽然看见赵律师寓所对面的一家石库门屋子门前，有一个人站着。这人穿一件深蓝色的长衫，戴一顶深色软胎草帽，既不像乘风凉的住户，又不像过路的行人，模样很可疑。我放慢了脚步，继续向南进行，我的眼光瞧到了朝东的一排西式屋子，不禁暗暗地惊异起来。

原来第四宅八八九号洋房的短铁栅面前，另外有一个人静悄悄地站着。这两个人遥遥相对地站住了不动，显见有所企图。什么企图呢？不会闹乱子吗？我能不能照原定计划上前去叩门？经过考虑，觉得为郑重起见，我不应轻举妄动。好在霍桑随后就到，我们的计划是否贯彻，也不在数分钟的迟早。

我装着行路人的模样，沿朝西的人行道上进行，不一会儿，便走到那个穿深蓝色长衫的人近旁。他的右手插在长衣袋里，左手手指间夹着一支烧着的纸烟。我从他面前经过的时候，自然想瞧瞧他的面貌，可是我一瞧到他的脸，便觉得他的一双可怕的眼睛也正在向我注视。经他一瞧，我不由自主地怔了一怔，只得低垂了头，继续前进。我的意识中立即产生一个结论："这个人一定有什么企图，而且他的企图有危险性！"

我向南走过了十几家门面，觉得这种局势不能不给霍桑知道。霍桑从北面走来，我要和他接洽，必须回到金山路北口去。但是为了避免那人对我怀疑，我不能再退回去。怎么办呢？

这时，我看见前面七八丈远的地方，有一辆黄包车停着。我走到车子面前，看见车夫坐在车子的脚踏板上，正在张着嘴打盹。我在车夫的肩上轻轻拍了两下，叫醒了他，又用手向北首指一指，随即跨上车去。

当车子沿着朝东一边进行时，我向两面瞧瞧，那两个人依然面对面站着。我看见朝东那一排洋房的上下窗口都露着明亮的灯光，只有第四宅赵律师屋子的楼上黑暗无光。我还瞧见站在赵律师门外的那个人，穿的是浅颜色的西装，面貌却瞧不清楚。车子到了金山路和枫林路的转角，我向后面瞧瞧，那两个人分明还守在那里。我叫车夫向西转弯，瞧见人行道上有个穿白色衣服的人远远地过来，正是霍桑。我立即叫车夫停车。

"包朗，为什么这样子慌张？"霍桑站住了问。

"可能有变异，现在两个人守在赵律师的寓所门前。"我就把我所瞧见的情形说了一遍。

"你可瞧清楚他们俩的面貌？"霍桑的语声也有些惊异，"内中有没有和表盖里的照片相像的人？"

"我没机会细瞧，不清楚。"

霍桑不作声，低垂了头，摸着下颏思索。

我问道："你认为照片上的少年是秦守兰的另一个恋人，

此刻他就是来给伊报仇的？"

霍桑向左右瞧瞧，才说："是，这很有可能。不过刚才谢敬渊说的话也有意思。"

"你指哪一点？"

"他说这个冯雪蕉曾给好几个人追求过，现在伊给徐之玉独占了，其余的人难免嫉妒愤恨。

"不错，事情很复杂。"我顿一顿，又问，"你给谢敬渊的电话打通了吗？"

"没打通，舞场的侍役说，谢敬渊已经走了。"

"那么，目前你打算怎么办？"

霍桑沉吟了一下，答道："我想原来的计划不能不改变一下哩。首先，应得瞧瞧这两个究竟是什么样人。"

我赞同道："这个容易，我们分两边进行，你打西边走，我打东边走，总可以瞧清楚他们的面貌。"

"好，不过你得小心些。你说穿长衫的一个把右手插在衣袋里，可能是带着武器。"

"是，我懂得。"

我们便从站立的地方出发，向金山路转角进行。转过了弯，霍桑又站住了叮嘱我小心。我答应了，才和他分手，穿过马路，走上朝东的人行道；向前一望，穿西装的依旧站在洋房门前，不过在缓缓地走动。那对面穿长衫的人的位置也变更了，他正在从北向南，沿着朝西的人行道前进。他和霍桑的距离只有四五家门面，但脚步比较迅速。霍桑也加快了步子，像要追上前面的人。一转瞬间，我看见对街穿深色长衫的人，一边急急地走，一边举手挥一挥，接着，那个在赵律师门前徘徊的穿西装的人也开步向南走了。

我在这种局势之下，当然也加紧脚步，追赶上去，但是前面的两个人越走越快，几乎像奔。若要辨别他们的面貌，我们也非急奔不可了。忽然，霍桑也从对街给我一个暗号，举一举手，竟相反地停了脚步，不再追赶了。我虽疑惑，也不得不采取同一行动，再向前一瞧，那两个人已不见影踪。

我停留的地点，就在第三宅八九一号洋房裕成布号的门前，再进一步，就是八八九号赵律师的寓所。霍桑也穿过街心，走到我的面前。他仍继续前进，走到刚才那西装少年站立的八八九号的铁栅外面，方才停步。我跟着前进，同样在栅栏外面站住。

霍桑低声说："这两个人的确很可疑，不过此刻追到了也很尴尬。要是他们真是找徐之玉的，我们总有和他们碰面的机会。"他回头瞧瞧八八九号："你听，里面有人走动呢。"

赵律师屋子里的长窗有一扇半开着，里面灯光雪亮，是一间办公室，布置着书桌沙发之类，装饰非常华丽。中间分隔着一排白漆的板壁，似乎后面另有一间卧室。这时白漆板壁上的一扇西式门缓缓开了，有个人头从里面探出来。霍桑忙拉拉我的手，向北急走，不一会儿，我们又回到枫林路的转角。

霍桑站住了，问："你可瞧见那个从内室探头窥视的人？"

我答道："看见的，很像那个黑脸麻子。"

"正是。可见刚才那两个人在门外守伺，已被光头仆人觉察到了。我看这个光头有些鬼鬼祟祟，他的主人们的不法举动，他可能也知道的，因此，才这样子小心戒备。"

"这样说，我们希望从这麻子嘴里探听消息，大概已办不到了。"

霍桑寻思道："如果在方法上变化一下，还不能说绝对没有希望。"

我正要问怎样变换方法，两道耀目的电光忽然从枫林路西首射过来。霍桑急忙拉着我避在电杆木的后面，一刹那间，那汽车已经驶到我们的面前，转弯向金山路去。

霍桑附着我的耳朵，说："是徐之玉啊！瞧见了没有？"

我道："我只看见车中有个男人。"

霍桑走到街角去探望，一边说："正是他，已经停车了。……奇怪！这个时候他怎么就回来了？谢敬渊漏了消息了吧？否则，一定另有什么变化哩！"

重大变化

那辆汽车送徐之玉到达以后，便向南开去。霍桑和我仍站在街角，他低垂了头在思索什么。

我问道："他回来得这样早，你想会有什么变化？"

"想不出。"霍桑的眉峰紧蹙着，"我打算从电话中冒一冒他。"

我疑惑地问："冒一冒他？"

"是，你姑且别问。现在你到他的寓所外面去，悄悄地观察他接了电话以后的态度怎么样。我再到枫林餐馆去打电话。小心些，别给他瞧见。"

霍桑回身走向枫林餐馆去。我向前后左右瞧瞧，并没有人注意我的行动，就重新转弯，沿着金山路朝西的一面进行。从转角到赵律师的寓所，原只有十来个门面。我预计霍桑的电话一时还来不及打通，步子故意放迟缓些。街的两面都不见人影，先前两个守伺的人被我们驱散以后，分明不曾再来。我走到一排石库门屋子的前面站住了，瞧瞧对面赵律师寓所，连楼窗上也露出灯光来了。他已经上楼去了吗？但是楼下的灯也没有熄灭。街上没有人，我就放胆走到朝东一面去。街上越发静寂，南面一家小烟酒店也在关门收市。我走在马路中心，一阵风过，异常凉快。我到赵律师寓所前，在铁栅外面站住，向里面一瞧，不禁大吃一惊，急忙向隔壁裕成布号那边一闪。

原来徐之玉还在楼下的办公室里，他已经卸去了硬领和领带，卷着白细纱衬衫的袖子，口中衔着一支纸烟，正在开书桌的抽屉。我在铁栅外面悄悄往里一看，见他忽而抬起头；这时，我只得急步走到邻近门面躲避，不知道有没有被他瞧见。其实我穿了这一身糙米色的府绸西装，在夜间本容易被人注目。

我躲在八九一号裕成布号的铁栅外面，耳朵听见布号里的谈笑声音，里面的长帘关着，纱窗上映着幢幢的人影。我本想回到隔壁的屋子前去，瞧瞧徐之玉有什么动作，但怕被他瞧见，不敢冒昧。两三分钟以后，我听得琅琅的电话铃声从赵律师的屋中透出。我不能再迟疑了，只得沿着铁栅的边，轻轻地一步一步挨近八八九号，走到了赵律师屋子和裕成布号间的隔墙前时，我站住不动，只伸长些头颈，从铁栅里瞧进去。徐之玉正紧蹙着双眉，握着电话听筒在诘问；接着他的眼睛怒睁，嘴唇也张开了，果真现出一种又惊骇又愤恨的状态。我虽听不清他的声音，但从他神气上推度，似乎正在向话筒中恶骂，恨不得把对方揪住了痛殴一番。

这当儿，办公室左面的门给推开了，那光头仆人探头进去，轻声地报告什么。于是徐之玉把听筒一搁，急忙回过头来，向我站立的铁栅位置怒视。我把上身一缩，迅速转回裕成布号，放开脚步，向枫林路转角急走。

我的步子和行军时的跑步没有多大差别，前进时也不敢回头瞧。徐之玉曾否瞧见我，或者竟追赶出来，我不知道。直到向西转弯的时候，我才回过头瞧了一瞧，方知人行道上没有追赶的人。

我继续向西行。霍桑既然在枫林餐馆借打电话，我就索性迎上前去。我推想刚才的变端定是黑麻子在楼窗上瞧见我偷看，故而下楼来报告。这个人分明是徐之玉的心腹，在给他放哨。霍桑起先企图利用这个人做揭发徐之玉的人证，这计划恐怕是水中捞月。

"怎么样？"霍桑也从餐馆里走了出来。

"他的确有一种惊骇状态，不过我险些被他瞧见。"我气喘吁吁地说。

"你瞧见他有没有恐怖的神情？"

"这个人很沉着。我觉得他只有一种出乎意料的惊异，并没有恐怖，他的眼光依旧是恶狠狠的。你在电话中和他说些什么？"

"话说得很含糊。我只说：'你干得好事！你的阴谋我都已知道。如果你希望用和平方法解决，不妨在新闻报上登一个广告，约个地点谈判一下。'"

"他怎样回答？"

"他只问我是谁，不问我所知道的是什么事。这一点可以证明他的确有着不可告人的心事。"

"你想他会假定你是什么样人，又怎样推测你恫吓他的动机？"

"我不知道。因此，我才叫你瞧瞧他接电话时的神气。你说他并没有恐怖的表情，可见他的确很老练。"

八月十五日星期五这一夜的工作就此告一段落。可是我们回寓以后不到六个钟头，这案子忽又有惊人的发展。

我因为睡得很迟，十六日星期六早晨六点半还没起身。我做着一个噩梦，仿佛正在和上夜那两个守伺的人用手枪互相射击，我的肩头中了一枪，张眼一瞧，施桂正站在我的床前，用手拍我的肩膀：

"包先生，时候不早了。……汪探长有电话来。"

我急忙爬起身，披了一件衬衫，赤着脚急忙赶到楼下，接了听筒，便听得汪银林的惊惶声音：

"霍先生安全吗？"

"安全吗？……什么意思？"

"此刻他在不在家里？"

"不，不在。他大概是出去做户外运动的。"

"你确实知道他是出去运动的？"

"这个，我……我不能说。等一等。"

银林的电话太突兀。他怎么问到霍桑的安全问题？我虽假定霍桑是出去实施他惯常的清晨户外运动的，但他什么时候出门，我还在梦中并不知道。汪银林此刻忽然发这奇突的问话，不能不使我怀疑，而且有些着急。我高声唤叫施桂，他还在楼上整理卧室。

"喂，包先生，昨夜里你们什么时候回寓的？"汪银林问。

"十二点过后。"

"霍先生回寓之后有没有单独出去过？"

"没有——慢，施桂来了，我问一问。"施桂已走到办公室门口，我问他后，便又向电话中答话，"喂，银林兄，据施桂说，霍桑在今晨六点钟才出去。他一定是出去运动的，因为这是他风雨不变的早课。你有什么消息？为什么问到他的安全？"

"唉，这样，我放心了！"汪银林的声音变得缓和了些，"包先生，这件案子昨夜又发生了重大变化哩！"

"喔？什么变化？"

"金山路赵律师的屋子前面，一个穿西装的男人被打死了，徐之玉也受了枪伤。事情已经闹大了！"

消息的确惊人，真是一波未平，一波又起！我领会到汪银林所以关怀霍桑的安全问题，也许是误会了那个被打死的人就是霍桑。

我说："银林兄，我相信霍桑完全安好，你放心。但是徐之玉怎样受伤的呀？"

汪银林道："我此刻还在家里，厅里面只送来了一份简短的报告，详细情况我还没有知道。半小时内，你如果能够跟霍先生到警厅里去，我们在那边会集。"

我瞧瞧壁炉檐上的那只小钟，正指着六点三十六分。因着刚才未醒前的噩梦，又听到这意外的消息，我竟怀疑自己还在梦中。可是这绝不是梦。赵家屋子门前已经死了一个人！徐之玉本人也受了枪伤！这消息不断在我的脑海中盘旋。但是霍桑既没有回来，我到哪里去找他？我自己只披着一件衬衫，纽子都没有扣齐，下身穿一件短裤，裸腿赤足，趿着拖鞋，当然不能就上街去找。我走到窗口站一站，经冷风一吹，昏乱的脑子略略清醒了一些。我赶紧回到楼上，十分钟后梳洗完毕，穿好衣服，重新下楼。恰在这时，霍桑态度从容地从外面回来了。

他瞧着我，问道："包朗，什么事？又这样慌张？"

我大声道："银林来电话，案子有变化哩，徐之玉受了枪伤，他门前死了一个人！"

霍桑从容不迫的态度立刻发生了变异。他挺直身子，眼珠在流转，他的鼻尖也像有些颤动。

我又说："详细情况，银林也还没有知道。他在警厅里等我们。"

我们立即空着肚子赶往警厅里去。汪银林正在他的办公室中打电话，通知发案地点所在的第五区的巡官到警厅里来谈话。

他向我们招呼道："霍先生，包先生，请坐。刚才我在家里得到了一个简短的报告，一时竟有些神经过敏。因为我知道昨夜里你们两位曾到他那边去，事情发生在昨天半夜时分，死者又是一个穿西装的男子，我便误会——"

霍桑接嘴道："唉，承情得很，你这样子关怀我们！这件案子发生在昨夜什么时候？"

汪银林答道："我只知道发生在半夜过后，还不知道具体时刻。王巡官立刻就要来了。你们昨夜里的成绩怎么样？"

霍桑道："因着意外的阻碍，我们预定的计划没有实施。就我们所瞧见的情况看，这个变化还不能算怎样出乎意料。"

霍桑让我将夜来的经历向汪银林申说一遍。汪银林敛神地倾听着。

他露出困惑的神气，自言自语地说："既然有两个人守伺在徐之玉的门外，徐之玉的被害是很明显的，但是他门外的人又怎样会给打死呢？"

霍桑道："是啊，这就是我们要解释的疑问。"

一个穿黄色制服的巡官走进办公室来。他是第五区的王巡官，生得短小精悍。经过招呼之后，他坐下来开始报告这案子的经过。

王巡官说："昨夜两点半钟——应该说今晨两点半钟了——我被值夜的周番从睡梦中唤醒，据说金山路八八九号屋子里发生了血案，有个姓徐的打电话来报告。我连忙爬起来，带了两个警士，急急赶往金山路去，到那里时已经三点钟。八八九号门前有一排装在短墙上的低矮的铁栅。就在这铁栅外面的人行道上，躺着一个穿西装的少年。那两扇盘花的铁门——"

霍桑插口道："王先生，对不起，问一句话。这个人倒地的状态是怎么样的？"

"他是俯卧的，头部向北，接近铁栅下面的短墙，两足略略卷曲，和短墙距离两尺光景。"

"伤在什么地方？"汪银林问。

"背部和胸部都有血迹，但枪弹怎样打进去，还得等检验了才能知道。"

"他穿的衣服是什么颜色？"我也从旁插一句。

"他穿一身糙米色棉质的西装，足上穿一双树胶底的网球鞋。"

我记得昨夜里那个等候在赵律师屋外的人也是穿西装的，西装的颜色确和糙米色相近。

霍桑点点头："王先生，请说下去。"

王巡官继续道："那时我推推那两扇盘花的铁门，门却紧紧地关着。屋子的窗也都关闭，窗帘下着，里面的灯却仍亮着。我用拳头在铁门上敲了几下，随即在那人的鼻孔上摸摸，还有一丝气息，就吩咐警士用黄包车将他送到附近的同仁医院里去。"

"这个人没有死吗？"我惊喜地问。

"死了。"王巡官摇摇头，"刚才我打电话问过，据说进医院不到半个钟头就断气了。"

"那么，他有没有说过话？"我又问。

王巡官道："当警士们把他送上黄包车的时候，他简直像死透了的，没有说话；进了医院以后有没有开过口，我不知道。"他向汪银林瞅了一眼，接续报告："我们把那人送上黄包车时，耽搁了好一会儿工夫，可是八八九号屋子里仍没有动静，两扇铁门依旧关着。我第二次叫门，又大声喊叫，声明我们是警区里的人。隔了一会儿，一个头发剃得精光的仆人才慢吞吞地出来开门。仆人的模样非常慌张，很可疑。我问他的主人怎么样，他默默地不答，只跷着大拇指向屋子里指一指。

"我走到里面办公室中，灯光虽亮，却并没有人。光头仆人又用手向着白漆板壁后面指一指，表示有人在里面的室中。我推开了那扇白漆的洋门，才看见有个人躺在床上，就是受了伤的徐之玉。"

汪银林插口道："伤得怎么样？"

王巡官道："我不知道，但瞧上去似乎并不厉害。他的左臂上裹着一块白巾，他那件白细纱西装衬衫的左袖上有些血迹。他脸色灰白，说话时声音很低，报告的话也很简单。据说他坐在外面办公室中的沙发上读晚报，忽听得外面砰的一响。他还不知道是枪声，仰起身子，正想立起来瞧个究竟。忽然第二次枪声又响了。枪弹穿过了长窗，从他的左臂上擦过。他知道有人谋害，便奔到白漆板壁后面的卧室中去躲避。隔了一会儿，不见动静，他才勉强回到办公室中打电话报告。"

王巡官的话终了以后，室中静寂了好一会儿，大家都在咀嚼这故事的内容。末后，汪银林首先发问：

"你可曾问过徐之玉，对于那个开枪的凶手，他有没有意见？"

"问过的，他说完全不知道。当时他并不曾开门出去，故而连门外打死了一个人，他也不知道。"王巡官顿一顿，又补充说，"他是东华大学的教授，又是个什么博士，本来是河北人，现在寄寓在他的表兄赵尚平律师寓里。赵律师在四天之前同他的夫人到南京去了。徐教授正准备打电报请赵律师回来。"

"好了，趁赵律师还没有回，我们先到徐之玉那里去慰问一下。"霍桑立起身来，眼光在汪银林和王巡官的脸上掠过，"我还要写个字条给我的朋友谢敬渊。银林兄，烦劳你打发一个人，把字条立刻送到南大街去。"

徐教授的谈话

走出警厅大门的时候，我们四个人都默默无言。从警厅往金山路，照汽车的速度，只需十分钟光景，但霍桑的建议，使我们又耽搁了一个钟头，方才和徐之玉会面。汽车经过同仁医院门前时，霍桑向汪银林提议，先到医院里看看那个尸体。我首先表示赞成，因为我很想知道死者是不是表盖里照片上的少年。

汪银林先向一个上夜里值班的急症医生说明了来意，那医生便很谦和地接待我们。医生姓罗，年纪还轻，好像是医校里才毕业出来的实习医生。我们在他的诊室中坐下来，罗医生便开始介绍情况：

"今晨三点半光景，警士将受伤人送进来，我立刻吩咐把他抬进手术室。经过查验，发现他伤势很重，左肺尖和胸肋膜都已破碎，第三根左肋骨也已折断。"

汪银林问道："枪弹可是从左胸口打进去的？"

罗医生摇摇头："不是，从背部打进去的。他背部的左肋骨下面有一个枪洞，有五六分大小，肌肉也有皱缩的迹象；但是胸口的伤口却大得多。这是枪弹入口和出口的明证。"

"这样说，你大概没有检到致命的枪弹？"霍桑插一句。

"当真没有。瞧伤势，枪弹一定是从胸口穿出，毫无疑问。"

霍桑回过脸来："王巡官，你当时可曾注意到这枪弹的下落？"

王巡官咬着他的嘴唇，他的眼睛连连眨了眨，摇了摇头。

霍桑道："这是很可惜的。但是仓促之间，又是在黑夜，当然也不能怪你。"

汪银林接嘴道："子弹或许就在人行道上，停一会儿大概还可以找得到。"

霍桑点点头，又问道："罗医生，请问除了背部和胸部的伤口以外，他身上有没有别的伤痕？"

"我已经仔细查过，完全没有。"

"有挣扎的迹象吗？"

"也没有，不过他左手的衣袖上染着不少灰尘，那不像是倒在地上后染上的。"

霍桑的眼睛凝视在地板上，眉尖间的线纹加深了，仿佛有些困惑，接着，他又向罗医生点点头，请他继续陈说。

罗医生又说："当时我觉得他的内脏部分流血很多，伤势非常危险。我动手术给他止血，包裹以后，又给他注射过一针强心剂。他的眼帘微微抽动，似乎有些转机，但不到二十分钟，他的呼吸便完全停止了。"

"这个人进院以后，可是始终不曾开过口？"我问。

"是，没开过口。"

"他身上可有什么辨别他身份的东西？譬如名片或信件之类？"汪银林又问。

"有的，这些东西我也小心地拣出，都包在这里。"

医生从他的西装裤子背后的袋里，摸出一串钥匙，开了书桌中的一只抽屉，拿出一个白手巾包的小包，放在书桌上。汪银林立起来，把那白巾的结谨慎地解开来。霍桑和我也走近去瞧。包中首先接触我眼帘的就是一支镀镍的手枪，枪身只有五六寸长，是旧式莲蓬头的。霍桑用自己的一块白巾裹着手枪，拿起来细瞧。

他喃喃地说："枪膛里的子弹已给打去了一粒。"

包中还有一只皮夹和一只廉价的夜光表，表面已碎，长短针停在一点一刻。霍桑先将表摇一摇，随即放下，又把皮夹翻开来。皮夹里面有三张一元的钞票，两张名片；名片上印着"苏崇华"三字，左角上还有"湖南澧陵"四字；此外还有一支短细的铅笔和几根牙签。

汪银林撇撇嘴，作失望状道："这些东西只告诉人一个空泛的姓名，别的毫无用处。"

霍桑说："这一支手枪可以显示他有所图谋。"

"唔，他的图谋是什么性质呢？他自己是被什么人打死的呢？"银林仍有气无力地嘀咕着。

"这两个问题就是我们眼前要侦查解决的。"

霍桑侧过些脸："罗医生，我们可能瞧瞧那个尸体？"

罗医生点头道："可以，可以，在太平间里，我来领路。这些东西请哪一位保管好？"

汪银林将手枪，表和皮夹，重新用白巾包好，放在自己的袋里。我们一块儿跟罗医生走进了太平间。罗医生将覆在尸体头部的一块白布揭开以后，我又感到失望。死人的颧骨高耸，嘴阔唇厚，和照片上的文弱少年一点儿也不同。他身上穿的一身糙米色布的廉价西装也不很整齐。霍桑特地将死人的衣袖轻轻提起来，那肘骨部分果真染有不少的干灰。我们离开太平间的时候，霍桑附着我耳朵问，死的是不是我们昨夜里看见的那一个。我也低声回答，身材和服装颜色的确都相像。

霍桑问王巡官："你说今晨徐之玉打电话来报告时，已经是两点半钟？"

王巡官答："我被周番叫醒时，钟上恰正指着两点半钟。徐之玉报告的时刻也许还早一些。因为周番接了报告，将发案的地址、房屋号数和报告人的姓名等在册子上登记好以后，方才进房间来叫醒我。"

"登记工作不会超过一刻钟吧？"霍桑沉思了一下，又说，"根据那只碎掉的表，苏崇华中枪倒地是在一点一刻，这和徐之玉的报告时间还相差一个钟头。"

汪银林问："你说那只表是在他倒地时碎掉的？"

霍桑点点头："正是。表不但碎掉了玻璃，连机件也损坏了。他倒地时既然是俯卧的，可见表一定是在他覆倒时压坏的。"

我们一行人且说且走，又回到了诊室门口。霍桑立定了，向罗医生点点头，表示辞别。医生举一举手，回进诊室里去。我们四个人就走出医院。

汽车从同仁医院开到金山路八八九号赵尚平律师的寓所门前停住，只有两分钟工夫。汪银林首先从汽车上跳下来，偻着身子，在水泥人行道上检寻子弹。霍桑也走到铁栅面前去细瞧。我看见装铁栅的短墙上积着厚厚的灰尘，并没有枪弹擦打过的痕迹。王巡官却先去推开那两扇盘花的铁门。一会儿，汪银林叽叽咕咕地咒骂，表示他的找寻没有效果。于是我们三个人跟着王巡官走进铁门里去。

王巡官似自居于向导的地位，先在玻璃门上弹一下，便旋动门钮，准备直闯进去，可是玻璃门闩着。隔了一会儿，那个光头麻子才开门出来。后来，我知道这麻子叫杏生，已经在赵尚平那里服务了两年半。这时候他运足了眼力，向我们四个人逐个端详，尤其对霍桑特别仔细。我们在十四日那天下午，曾和这麻子谈过几句话，他大概还有些印象，故而在追想曾在什么地方见过。霍桑装着不相识的样子，并不正面瞧他。我偷眼看看这麻子，他的眼圈上露着黑色，他的黑脸也有些焦黄，眼睛里有些惊恐意味。

"金先生刚来，在里面。"他仍操着浦东土白，向王巡官答话。

王巡官问道："金先生？他是谁？"

杏生道："他是我东家的书记。他刚才——"

"不对。我们要见这里的徐先生。"

杏生听见王巡官的声浪提高了些，忙弯下了腰，恭敬地答道："喔，徐先生在房里躺着。请进。"

我们走进了甬道，大家又立定了。迎面有一部楼梯，梯侧似有一间餐室。甬道中排着两张长椅和一只半桌。这时旁边的办公室门开了，有一个四十多岁穿白纺绸长衫的男子走出来，他就是赵尚平律师的姓金的书记。他施展着熟练的交际手段，殷勤地招呼我们进去。我们四个人在办公室中坐下以后，他又拿出纸烟罐，一个个敬烟，接着开始和我们敷衍。

"王巡官，昨夜里的事真是太出人意料。"他说的宁波口音，"幸亏徐先生的伤还不十分厉害。我的电报是打到南京中央旅馆去的。我不知道——"

汪银林现着不耐烦的神气，插口道："你对昨夜的案子知道些什么？"

书记连连摇头道："我完全不知道。我是朝来夜去的，舍间在十六铺——"

"那么，不必啰唆。叫姓徐的出来。"

不料，这时徐之玉已经开了那扇白漆的门，从里面卧室中走了出来。他仍穿着阔条纹白哗叽的西装裤子，上身穿一件白纺绸细蓝条纹的衬衫，白色的软领系着一条灰色蓝条纹的毛葛领带。他左臂近肩的部分略略臃肿，显见里面裹着绷带。他的面色枯黄，分明是失掉雪花霜的掩护后的真相；眼白上也带些红色，显示他夜来失眠。他的态度仍非常沉着，和我们招呼时那种神情也保持着他的大学教授的尊严。他在书桌后面的螺旋椅子上坐下。金书记便卸责似的乘机溜出了办公室。

徐之玉带着微笑，问道："哪一位先生是负责的？我应得向哪一位谈话？"

王巡官介绍道："这位是汪侦探长，他是负责的。这两位是霍先生和包先生。霍桑先生是私家侦探。"

徐之玉略略从他的座位上欠了欠身子，汪银林也点头答礼。接着，他们俩便开始问答。霍桑和我并坐在书桌对面的两只有藤垫的长椅子上，和徐之玉的座位恰成直角形。对于徐之玉的声音面貌，我全神贯注地观察着。霍桑当然也采取同样态度。

汪银林说："徐先生，请你将经过情形详细说一遍。"

徐之玉点点头，答道："今天早晨王巡官到这里来查勘时，我已经完全报告他了。此外，我提供不出什么别的情况。"

汪银林皱着眉峰，说："直接的话比较容易明了些，请你再说一遍。"

徐之玉答道："也好。"他牵了一牵嘴角，露出一种似乎是鄙夷的微笑，同时向汪银林投射了严冷的一瞥："昨夜里我回来的时候，带着两张晚报——"

"慢。你从什么地方回来？"汪银林打断他的话问。

徐之玉的严冷眼光再度从汪银林的脸上掠过。他随即低下眼睛，在地板上凝视了一下，才冷冰冰地抬起头来：

"汪先生，这是我个人的行动，也有查问的必要吗？"

这个人一句话也不马虎，当真不容易应付。霍桑起初处处谨慎，分析着他的言谈和神态。汪银林倒也相当老练，应付得非常得当。

他答道："徐先生，你知道这是一件严重的血案，一死一伤，我们调查时就得顾到各方面，而且越详细越好。"他的语调也尽足以抵挡对方的冷峻。

"那也没有关系。"徐之玉勉强笑一笑，"我从明月舞场里回来。"

"回来时是什么时候？"

"我没注意——大概还不怎么晚。"

"大约在什么时候？你总不会完全不记得吧？"

"唔……大约在当晚十二点钟。"

"十二点前后？正是舞场里最热闹的当儿啊。对不对？"

徐之玉又用有着霜意的眼光在汪银林脸上瞟一下。他的脸色沉下了，好像有些着恼，不过他答话时仍非常镇静：

"昨夜里天气很闷热，我有些头痛，故而回来得早一些。"

"你回来以后又怎么样？就坐在这儿读晚报吗？"

"正是。我先洗了一回脸，开了电扇凉了一会儿，就坐在那只沙发上读报。过了一会儿，我忽听得外面砰的一声，起初，我以为是车胎爆了。我仍坐在那只沙发上——"

汪银林插口道："哪一只沙发？"

徐之玉用手指指着一只靠白漆板壁的朝长窗的沙发，说道："就在这一只有白套子的沙发上。"

"好，以后呢？"

"我的背本来靠在沙发背上。那时候我把身子坐直了，将手中的报纸丢在地板上面，正想站立起来。第二次枪声又响了，同时我的左臂上给什么东西擦过。我才知道有人开枪。当时我还不觉得怎样痛，但是一回头，瞧见衬衫袖子上有鲜红的血迹，我才知道自己受了枪伤，顿时痛起来。"他说到这里，举起他的右手，抚摸他的左臂上的臃肿部分。

霍桑在进门以后，一直采取旁观态度，此刻才第一次开口，表示他的同情：

"徐先生，那真是很危险的。我瞧见枪弹还嵌在板壁上呢。"他用手指了一指："从枪弹的线路上测量，假使当时你的身子再向左偏一些，说不定子弹会伤及你的要害。"

徐之玉向霍桑瞧瞧，点点头，道："正是，霍先生。枪弹是穿过了玻璃射进来的。我事后估量，的确非常危险。"

我的眼光移到那只沙发左边的白漆板壁上，果然有一个黑色小洞；又瞧那第二扇玻璃长窗，玻璃上也有一个枪洞，洞的四周有好些短短的裂纹。

"现在你的伤势怎么样？"霍桑问。

"侥幸得很，只伤了皮肤。我自己擦了些碘酒，裹扎好了，此刻已经不觉得怎样痛。"

汪银林明明把徐之玉当作怀着阴谋的罪徒看待，不过有些顾忌，还不敢直言指斥。他听了霍桑的同情慰问，便努着嘴，显得非常不满意。

"你在什么时候中枪的？"他又沉着脸问。

徐之玉想了一想，摇一摇头："不知道，那时候我不曾注意钟点。"

"你从明月舞场里回来，直到枪声发作，这中间有多少时候？"

"我想想看。"徐之玉对于这一提问，分明也不欢迎，他垂着目光，句斟字酌地回答，"我回来以后，卸下衣领，洗了脸，又开了电扇凉了一会儿，然后坐在沙发上读报。唔，估计起来，总该有一个多钟头吧？"

我暗忖他所说的他回来之后的行动过程，明明还漏掉一点。他曾接过霍桑"冒一冒"的电话，此刻他竟绝不提起。我能当面揭穿他吗？不能。情势很微妙，不容许我这样子痛快地发泄。

汪银林又问道："那时候你的仆人在什么地方？"

"杏生等我回来以后，便上楼去睡了，他是睡在后面楼上的小间的。"

"枪声发作以后，他可曾下楼来过？"

"没有，他一定睡着了。其实马路上车胎爆裂的声音是时常有的，昨夜的枪声还没有爆胎的声音那样响。这里靠马路的住户听惯了这种声音，也不以为奇。"

银林向霍桑瞧瞧，旁听的王巡官也同样地移转目光，似乎都觉得这个解释有些牵强，想要瞧瞧霍桑的脸色，来决定是否接受。可是霍桑仍保持着静穆的状态，缓缓地吐吸着他的纸烟，脸上竟丝毫没有表示。

"以后怎么样？"汪银林再问。

"那时候我有些着慌，觉得坐在这里太危险，更不敢走到外面去。我便站起来开了房门，到里面去暂避。"

霍桑又带着微笑，作同情语道："一个人在惊慌的当儿，他的行动措施也不会怎样恰当。其实，这样一层薄薄的板壁也算不得安全保障啊。"

"正是，现在想起来，这举动未免可笑。"徐之玉转过目光向霍桑瞅了一眼，他的唇角又牵一牵，仿佛是一种微笑，"当时我躲到房里去后，自以为已经得到了充分的安全保障。"

霍桑道："后来你听得外面的枪声停了，就打电话报告警署吗？"

"是的——不过我又在房里耽搁了一会儿，定了定神，才重新到这里来打电话。"

汪银林似乎记了刚才霍桑在汽车中所谈的时间上的疑问，抢着问道："你可记得你在房间里躲避了多少时候？"

"我不知道，我不曾注意到时间。"徐之玉低垂了目光。

汪银林冷冷地说："奇怪！你对于时间问题总是不大注意。听说受过新教育的人，是最注意时间的。就算你不曾看过表，你总也能估计得出吧？"

徐之玉的视线从汪银林的脸部移下去，集中在他自己足上的那双白麂皮镶黑纹皮的皮鞋尖端上。他似乎在追想，又似乎在组织答复的语言。一会儿，他才抬起头来：

"汪先生，凭空估计时间是很危险的。刚才我随便说了几句，原不合法。你们若要把我所说的时间作为法律证据，那我不愿意再乱说了。因为人们心理上对时间的估计往往有过高过低的错误，何况我当时受了惊，精神上当然起了变异，更不可能有准确的估计。根据德国心理学家达乌伴和史端痕实验的结果，人们心理上对时间的估计，往往会因职业的区别、环境的差异和精神状态的不同，估计的结果也有显著的差别。因此，现在你要我估计，我委实不愿意冒险。"

这个人真是狡猾之至，他在这时间问题上显然有所讳饰，可是会引经据典地说出一大串话来。我们即使明知他故作狡狯，但是他的话根据学理，在法律上也不能不加接受。我觉得霍桑所说的知识分子犯了罪，比较不容易应付的话，的确可以相信。

进攻与防御

徐之玉说完了这番高论，自顾自地从他的白哔叽裤子背后袋里摸出一只舶来的有弹簧的镀金纸烟匣来，又用一个金色打火机烧着，将纸烟衔在他的嘴唇上。接着，他另外从他的白哔叽裤子的右边袋里抽出一块折叠着的大幅细麻纱手帕来。我看见他所用的这些零星小东西竟没有一样不是外国货，联想到他在美国学到的虽不知道是些什么，但有一点可以肯定，他至少已经给培养成为一个道地的外国商品推销员！他把手帕抖开了，先抹一抹鼻子，又把它在额角和颈项间轻轻地像女人扑香粉那样扑几扑，随后，重新将白手帕折叠好，塞进裤袋里去。最后，他把他的两条腿交换了交叠的姿势，靠着椅背，很闲豫地吸烟，表示出一种有恃无恐、目中无人的傲慢姿态。这时候，汪银林倒有些发窘。他的嘴唇紧闭，两手握着拳头，眼睛也喷出怒火，仿佛一个粗汉受了刁滑文人的唇枪舌剑的辩难，大有"你用嘴，我用手，跟你拼一拼"的模样，不过他还是在跃跃欲试的状态中，不曾真个动手。霍桑的态度却不同。他用目光迅速向汪银林瞅一瞅，随即把手中的纸烟凑到茶几下面的痰盂中，用无名指弹去了些烟灰。银林才缓缓地摸出雪茄烟来，仍用怒目向徐之玉瞧着。

霍桑婉声说："徐先生，你的话当然是有学理根据的，不过汪先生并没有把你的话完全当作法律证据的意思。我们不妨随便谈谈。你想你在卧室中大约躲避了多少时候？"

徐之玉吐了一口烟，微笑着答道："那可以，那时我裹好了臂膀，又躺了一会儿，也许有半个钟头，或许还多一些。不过，我在惊慌之中，精神已失了常态。"

霍桑顺水推舟地问道："你当时的慌张总也有原因的吧？"

徐之玉似乎骤然觉得他的话漏了破绽，神气略略有些变异，他把纸烟从口中取下来，动作也稍稍有些慌乱。可是，一刹那间，他又恢复了常态。

他反问道："霍先生，你问我惊慌的原因吗？你想半夜间有人从外面开枪，打伤了我的臂膀，这还不足以引起我的惊慌吗？"

"是的，这是临时的惊慌原因。我问你有没有事前的原因？"霍桑将眼光有意无意地凝注着对方。

"我不懂你的意思。"他的视线却像在故意避开。

"好，我可以说得明白些。在这回事发生以前，你是不是预知会有这个变端，或者有发生这变端的可能？"

"唉，那是没有的。这件事完全出我意料。"徐之玉仍维持着镇静，重新把纸烟送到嘴边，缓缓地呼吸。

这个人当面撒谎，态度竟能这样坦然。我们在以往的三十多年中所遇见的奸猾者实在不少，但像这样子阴险的人物，委实不多。

霍桑又用稳定的声调，说道："你的意识中虽不曾预料到会有这种事发生，但在事实上你也许有什么怨仇，你自己却不知道。因为在这黑暗的社会中，尽多口蜜腹剑的人物，当面奉承你，背地里却想害你。你想有没有？"

徐之玉的目光又移到他的黑纹皮包头的鞋尖上面，鞋尖正在微微地抖动，显见他的自持力仍不动摇：

"我想不起来。我不曾得罪过什么人。"

"那么，如果不见怪，我可以给你提示几点。譬如，关于你的婚姻方面，或者交朋友方面。……徐先生，你总也承认，这种事最容易引起嫉妒和仇恨，是不是？"

"婚姻方面吗？"徐之玉忽然坐直了身子，丢了烟尾，脸上露出些着恼的样子，"老实说，我和冯女士的订婚是非常顺利的，绝对没有三角式或四角式的问题。下月初旬我们就要结婚了。"

"唔，这是值得庆贺的。"霍桑仍带着笑容，"你如果能原谅我的冒昧，我再想问一句话。你在和冯女士订婚以前，有过恋爱史没有？"

"霍先生，你好像超出你应查问的范围了吧！"

"唉，并不。徐先生，你总也明白，我只想查一查你究竟有没有因恋爱关系而产生的意外仇人？"

"完全没有。我回国只有两个月，所交往的女性只有冯女士一个。"

"那么，在留学时期，你总不至于没有女朋友吧？"

霍桑的问话固然在步步逼紧，声调也冷峭而犀利，颇有单刀直入的意味，可是终于没有用，他仍攻不破徐之玉的森严壁垒。

徐之玉冷冷地答道："女朋友不能说没有，但恋爱与交朋友，不能混为一谈。霍先生，请你不要空费心思。我已经说过，这件事完全出我意料，我完全没有关系。"

霍桑的语锋又碰到了石壁，但他并不动火，仍旧是笑嘻嘻的。汪银林倒有些不安于座，他的身子在不住地动，好像他的忍耐已到达了顶点。

"徐先生，今晨这屋子外面的人，你想是被什么人打死的？"霍桑更换了一个话题。

"我怎么能知道？霍先生，我不曾研究过侦探学啊！"

"唔，那么，你自己怎么会中枪的呢？"霍桑仍毫无火气。

"我也不知道，大概是一种意外的流弹罢了。"

"你可曾瞧见过那个被打死的人？"

"没有。我受伤以后不曾出过门，后来这位王巡官来敲门，我叫醒了杏生去开的。"

"那么，要不要到同仁医院里去瞧瞧那个尸体？或许你会认识他。"

"那不必。王巡官曾把死人的状貌告诉我，我完全不认识他。"

他的防御工事可算建筑得不留一丝隙窦，但霍桑还是锲而不舍地步步进攻。

"你可认识一个叫作苏崇华的人？"霍桑继续问。

"苏崇华？"徐之玉的目光闪一闪，"我没有这个相识。他是谁？"

"就是那个被打死的人。"

"唔，不认识他。"

"那么，你关于这件事情，有没有可以帮助我们侦查的提示？"

"霍先生，很抱歉，我不能贡献什么。关于我个人方面，我已经说过，我受伤并非因我有仇人，只是一种意外的流弹罢了。"他放下了交叠的腿，搓搓手立起来，把腰挺一挺，又打了一个呵欠。他瞧着汪银林，说："汪先生，我所知道的事情已经完全告诉你们了。如果还有什么法律方面的手续，我可以委托我的表兄赵律师办理，他今夜里大概就可以回来。现在，我的身子觉得很疲乏。"

汪银林圆睁着眼，似乎恨不得将他一把揪住，痛快地捆他几个耳光，才能发泄胸中的闷气。我暗忖要是这样的动作有可能实施的话，我也很愿意助他一臂。但是霍桑始终不曾动什么肝火。他也跟着立起来，代替汪银林答话。

他说："好。徐先生，你的确应得好好地静养一回，我们还得向杏生问几句话。板壁上的那粒子弹，汪探长也应得钳出来带回去。那都是例行的手续，我想你总不会反对吧？"

"听便。"徐之玉点点头，"汪先生，失陪了。"他略弯了弯腰，推开了白漆门，走进他的卧室里去。

汪银林努了努嘴，在他背后做了一个鬼脸，便从衣袋里摸出一把小钳，走到板壁前去钳取子弹。霍桑走出办公室去，我跟随着他。王巡官仍留在办公室中，似准备随时襄助他的间接上司。

餐室中，那麻子和金书记默默地对坐着。霍桑一踏进去，两个人都慌忙立起来。宁波书记显示出不必要的殷勤，忙着移过两把椅子，请我们坐下。霍桑摇摇手，一直走到仆人面前。

杏生垂下了手，战战兢兢地站着。

霍桑用婉和的态度问他昨夜里的经过。杏生的答语非常简单，和徐之玉说的完全相符。

我相信这光头麻子是相当狡猾的，明明隐藏着什么。上夜里他曾在楼窗上偷窥我，又鬼鬼祟祟到办公室中去报告徐之玉，那都是我目睹的。他在这种情势之下，竟会一睡就着，而且睡得这样酣熟，连枪声都不曾听得，谁也不会相信。可是霍桑还是抱着那种不冷不热的态度，对于杏生的答语，似乎毫不怀疑地全部接受。故而不到十分钟工夫，我们便从餐室中退了出来。汪银林钳取子弹的工作早已完毕，他衔着雪茄，站在办公室门口等候。霍桑暗暗地拉拉我的衣袖，附着我的耳朵问话：

"你瞧，那只有白套子的沙发的位置，和你昨夜里瞧见的情况相比有变动没有？"

我瞧瞧那沙发的位置，又追想了一下，摇了摇头。霍桑皱了皱眉，便招呼汪银林和王巡官走出来。他在人行道上站住了，叫那短小的王巡官先回去，又旋过头去说：

"银林兄，我想借用你的车子，先送我们回家，然后你再回厅里去。"

汽车行驶以后，汪银林沉着脸儿，默不作声，好像懊恼得连说话都没劲。霍桑却仍带着调笑的语气向他说：

"银林兄，今天的早餐，你大概也像我们一样牺牲了。如果不嫌慢待，不妨到敝寓坐一坐，吃一碗米粥。前天我买了一罐宁波香螺，吃粥的确够味。"

我觉得在这个当儿，霍桑还说这种悠闲的话，未免不相称。汪银林果真加深了鼻梁间的线条，现出不耐的神气：

"霍先生，对不起。案子的纠纷这样多，快要闷死人哩！你怎么还这样轻松？"

"银林兄，你说纠纷多，太气闷，我完全同意。"霍桑的嘴角上仍带着笑容，"就因太纠纷，太气闷，我们才不能不调剂调剂精神啊。"

"我早已说过，这案子太不痛快。"银林依旧气鼓鼓，"一个罪徒摆在眼前，我们竟无法可施！我总觉得这件事干得太缓慢。"

"太缓慢？是的。不过，不这样，你打算怎样呀？欲速则不达啊！我们的脚跟还没有站稳哩，难道能随便乱来吗？"

"他明明当面撒谎，你为什么不揭破他？"

"揭破了又怎样？事实上你有佐证没有？除了打草惊蛇使他有所戒备，反而暴露我们的侦查行动，在案子的进展上有什么好处？要是他来一个妨害自由的反控，我们难道准备和他打官司？"

汪银林用力咬着他的嘴唇，鼻梁上面的几条皱纹加深了深度，却不答话。

霍桑继续道："你刚才总已领会到他的锋利的口才和处处符合逻辑的叙述。例如，他在时间问题上明明是虚伪的，有所掩饰的，但是他居然能言之成理；即使到法庭上去，他的话也绝不会被法官轻视。银林兄，我给你一句忠告——以后如果遇到这样的人物，你的急躁的性子非努力克制不可。"霍桑说这话时，他的目光斜过来送到我的脸上，似乎暗示这忠告对于我也同样适用。

"可是，我只觉得耐不住，只想重重地捆他几下！"银林叹一口气。

霍桑点头道："是啊，就感情方面说，我也一般地耐不住，可是，我始终用理智克制着。我也明明知道徐之玉干过阴谋的勾当，但是——"

"霍先生，你说的阴谋勾当指什么？"汪银林插口问。

霍桑停一停，说："自然是指秦守兰的事啊。"

"还有那个苏崇华呢？你想可是他打死的？"

霍桑沉思道："唔，有可能，不过还待查考。"

汪银林在他的衣袋中摸一摸，说道："我不相信板壁上的这一粒子弹果真是他所说的流弹。"

"是啊，我也不相信。问题是我们应该找出些反证。"

"反证从哪方面找？有途径没有？"

"途径并不是完全没有。譬如，你从医院里拿出来的手枪，和板壁上钳出来的子弹，应得去请专家鉴定一下，是不是两相符合。"

"还有呢？"

"还有，苏崇华和徐之玉究竟是否相识？倘使相识，他们又有怎样的关系？这一条路，我们可以从我们的朋友谢敬渊方面去调查。你如果有机会，也不妨同时进行。"霍桑看一看车窗外面，"这两个先决的疑点如果得到解决，我们就可以进一步从徐之玉方面去搜索物证和人证。"

"你想其他方面有些什么样的物证和人证？"汪银林现出些注意状来。

"物证，我还说不出；人证，就是指那个光头杏生。"

"这光头也有份的吗？"

"有份无份还难说，不过他知道的一定不少。"

"既然如此，为什么不爽快些把他抓出来问问？"

"嗯，你又来了。"霍桑摇摇头，"时机还没成熟，你用什么方法叫他说实话呀？莫非你老作风至今还没改掉，打算私刑逼供吗？"

汪银林静默了，垂着头用力咬他的嘴唇。我也瞧瞧车厢外面，汽车已经驶进爱文路路口。霍桑向银林瞥一眼，嘻一嘻：

"银林兄，振作些，案情随时有发展的可能，你用不着丧气。"

"我担忧这样子耽搁下去，你所说的物证都会给消灭光。"

"那倒不用顾虑。说到消灭，他在昨夜报警以前，一定早已做一番'消灭'工作，不过百密难免一疏，只要我们睁大些眼睛。现在他经过了我们这一次造访，一定感觉到更加安全。因为我们刚才的一番谈话，他背地里一定会讥笑我们容易受欺蒙。他会有一种错觉，感到我们对于他的地位和他的当律师的表兄有所畏惧。"

"这样说，他不会私下逃走吧？"

"唉，放心，他不是个傻子啊。"霍桑又瞧瞧窗外，"敝寓到了。银林兄，可要尝一尝宁波香螺？"

汪银林摇摇头："谢谢你，我不能多耽搁了。"

汽车停在七十七号门前，我们下了车，汽车载着银林掉头驶去。

我们走进办公室时，壁炉檐上的那只小钟，已指着十点零六分钟。我们俩在早晨十点过后方才一块儿进早餐，可算是难得的事。施桂报告九点钟时有个姓贾的打电话来，问霍桑是否在家，施桂回答不在，问他有什么事，那人不答，电话便挂断，也不曾说明名字和地点。

霍桑懊恼地说："也许是另一件关于锄奸团一类的事，我的头也疼了！"

霍桑的预料果然中鹄。早餐完毕之后，我们正在披阅当天的各种报纸，姓贾的又打电话来了，果真问霍桑能否接受关于侦查锄奸团的案子。霍桑干脆加以拒绝：

"你害怕锄奸团吗？最好凿个石头盒子，躲在地坑里！"

十点半光景，第二个电话来了，那是谢敬渊打来的。这一个报告对案子有相当关系，我把他和霍桑的问答全部记录在下面。

"我接到了你的信，已经特地到同仁医院里去瞧了一瞧，我不认识他。"

"费神得很。你可记得有一个叫苏崇华的人？"

"不记得——我不知道。"

"你曾告诉我，冯小姐以前曾被好几个人追求过。你可都认识吗？"

"我认识两三个人。不过我看那个被枪杀的人似乎还没有追求冯小姐的资格。"

"唔。你能不能把那几个追求过冯小姐的人的姓名地址告诉我？"

"可以，不过电话中不方便。"

"好，等一会儿我到府上来。还有，昨夜里我们的谈话，你不曾告诉徐之玉吧？"

"没有。昨夜里你们走了之后，我也就到大华舞场里去的。"

"那么，我们的会谈，请你暂时不要和徐之玉说起。"

"好。喂，昨夜里这件凶案可是和徐之玉有关系的？"

"不是，他完全处于被动的地位，他自己也受了流弹的微伤。"

冒险的电话

谢敬渊的电话结束以后，我们经过一度小小的讨论。

"霍桑，你可是以为昨夜里的事情发生于冯雪蕉方面的三角纠纷？"我问。

"是，这非常可能。"他简单地回答。

"我倒同意谢敬渊的看法，这个苏崇华不像是在交际场中厮混的人。"

"是的，他像是个出卖劳动力的人，当然不能做徐之玉一般的享用阶级的情敌，但是，他可能受了骗，做了被利用的工具。因此，我还要调查那些以前追求过冯雪蕉的人物。"

"昨夜里的事对于秦守兰方面，你想可会有什么关系？"

"这也是阶级差别的问题，我觉得很困脑筋。"霍桑皱着眉峰，凝视着那条宁波地席上的八结形的图案，"秦守兰也同样是个好享用阶级。除非这苏崇华也做了人家的工具，他本人绝不会因着和秦守兰有直接的关系，自动地给伊报仇。"

"是啊，两方面都有不可调和的矛盾，的确很伤脑筋。"我想了一想，又问道，"昨夜的一伤一死，你究竟怎样理解？"

"我看先决问题就在那手枪和子弹是否相符。我曾观察过枪弹的路线，确有人从铁栅外面开枪，子弹穿过了玻璃，射到沙发旁边的板壁上面。你又表示那沙发的位置不曾动过。那么，他如果坐在沙发上面，确乎有被擦伤手臂的可能。"

"苏崇华又怎样被打死的？"

霍桑困惑地沉吟了一下，答道："我有个不成熟的假定。徐之玉这个人无疑地是个诡计多端的人物。他当时只受些轻伤，照样可以活动。也许他受伤之后，开了玻璃长窗，用手枪向外面回击了一枪。那时候苏崇华或许正想回身逃避，因此，枪弹便中了他的背部。事后，徐之玉便设法布置，他消灭了种种疑迹，又和那光头杏生接洽好了口供，方才打电话报告。如果依照他的话，他中枪以后，竟会安安心心地耽搁了一个钟头，方才报告；并且在这耽搁的一个钟头中，他也想不到走出去瞧瞧发生了什么事情；这都是违反心理常态的。"

我连连点头道："对，对，这推理的确近情。最可惜的，那粒打死苏崇华的枪弹竟不能找来作证。"

霍桑作迟疑状道："慢，包朗，你不能过早地肯定。我们得等候汪银林的验枪报告，那粒板壁上的子弹如果能证实确是苏崇华身上那一支手枪所发射的，我这想法才能够完全成立。"

"那么，假使不是呢？"

"唉，那纠纷更多了！我们必须另行搜集事实，才能构成新的推理。"

是的，局势的确错综矛盾。我的话如果不幸而中，这件案子纷纭复杂，侦破起来也自然更加困难。

我又道："我记得苏崇华手枪的莲蓬头中恰正少掉一粒子弹，这一点就和你的设想相符合。"

霍桑微笑道："是的，不过我还抱着更大的希望。"

"更大的希望？"

霍桑立起来，说道："老实说，要战胜徐之玉这样的人，如果没有充分的时间和细针密缕的功夫，就不可能有多大把握。我希望这案子有自然发展的可能。"

"自然发展？"

"换一句话说，我们也许可以利用某种机缘。"

霍桑所说的自然发展和某种机缘，语意非常含混，我当然希望有一种彻底的解释。可是终于含混到底，霍桑不肯再多说，我的希望在当时竟无法实现。

他整了整衣领："包朗，别空谈哩。今天我将有一天的奔波，可是用不着带累你吃苦。你如果不怕热，不妨到丽娃村去荡一回桨，让你的精神有个调剂，不过我是不能奉陪了。"

"你打算往哪里去？"

"两天的限期到了，今天我得到法院里去报告。秦守兰的来历既经查明，我个人的嫌疑当然可以卸却，但尸主没有下落，伊致死的原因也没有合理的证明，我的责任大概还不能够终了。我还得去瞧瞧谢敬渊。他如果能举出几个追求过冯雪蕉的人来，当然还要费一番调查手续。今天我将在什么时候回来，现在也说不定。你打算怎样消遣，只能自己想方法了。"

霍桑出去以后，我一个人感觉到寂寞无聊。他虽建议我往丽娃村去划船，但天气既热，我又最怕出汗，实在鼓不起这样的勇气。我想将这件案子暂时抛开，事实上却像沾手的饴糖，一时没法把它从我的脑海里排除出去。我决定把这一天的光阴消磨在书报上面，使我的脑思别有所托，不再陷在苦闷之中。

我用当天的各种报纸消磨了一个多钟头。秦守兰的新闻仍占着一部分篇幅，那姓何的胖子和一个瘦长的西装少年都在新闻中被提起，这消息分明是从亚东旅馆方面得来的，但是徐之玉的姓名任何一张报纸都没有提到。《日日电讯》上对于霍桑的挪揄而近乎攻击的语调也完全改变了。那位主笔先生大概也很知趣，他看事实的真相已经显露，如果再盲目地攻击他，一定会逃不掉舆论的谴责。上夜里金山路苏崇华的被杀，因着发案时间的关系，除了《沪报》上有一节不满五十个字的短新闻以外，别的报纸都还来不及刊登。

下午两点钟时，汪银林有电话来。我热烈地希望，他会告诉我，那支手枪和板壁上的子弹是互相符合的，不料希望竟变成了画饼。他说手枪和子弹已经请枪械厂的周技师验过，手枪的口径是 .32，子弹却属于 .38 口径的自动手枪，证明了板壁上的枪弹，并不是死者身上的那支手枪所发射的。

这消息果真不幸地证实了我先前的猜测。它不但粉碎了我的希望，连先前霍桑的假定也给根本摧毁了。

真是要命！我又问汪银林关于苏崇华和徐之玉之间是否有关系的问题有没有任何发展。他说这问题正在调查中，还没结果。他附带告诉我另一个消息：

"刚才我和你们分别以后，曾到亚东旅馆去过一趟，打算问问有没有和秦守兰有关系的人到旅馆里去探问过。巧极，那个包办'不知道'的混蛋账房不在，有一个少年到账房告诉我，探问秦守兰的人虽然没有，但昨天傍晚重庆方面给伊来了一个电报。"

这一消息又出乎我的意料，我自然要查问电报的内容。

汪银林答道："电报很简单，我念给你听：'函悉。我即日来沪，一切由我交涉，请放心。'具名是一个'桂'字，发电日期八月十三日上午七时。这个电报有没有关系，请你等霍先生回来研究一下。"

汪银林这一次电话竟费了我两个钟头来推索，它的结论大致如下：

第一，从电报口气上推测，拍电报的很像是一个处于父兄地位的人，所以说"一切由我交涉"的话。拍电报人既然署名"桂"字，或许就是秦守兰的姊妹或兄弟，比较起来还是兄弟的可能性大。因为秦守兰的"兰"字和"桂"字，按着"兰桂

竟秀"的成语，分明有手足关系；"桂"字比较近乎男性，故
而我假定这发电人大概是那女子的哥哥或弟弟。

第二，就电报语意上推测，秦守兰到了上海之后，发觉
了徐之玉的狰狞面目，感到悔恨和痛苦，便写信给伊的叫作
"桂"的哥哥或弟弟诉苦。这位"桂"先生顾念到手足情谊，
就立刻发了一个回电，准备亲自来沪代伊交涉，交涉的对方谅
必就是徐之玉。

第三，发电的人虽说即日来沪，但从重庆到上海的下水
轮船，航行大概需要一星期光景；发电的日期是十三日，那
么这人谅必还在途中，他和昨夜里的事情不会有什么关系。

第四，我又推想到手枪和子弹问题。板壁上的一枪既不是
苏崇华所发，势必有第二个人。苏崇华本人也被枪杀，可见那
第二个人曾连开两枪。这第二个人是谁，此刻虽还不能知道，
但是可以假定他和苏崇华抱着同样的目的，就是要杀徐之玉。
但是这两个人何以竟又自相残杀呢？对于这个不可解释的谜，
我当时也成立了一种假定。我知道徐之玉可能的仇敌有两个方
面：一方面和中毒的秦守兰有关，一方面是失恋于冯雪蕉的一
班人。这两方面的人虽然都想致徐之玉于死命，但是彼此不相
接洽，在实施报复的当儿，时间又恰巧相同，或者因互相误会
而互相顾忌：一方为自卫起见，便错误地打死了另一方面的
人；或者一方正要开枪打徐之玉，另一方突然加入，才遭到意
外的惨祸。因为根据我们在上夜里的经验，我自己在那两个守
伺的人的眼中，也是同样会被误会的。

我把这四个推索所得的结论写在纸上，自己又仔细地念了
一遍，因此，我又找出了两种修正点来。

在第三点上，我从旅程上推想，那发电的"桂"需要一星

期时间才能赶到上海。但是如果那时沪蓉线的飞机通航，他在发电后立即乘机来沪，上夜里杀人，也是有可能的；若使没有实证，就假定他绝对没有关系，未免近于武断。

还有一点，我的第四点假定，竟使徐之玉完全置身事外，那也和我本来的见解冲突。他在这件事上绝不致完全处于被动地位，这是我敢于肯定的。不过这里面的情由太觉纷纭复杂，凭空推索，必然不可能找到圆满的解答。

此外，我又考虑到苏崇华和徐之玉之间的关系问题。徐之玉表示不认识他，是真话吗？苏崇华开枪打人是主动的吗？还是他被骗做了人家的工具？这一点很重要，可惜目前还是一张白纸。至于用什么方法去查明这个人的来历，那更觉茫无头绪。

时间已经过了四点一刻，霍桑仍不回来，汪银林也没有补充的报告，我越等越感到烦懑。

这时候已有几张早班的晚报出版，苏崇华的事件在报纸上披露了。那么，会不会有人到同仁医院去认领呢？我打了个电话到同仁医院里，据医院的总务处回答，法院里的检察官已经到医院里去做过正式的检验，结果还未发表，也没有人去认领。

又闷闷地等了一会儿，我从寂寞无聊中产生一种奇想，认为还有一条线路不妨进行一下，就是我们所假定的三角恶剧中的主角冯雪蕉方面。这条线索正苦于无从进行。霍桑既没有回来，我一个人委实没有勇气去拜访这位摩登女性。但是我能不能试一试呢？我如果用一种谨慎的措辞，打一个电话给伊，探探伊的口气，谅来不致有什么妨碍吧？

我握住了电话的听筒，在圆盘上拨了八八九〇八的号码，心头忽而突突地乱跳。一会儿，对方传来了接电话声，是一个男子的声音。我控制了我的神经，用北方话回答：

"是不是静安路一〇八号冯公馆？"

"是。你哪里？"

"我姓徐，要和冯小姐谈话——我要和冯小姐谈话。"

我这临时的假冒居然有意想不到的效力。那人一听我说姓徐，答应了一声，便去报告。过了一两分钟，果真有一种娇滴滴的声浪接触我的耳鼓：

"是玉哥吗？"

我的心房跳得更剧烈了！我可能暂且做一做玉哥？这尝试不会太冒险吗？一刹那间，我便决定权宜地冒认一下。不过我自信我的动机很纯正，并不在消受一个美貌少女的亲密称呼，却在探查疑案的真相。这一点要请读者们给我充分的谅解。

另一个难题横在我的面前。徐之玉平日怎样称呼伊？雪妹？蕉妹？还是妹妹？这一番考虑，在我脑室中的历程原只有一两秒钟工夫。考虑的结果，我便决定了含糊应付：

"是的，我昨夜里给人打了一枪。"

这是惊人的报告，立刻引起了对方的惊惶，竟来不及辨别我的真伪。我同时暗暗得意，因为直到那时，正牌徐之玉还不曾把昨夜的事情告诉伊。

"什么？给人打了一枪？打在什么地方？伤得怎么样？"

"不妨事，打在手臂上。你不用担忧。"

"那么，现在你在医院里吗？什么医院？"

"不，我仍在表哥家里。我只伤了些皮肤，此刻已经完全没有痛苦。"

"唉，你的声音也变了！为什么不早些告诉我？玉哥，我很心痛——"

"我就怕你着急，才搁到现在说。不过那个苏崇华实在太可恶。"

"苏崇华？是他打你的？"

这当儿我的心房的跳荡几乎要冲破我的胸膛。伊像是知道这个苏崇华的！

"是的，是他打我的。"

"唉，这个人是什么样人？"

我的希望霎时间又化为泡影！原来伊也不认识这个人！

我答道："我也不认识他，我想这个人一定是受了人家的雇用。"

伊似乎顿了一顿，又道："唔，你想是他雇用的？"

我连忙接口道："对，一定是他！"

"你想是小刘？"

"当然，不是他是谁？"我欢喜得几乎忍不住笑出来。

"唔。……喂，玉哥，你不是在笑吗？你是在戏弄我？……哎哟！你不是之玉！你是谁？"

我很悔恨不能充分自持，在语声中露了马脚。于是我改变方针，进行"桑榆之收"的补救。

"冯小姐，我当真不是之玉，不过他受伤的事是实在的。你看过今天的晚报没有？"

"你究竟是什么人？"

"我是之玉的朋友，也是你的朋友。"

"你……你可是君梅？"

"对不起得很，我不能告诉你。"

"你……你竟敢戏弄我！"

"冯小姐，别误会，我是好意代替之玉给你一个信息啊。

喂，我还要告诉你一句重要的说话。"

听筒中静寂了，似乎伊在考虑谈话应否继续下去。我仍非常安定，料想最不幸的结果，伊至多将电话立刻挂断，我绝不会有更大的损失。

一会儿，伊果真被我的最后一句话吸引住了，舍不得放弃。

伊继续问道："什么话？"

"你可知道秦守兰的一回事？"

"秦守兰？是谁？"

"伊是一个漂亮年轻的摩登女子，美国留学生。"

"美国留学生？"

"是啊，你可认识伊？"

短时间静默。我的心房尽管在扑扑乱跳，我的手也紧紧地把握住电话听筒，但是我仍耐着性子等待，等待会有什么惊人的答复。因为"美国留学生"这个名称，显然已经对伊产生了某种刺激。伊会不会透露什么呢？电话听筒里刮刮一响，对方娇滴滴的声音又钻进我的耳膜：

"我……我不认识。"

"伊是四川人，新近从美国回来，伊的照片在前两天的报纸上登过。"

"唉，四川人？……"

又是停顿。"四川人"分明也有某种魅力。但是这一次停顿的时间至多只有两秒钟：

"喂，你究竟是谁？为什么拿这些话问我？"

我觉得"四川人"的说法，已经引起了伊的注意，或许会唤起伊的某种记忆。我索性再冒一冒险：

"你可知道这女人和徐之玉的关系？"

"什么……什么关系呀？……你说！"

"你要我说吗？"我乐意得声浪也有些颤动，因为我估计鱼儿好像已经上钩了，"你自己想吧，大家是留学生，大家是年轻人，大家又长得一样漂亮——"

"……唉……呸！流氓！你明明在挑拨我们！"

接着，咔嗒一声，对方的电话突然挂断了。雷声大，雨点小，似乎上钩的鱼儿终于溜掉了。我空欢喜了一场，也只得把听筒挂起，深深地呼出了一口气。

意外的礼物

我烧着了一支纸烟，走到霍桑常坐的那张靠窗的藤椅上躺下，把我的两条腿伸了一伸。我心中感觉到一种不知是甜是酸的莫名其妙的感觉。我凭着一时的冲动，擅自打了一个电话，这的确是非常冒险的。我虽不知这一来在霍桑的计划上有没有妨碍，但是我已经从三角剧主角的嘴里得到了一个小刘和一个君梅的人物。显然，这两个人一定也是剧中的要角。伊听到"美国留学生"时，有过一度停顿，大概是触动了一星醋意。因为伊虽然是个银行经理的女儿，有貌也有钱，可是还没有经过当时最最吃香的留美镀金，因此产生嫉妒，原也不难理解。只是伊并没有因一时冲动而吐露某种真相，使我们获得破案的线索，这是非常可惜的。伊虽不知道秦守兰的姓名，但那四川籍贯却已打动了伊的心。可见秦守兰和徐之玉的关系，徐之玉虽在冯雪蕉的面前守着秘密，但无意间似曾泄漏过什么。这一点也可以做徐之玉的阴谋的证明。所以我这一次冒险的尝试，在事实上可说不无小补。

用什么方法去寻找这个小刘和君梅呢？霍桑本要从谢敬渊方面去调查冯雪蕉已往的情人，这小刘和君梅很可能都有做冯雪蕉情人的资格。谢敬渊是不是熟悉这两个人呢？

天色渐渐黑下来，夜风开始出动，骄阳的炎威顿时消减，我身上感到舒适一些。霍桑仍没有回来，汪银林仍无消息来。谢敬渊家里没有电话，我也没法和他接谈。

苏妈将晚饭端了出来，我胡乱吃了一些。无聊中我又打了个电话到亚东旅馆里去问问马祥宝，有没有人到旅馆里去探问关于秦守兰的事。接电话的人是朱阿大，他在上夜里受了霍桑的笼络，已变成我们的心腹。据说马祥宝还没有接班。关于探问的事，除了前两天有几个报馆访员向他们去查问过一回以外，没有其他人问过。阿大又说，他和祥宝都不知道重庆打来的电报。

八点钟过了，我还是冷清清地枯坐在寓中。我打电话给汪银林，他不在厅里。静极思动，原是一种正常的心理反应。我在纳闷之余，也不禁想找一些活动打发时间。我想到上夜里我们在金山路徐之玉寓前窥探的时候，明明看见有两个人在那边守伺。现今一个人既已被害，他的同伴将采取怎样的态度呢？就此畏缩不前吗？还是会再接再厉地给他的同伴复仇呢？我又琢磨霍桑临走时所说的"自然发展"，大概也就是指这一点说的。那么，另一个人如果真要复仇，复仇的时期不会就在今夜里吗？

我这假定本来不能说有充分的必然性，但我因沉闷无聊，急于想活动一下，便定意再到金山路去走一趟。如果能撞见那人，我固然可以相机行事；即使不能，走一趟也可以让我的肢体有个活动机会。

在出门以前，我预料到或许有意外的不测，为了自卫起见，不能不戒备一下。我到楼上去拿了一支霍桑的 .22 口径的小手枪，放在袋里。临走时我只对施桂说出去兜个圈子。

时间已九点相近，我步行往金山路，又费了二十分钟。走到枫林路转角，我站了一站，先向金山路瞧瞧。路上电灯明亮，车辆还没有断绝，但因着傍晚时起了一阵凉风，寒暑表上至少降低十度，故而人行道上已不见乘凉的人。

我衔着一支纸烟，仍沿着朝西一面人行道前进，眼睛却注视着朝东的一排洋房，特别集中在第四宅赵律师的屋子方面。这屋子里上下都沉黑无光，我不禁暗暗惊异。屋中人难道合伙逃走了吗？转念一想，这未免神经过敏。或许徐之玉出去了，杏生却在后面餐室中或厨房中。因着上夜里的事情，他们故意把靠街的灯光熄灭。

我步行得特别缓慢。当我把视线从第四宅屋子移开时，我忽然吃了一惊，立刻停住脚步。

原来在第二宅八九三号李星辉牙医生的屋前，有一个人站着。那人穿着一件深蓝色的长衫，头上戴着一顶深色软草帽，正是我在上夜里瞧见的那一个人！

这个发现虽在我的期望之中，我却仍感到惊奇。他站在牙医生屋子的铁栅外面，面南背北，分明要干什么。那时候我还在他的背后，他没有看见我。我连忙回转身子，向后倒退，接着，穿过马路，踏上了朝东一面的人行道。我打算轻轻地走到他的背后，用柔和的方法和他搭讪，然后再随机应变。我的右手已经伸进了我的裤袋，握住了那支手枪，以防万一。

我越走越近，距离那人站立的地方只有十码光景了。我估量他的高度，略略比我短些。正在这时，我的轻微的步声似乎已经触动了他的听觉，他突然转过头来。他的可怕的眼睛和插在衣袋里的右手，和上一夜的姿态一般无二。他旋转头向我瞧着，身子依旧不动。我放大胆，索性走近一步，点一点头，婉声向他开口：

"朋友，走过去谈几句话。好不好？"

那人不等我说完，便放开脚步，向南飞奔，举动的敏捷真出我意料。估计我若要追赶，也许赶不上他，但我仍继续缓步前进。如果他回头瞧视，可以知道我对于他并无拘捕或其他恶意。那人奔过了六七家门面，果然略略停步，旋转头来。他举起手向我的方面扬一扬，分明是一种准备开枪的威胁。我没有和他纠缠的必要，便在第五宅航业俱乐部的门前站住。一转瞬间，前面的人已不见影踪。

尝试是失败了，我便退回到第四宅八八九号屋子门前，再仔细向里面瞧瞧。办公室中依旧黑着，但那两扇花玻璃门的后面却还有些暗淡的灯光。我向前后瞧瞧，已不见可疑的人，便向北前进，到了枫林路转角，就雇黄包车回寓。

霍桑已经回来了，正在瞧我留在桌子上的推敲而得的结论。他一见我走进去，放下纸，旋转身来：

"包朗，你从哪里来？你在外面干些什么事？"

我笑着答道："这两句话恰正是我要你问的，你竟代替我发表了。"

我自信我那时候的神态和霍桑一般镇静，他绝不能从我的脸上瞧出我刚才的经历。他显然也才刚回寓，走到藤椅前坐下，把两条腿伸一伸，显得很疲乏的样子，一边摸出一支纸烟来烧着。

"忙了一天，还是没有满意的成绩。"他吐出一口烟，"最困难的一点就是苏崇华和徐之玉之间的关系，至今毫无头绪。"

"你可曾见过汪银林？他在这方面有没有结果？"

"我和他分手还不到半个钟头。在这条线路上，他的结果还不及我。这个苏崇华仿佛是从天空里落下来的。

"那谢敬渊方面可有什么情报？"

"他提出了三个人，我已经一个个直接或间接地访查过，都没有结果。"

"谢敬渊所举示的三个人里面不是有一个叫小刘，一个叫君梅吗？"

霍桑突然从嘴里拿下了纸烟，仰起身子，用惊异的目光瞧着我。我仍安静地坐着，除了脸上也许略略有些得意的神气以外，并没有其他表示。

他反问道："唉，你怎么知道的？果真有个小刘，但是君梅的名字，我还不知道。包朗，你知道的比我更多哩！"他的眼珠在闪动。

我缓缓地吐了一口烟，答道："霍桑，你有时候也需要一些忍耐工夫哩！等一会儿我自然会告诉你。其实我知道的只有这一姓一名，绝不会比你更多。现在，请你先说一说你所调查的三个人的结果。"

"好，我告诉你。"霍桑向我点点头，把身子躺下去，嘴唇上露着微笑，重新把纸烟送进嘴唇间，安闲地呼吸了两口，"这三个人，一个叫小刘，一个叫张七，还有一个叫卫少棠，他们都和冯雪蕉厮混过。内中要算小刘混得最热乎，时间比较起来也最近，在徐之玉回国以前，小刘和冯雪蕉一直混在一起。直到一个月以前，这位冯小姐又爱上了那位从新大陆回来的大学教授，方才将小刘冷淡抛弃。"

"小刘是什么人？"

"是个实足道地的纨绔儿。他的父亲是个金业交易所的经纪人，家里着实有几个臭钱，面貌也够得上小白脸的资格，但是英语的流利，社交方式的熟练，恋爱技巧的丰富和吓人的博士头衔，小刘却都远不及我们的大教授。就我观察所得的印象推测，小刘只是一个百无聊赖、意志薄弱的所谓少爷，似乎干不出这种惊人的报复举动。因为这一回事，即使单单在幕后指挥，也得有一种强固的意志和魄力，才干得出来。"

"还有张七和卫少棠两个怎么样？"

"张七我也见过，是个大学四年级生，他和冯雪蕉的关系还发生在一年以前。当雪蕉和小刘热恋的时候，张七已经给伊抛弃了。卫少棠的恋史发生得比较张七更前些，况且他在一个月前已经到天津去了。这两个人也都没有和昨夜的事发生直接关系的条件。不过这个君梅，我还没听到过。他是个什么样人？"

"我已经对你说过，我只知道君梅的名字罢了。"

霍桑凝视着我，作疑迟状道："你从哪里知道的？"

"我从三角剧——不是，应当说多角剧的主角嘴里亲耳听得的。"

"什么？你已经去见过冯雪蕉？"霍桑又突地坐直了身子，放下纸烟，一眼不眨地瞧在我的脸上。

我带着微笑，答道："我还没有这样的幸运，我只间接地消受了三声'玉哥'！"

"怎么回事？"霍桑拿着纸烟，目光灼灼地注视着我，"包朗，你还卖关子？"

我难得掌握的"关子"到这里也已"卖"到了顶点，势不能再拖延下去，我就将打电话给冯雪蕉的事据实告诉了霍桑。霍桑全神贯注地听我说完，又低头想了一想，忽而立起身来。

他丢了纸烟，背负着手，在办公室中踱着。一会儿，他在书桌前站住，拿起了那张我所写的结论，心不在焉地翻弄着：

"包朗，局势一定要有变化哩。你的电话无疑地已引起了冯雪蕉对于秦守兰的怀疑，甚至嫉妒。伊势必要质问徐之玉，徐之玉就会知道他和秦守兰的秘密已经被人发觉。"

"如果如此，你想会造成怎样的后果？"

"这还难料，至少他会加强他的戒备。"霍桑紧蹙着双眉。

"我们早晨已经领教过了，你难道还觉得他的戒备欠充分？"

"他或许要做一番更周密更彻底的布置，使我们更难着手。包朗，你这一回事未免急于贪功而近乎冒险。"

这两句批评，我在理智上自然是应当接受的，但是我的感情却又处于对抗的地位。我静悄悄地吸了几口烟，带一些含有意气的声调回答：

"那么，今夜里我还有一种更近于冒险的举动哩。现在我索性告诉你，让你下一个总评语吧！"

我将刚才在金山路上经历的事情，从头至尾地说了一遍。霍桑果真现着惊惶的神气。他听我说到我瞧见第二宅洋房门前的那个穿深蓝色长衫、戴草帽的人时，他的眼珠闪闪地转动。他把手中只是玩弄着而从未发表过意见的两张结论纸重新丢在书桌上面，交抱着两臂，用紧张的目光凝视着我。我默揣他的神气，这一次评语一定会比上一次更坏。可是一个意外的岔子破坏了他立即批评的机会。

前门上一阵琅琅铃声，急促而又拖长，在静夜中很刺耳；铃声刚停，跟着的是一阵子用拳头敲门的声音。

时间已近十一点了，这来客竟双管齐下地敲门，可见一定有着特别紧急的事情。霍桑本靠着写字桌站着，他突地立直了

身子，向门外倾听。我也从椅子上立起身来，听得施桂急促的
步声，从后面奔出去开门。

"哎哟！不好了！"施桂惊呼。

霍桑仿佛愣了一愣，急忙伸手到裤袋里去准备手枪，同时
向我努一努嘴。我因着这个暗示，也立即采取同样的举动。霍
桑首先开了办公室的门，直奔出去。我也紧紧地跟在他后面。
前门已开了一扇，施桂伏在门背后发颤。霍桑的寓所前本有一
盏电灯，我从甬道里面向外瞧视，门外却空虚无人。

施桂又大声惊呼道："炸弹！炸弹！"

我本要走向前去，霍桑张着左臂向我一拦，叫我后退，我
顿时停步。霍桑自己也向旁侧里的那方草地上一闪：

"施桂，快走过来！别站在那里！快！"

我定神一瞧，正当前门的阶石上面，有一个黑色椭圆形的
东西，模样真像个炸弹，安稳地横在阶石上，毫无动静。霍桑
略一踌躇，便蹿前一步，跳过了阶石，在人行道上站住。我也
模仿着同样的动作，随即向马路的左右一瞧，除了远远地有一
辆黄包车外，竟不见那放炸弹的人的影子。霍桑定一定神，走
到阶石前面，偻着身子仔细瞧了一瞧，便回头向我安慰：

"包朗，别慌，这东西不会伤人。"

"是假把戏？"

"不，真是一枚手榴弹，但是那条保险的安全钢丝依旧扣
着，不会炸。"霍桑蹲下身子，再细细看了一看，又说，"这东
西是给人安放在阶石上面的，不是给丢掷在这里的。"

他轻轻地把手榴弹取起，站直了向我招招手，首先回进门
去。我瞧见马路上并无可疑的人，石阶上也没有别的东西，也
就跟着进门。霍桑左手里拿着手榴弹，右手将门关上，又把铁

闩闩好。

他说："施桂，不用害怕。你开门时看见什么人？"

"没有。我开了门，门外并没有人。"施桂的惊恐神气还没有消失，靠着那棵棕树颤声答话，"我正在诧异，想走到外面去瞧瞧，忽然看见阶石上这个可怕的东西，我的足尖几乎触着它！"

"即使触着了，也不会爆炸，你定定神。……包朗，我们总算接受了一件意外的礼物。里面去谈。"

秘锁的钥匙

霍桑把手榴弹小心地放在书桌上，回身坐下来。那枚手榴弹恰像一只较大的柠檬，四周铸成不少方块，一端有一个螺旋的盖，盖上连着一根安全钢丝，钢丝一端扣着。

霍桑说："这是一枚军用手榴弹。我记得十天前报纸上所记载的民国路茂昌洋货号门前发现的炸弹，形制和这个相同。"

我道："那一个是锄奸团丢的啊。难道这一个也是他们送来的？"

"我不曾干过有'奸'字意味的事情，我想他们不至于来'锄'我。"霍桑皱着双眉。

我说："看到那些连续不断的市民们对你表示同情支持的来信，和这个炸弹相比，简直是南辕北辙了。"

"正是，太不可思议，我想不出它的来由。"他沉默了一下，又说，"那些恨我切骨的大亨闻人——"

"莫非昌丰海味号里的孟蓉圃向你报复？"我突然想起了那家伙。

霍桑摇摇头道："不像是他，他是个爱钱怕死的奸商，干不出这样暴烈的举动。"

"那天他出门时，你没有看见他的恶狠狠的眼神吗？"

"他固然恨我，但是要说报复，至多打一个电话，或者写一封匿名信来出出他的气。昨天他已经骂过你几句，可算已出了气。这种招祸惹非的勾当，他一定没有胆子干。"

"那么，一定是徐之玉了。"

"不，这想法也不合逻辑。"霍桑拿出一支纸烟来烧着，他的眼睛凝视在炸弹上面，"他此刻既然知道了他的阴谋已被人家揭露了，他自己正处在防御地位，似乎没心思开玩笑。"

"开玩笑？我看明明是反守为攻，先发制人。"

"这举动算不得进攻，只是一种恐吓罢了。徐之玉是个多智善谋的人物，一定知道我们是什么样的人，他也一定知道我的活动绝不会因着恐吓而终止。"

霍桑用力呼吸他的纸烟，烟雾弥漫："包朗，他如果向我们进攻，一定要干干脆脆地要我的命，绝不会把手榴弹上的安全针扣着。"

"你想可会是那个小刘——"我又提出另一种意见。

我的问话还没有完全，霍桑忽然表现出一种变态，使我吃了一惊。他的低垂的头突然抬起来，把那支才烧到一半的纸烟用手捻灭了，向烟灰盆中一丢。他的眼睛里射出异光，额上的一条青筋也明显地暴露出来。他那种紧张的神气，仿佛一只猫忽然瞧见一只刚出洞的耗子，正待向前猛扑。

他突然问道："包朗，刚才你到金山路去时，瞧见的那个穿深蓝色长衫的人站在什么地方？"

我一时想不出他为什么旧事重提，他的神色既然这样子严肃，我当然不便反问他发问的理由。

我答道："他站在第二宅八九三号洋房的门前。"

"那个牙医师李星辉的屋子门前？"

"是的。"

"他究竟是站着，还是在走动？"

"站着，直到我退回过来，穿过马路，走近他的背后，他方才旋过头。"

"他本来的方向不是面南背北的吗？"

我点点头，心中暗暗诧异。那人站立的方向，我刚才并不曾说明白，霍桑怎么会知道？

他又问道："他是不是站在第二宅屋子的靠右一边？"

我应道："是啊。你怎么知道的？"

"还有一点。那个被打死的苏崇华，他的左手的衣袖上不是染着不少灰尘吗？"

"是的，我也瞧见的。你为什么问起这个？"

霍桑依旧不回答，他忽而踏前一步，举起右手在我的左肩上用力拍一拍。这举动不能不说是反常！

他大声道："包朗，今夜里你这一次金山路的巡礼真有意思。你也许给了我一种秘锁的钥匙。事情如果成功，你应该得第一功！"

太奇怪！刚才我预期中的难堪的批评，经过这一回炸弹的岔子，却变成了一种荣誉的褒奖。这是我意想不到的。可是我也不明白这转变的原因。我瞧瞧他，他正挺直了身子，交握着双手，紧闭着嘴唇，似乎又在深思。

"唉，我来找一找！"他奔到书桌前面，翻开了当日的报纸，用他颤动的手指在第二张广告版上一行一行地指着，他的

眼光也跟着流转。"果真没有。这个人倒是倔强的。"他低垂了
头，默想了一会儿，忽用拳头在书桌上击了一下，"莫非就是
他？……唉，不会这样巧吧？可也说不定。……唔，试一试总
没有关系。"他奔到电话箱前，同时伸出了他右手的食指，也
像秦守兰进门时那样，在空中划动着。他从钩子上拿下那本厚
厚的电话簿，嘴里喃喃自语："裕字，十二划，……唔……在
这里了！"他丢了簿子，开始在电话机的转盘上拨动：

"喂，喂。……贾老板在不在？……还没有回来？……我
姓——好，等一会儿我来看他。"

霍桑的神气越发紧张了，嘴唇微微抽搐，又像欢喜，又像
惊骇。他搁好了电话之后，在室中踱着。不，不能说踱，简直
在往来乱奔。他的两手忽而在背后交握着，忽而交叉地抱在胸
口，又忽而抚摩着他的下颏。若是我胆子小一些，或许会打电
话到疯人院里去！

"唉！我错了！我真是一时懵懂！这案子永远不会自然发展
哩！"他叹息地连连摇着头，"包朗，幸亏你！幸亏那孟蓉圃！
幸亏这个炸弹！"他说完了，跟着是一阵子咯咯咯的苦笑。

他当真发疯了！不疯，怎么会说出这种不伦不类的话？我
走过去拉住了他的手，诚恳地向他说：

"你感到了什么？你怎么样？霍桑。"

他的眼睛凝视在宁波出产的地席上，他的头连连摇动，忽
而唇角上牵一牵，露出一丝微笑。他瞧瞧他的手表，继续自言
自语：

"十一点二十二分。我想还来得及！……时机很急迫！我
决意试一试！"

"霍桑，你究竟怎么样？"我仍拉住他的手。

"包朗，放心，我的身体和精神同样健全。"他索性把他的右手盖在我的握住他左手的手背上，"我相信我已经快破了这迷途的障幕，发现了光明的大道！不过此刻我的精神太兴奋，时机也很急迫，不能够细说。包朗，请你帮助我一下。"

"你打算干什么？"

"到金山路八八九号里去，搜集人证和物证！"

"即刻就去吗？"

"是。我已经说过，冯雪蕉听到了你的关于秦守兰的问句，一定要向徐之玉质问。他知道了这一点，就会影响我们的侦查，但现在还有机会。我料他此刻还没有回去，赵尚平也来不及从南京赶回来。你快给我打个电话问问杏生，再去叫一辆汽车。我到楼上去拿一样东西。"他抽出了他的左手，奔出办公室去。

我依着他的话，在电话机上拨了五五六〇六号码，接电话的是杏生。我先问赵律师有没有回寓，他回答没有；我又找徐之玉谈话，杏生说他出去了，还没有回家。我觉得很高兴，这样的情况恰合乎霍桑的希求，我便再打一个电话给龙大车行。

霍桑换了一身深灰色的西装和一双棕色的网球鞋，提着一只皮包走下楼来。那只皮包是他在旅行时常用的，这时我不知道他有什么用。霍桑把皮包是轻轻地放在地上，向我问电话的结果。我告诉了他，他便忙着从帽架上拿下了一顶黑色呢帽：

"包朗，你这一身衣服同夜行不相宜，那边有件黑纺绸长衫，你快去换了，还得带一支手枪。"

我连忙把黑长衫穿上，又藏好了手枪，精神上感到一种紧张。今夜里会有打局吗？很可能！一会儿，汽车到了门前。施桂送我们出门，脸上带着惊恐的神气，仿佛要阻止我们，却又不敢说出口。

霍桑低声说："施桂，不用担忧。炸弹的玩意儿今夜里不会再有，我们两个人也不会有危险。假使两小时后我们没有消息，你不妨打个电话到汪银林家里去。不过我想这一着是不会有的。"

汽车开了。我的神经更加紧张，我料想今夜里的事准有着严重的危险性。

"包朗，振作些。我们的工作只要能够在徐之玉回寓以前完成，我相信一切可以平安无事。"

"工作的内容怎么样呀？"

"有两方面：一方面搜寻些物证；一方面找一个方法，叫那光头说实话。这一着也许会给银林弄僵，所以我不能叫他一起去。"

"你希望搜寻些什么物证？"

"最重要的，是一件左袖上染血渍的白细纱衬衫。我料想他不敢拿这衬衫到外面去洗，一定还藏匿着；若是有洗湿的西装，我们也同样有用。"

"徐之玉的衬衫怎么会如此重要？我看重要的物证是有关秦守兰的东西，譬如，伊的照片，伊的首饰，或许还有没毁掉的伊的信件之类——"

霍桑忙插口道："不，不，那些都不能算是重要的物证，至多是辅佐证物，即使找到了，也不能凭着这些东西给给他怎样严重的处分。"他顿一顿："我还有一种奢望，能找到一种最最重要的铁证，可是我又打算在他回寓以前能够完成我们的工作。这是一个无可统一的矛盾。"

"什么是你认为的最最重要的铁证？"

"他自己的一支手枪。"

"他自己的一支手枪？"我感到诧异。

"是，我料想苏崇华就是被他打死的！"

"喔！"

"那手枪准是他打死苏崇华的凶器，能找到了，那自然最好。不过，他很可能把枪带在身上，我们也许终究找不到。唉，金山路到了。司机，就停在这里。包朗，万一有了什么意外，你得助我一臂，因为那时候我可能还得顾全我的物证哩。"

汽车恰巧停在金山路的转角。霍桑先下车，沿着朝东的一面人行道，向南进行。从金山路北口到那排洋房，原只有七八家门面。霍桑的脚步轻稳而急速，不一会儿已到了第一宅洋房美国会计师的屋前。洋房门前的人行道上并无行人。但是第一、二、三宅洋房的窗上都有灯光，只有徐之玉和赵尚平同居的第四宅屋子的楼上楼下都黑着。霍桑在经过第三宅八九一号裕成布号门前时，曾略停一停，向那长窗里看一看，接着，他仍继续前进，直到第四宅八八九号门前站住。

他举手按铃，他的眼睛同时向对面的人行道上瞧视。我也跟着探望，对面的人行道上，在七八家门面以外，似乎有一个人在走动。霍桑并不理会，旋转头来等屋里面的回音，可是并无动静。我立在门外，竟使我有机会第二度欣赏那铜牌上的有颜鲁公气息的"赵尚平律师"五个大字。

霍桑又第二次按铃。我瞧瞧那扇花玻璃门的后面依旧隐隐有些灯光，显见屋子里有人。

霍桑作不耐声道："包朗，走后门进去吧。你总也瞧见这一排洋房的第五宅和第六宅之间有一条小弄，那就是这些屋子的后门的通路。来，我们去敲后门。"

霍桑从水泥人行道上提起了皮包，正要向南前进，我看见花玻璃门上的电灯亮了，我就拍拍霍桑的肩膀，霍桑立刻停步。那黑脸杏生正在慢吞吞地走出来。

"刮"的一声，盘花铁门上的锁开了，一扇盘花门迟缓地向里面开动。门刚开到三四寸光景，霍桑用力向里面一推，首先插身进去。我也毫不犹豫地跟随进入。霍桑旋转身来，把盘花门上的弹簧锁推上。

杏生带着浦东口音，惊惶地说："先生，他们还没有回来啊。你们要找哪一个？"

霍桑道："我们要找你。"

杏生作惊骇声道："找我？"

"是的，但是你不用害怕。里面去谈。"

杏生在霍桑的不猛而威的命令之下，不敢抗辩，旋转身子引着我们向里面走。我们走进了那两扇花玻璃门，霍桑照样把弹簧锁旋上。这举动越发引起了杏生的惊异，他睁大了眼睛发呆。霍桑在办公室门前站住，把皮包交给我，就动手旋那门钮，门却锁着。

霍桑作严冷声道："杏生，快把这个门开了。"

那光头伸手到衣袋里去，忽而又停住，胆怯地向我们俩呆看：

"先生，里面没有人啊。"

"我知道。我们要找一种东西。"

"找什么呀？"

"这不干你的事。你只管开。"

"先生，我……我不敢……"

"你放心，一切有我负责。快些！"

杏生在连续的催逼之下，勉强摸出钥匙来，把门开了。我们走到里面，霍桑摸索着开了电灯，向办公室中瞧了一遍：

"杏生，把那扇白漆门也开了。"

"我没有钥匙——钥匙在徐先生身上。"

霍桑微微一笑，说："好，你的确很忠实，不过，人家却卖了你哩！"

霍桑走到白漆板壁门前，从自己裤袋中摸出一串钥匙，很敏捷地拣了一个，立即塞到白漆洋门上的锁孔里去，真巧，一旋就开。接着，他伸手扳亮了里面的电灯：

"包朗，你拿着这皮包，把办公室的电灯熄了，在黑暗里等一等。小心些！"他说着，便急步走进白漆门背后的卧室里去。

我依照他的吩咐把办公室的电灯熄了，一个人提着皮包，站在黑暗中，不免感到一些恐怖。徐之玉会突然回来吧？局势随时有发生危险的可能吧？

霍桑在里面耽搁了五分钟光景，杏生也陪在里面。我只听得开抽屉、关抽屉和移动椅桌的声音。我很想进去瞧瞧，又不敢擅离职守。十分钟过去了，霍桑的搜索似乎还没有结果。

这时，马路上忽然有一辆汽车驶近来。我立刻伸手到黑纺绸长衫的袋中，握住了那支手枪。我暗自思忖：假使徐之玉回来了，会变成怎样一个局面呀？可是那汽车并不停留，自南而北地开过去了。

一刻钟在窒息的局势下过去了，里面卧室中发生了一件小小的争执。

"先生，这个皮箱开不得！"

"不干你事，一切有我。"

争执声终了之后，接着是旅行皮包上弹簧锁的弹动声音。霍桑的开箱目的显然已经达到。我委实有些耐不住了，他究竟搜到了目的物没有？还是劳而无功？或者竟是完全失败？我听听街面上很静，料想徐之玉不会马上回来，便放下了皮包，冒险跨开大步，走到白漆板壁门口。门开着两三英寸，我的眼光一直射到里面。

霍桑正蹲在一张单人铜床的面前，敏捷地在搜索一口开着的贴有外国轮船标签的大号皮包。铜床上挂着一张西式圆顶没张开的透凉罗蚊帐，床上铺着一条台湾细席，一条折叠匀整的白纺绸夹被，一只有席套的枕头。床对面有一张柚木的书桌，桌面上摆满了颜色不一的硬面书籍和大大小小的化妆品。书桌旁边放着一只有棉垫的睡椅，茶几上有一只电扇，还有衣架、螺旋椅等等，都是高价的外国产品。

霍桑低声地自言自语："唉，真有一件深灰色的印度绸长衫，马祥宝的话证实了。不过，这东西现在已经没有多大用处了。"

一会儿，霍桑忽从皮包中拿出了什么东西，向他自己的衣袋里一塞。我还没有瞧得清楚，黑脸麻子好像代替我发问：

"唉，先生，你拿的什么东西呀？"

"一张照片，等一会儿我要告诉你的。"霍桑一边回答，一边把皮包盖好，用脚将它推到床底下去。

当霍桑旋转脸来的当儿，我瞧他的神气，仿佛有些失望，他要找的重要物证显然还没有得到。我记得他意想中的物证就是一件白细纱衬衫。衬衫不是怎样细小的东西，应得从大处着眼。我禁不住隔着板壁向他建议：

"霍桑，被褥下面怎么样？"

"瞧过了。"霍桑向室门瞧瞧，摇摇头。

"枕头套里面呢？"

这句话似乎提醒了他，他立刻偻着身子去拿枕头。忽然我听得屋子外面的人行道上仿佛有脚步声。我暗暗吃惊，急忙离开了门口，回到办公室中央放皮包的地方。那四扇法国式长窗的纱帘只拉满了两扇。我从黑暗中向外面瞧视，果真瞧见铁栅外面有一个人影，但是一瞥而过，并且是自南而北。我起初疑心可能是徐之玉回来了，结果也不是。

"唉，真在这里！"霍桑在卧室中惊呼，"包朗，你的观察力应该和你的听觉得到同样分数！"

我非常欢喜，一半是我受到了霍桑的赞扬，一半是我确信他已经找到了那件衬衫。我急忙回到门口。

"唉，袖子上还有个洞，这是出乎我意料的！好吧，这个洞也可以做重要的证据。够了，够了！"

霍桑已经将衬衫紧紧卷好，准备走出来："杏生，到餐室里去，我们还要谈几句话。你先走，我来关这里的电灯。"

杏生和霍桑先后从卧室里走出来，霍桑又把白漆门拉上。我开亮了办公室中的电灯。霍桑走到我保管的那只皮包面前，开了皮包，把那卷裹的衬衫轻轻塞在里面，又瞧瞧手表。

他说："包朗，快近十二点钟了。得赶紧些，你把电灯熄了。"他自己提了皮包，先跟着杏生走出办公室去。

杏生说话了

赵尚平律师的餐室布置也完全欧化，而且家具大半是舶来品。这也是不足为奇的，我懒得一件件细瞧，因为当时的一些所谓"上流人"的家里简直是舶来品的天下！尽管多数人大声疾呼"用国货，用国货"，可是这些"上流人"却充耳不闻，还是以用外国货为荣！霍桑先把他的皮包放在壁角的一只书桌上，将皮包的盖开了，用手在里面整理什么似的拨弄了一会儿，然后回到餐桌旁边坐下来。我也把一只椅子移到餐室的门口，把杏生夹在我们俩的中间。杏生却呆木木地站着。

霍桑说："杏生，坐下来。话不是三言两语说得完的。"

杏生瞧瞧霍桑，又瞧瞧我，又瞧瞧餐室的关着的门，似乎感到非常难堪。

他断断续续地问道："先生，你……你要问什么话？"

霍桑一边摸出纸烟，一边冷静地答道："话多着呢，快坐下来，不用客气。"

杏生勉强坐下，他的右手在卷他的白布短衫的衣角。

"徐先生什么时候出去的？"霍桑呼吸了一口烟，开始问。

"唔，大约九点钟。"

"他不是接了一个电话出去的吗？"

"是——不，我不知道。"

"嘿嘿嘿，看你这样子，倒像你真是和他通同着干的。"霍桑冷冷地笑一笑，"我本来以为他咬你一口，是诬攀你的。现在看起来，我的想法反而错了。"

杏生张大了眼睛，作惊惶声道："先生，你的话什么意思？咬我一口？嗯，咬什么？我不曾干过什么啊！"他的脸上的黑色好像减淡了些。

霍桑问道："这件事你当真没有份吗？那么，你为什么此刻还想用谎话骗人？老实告诉你，你虽一本正经想给人家掩饰，人家却说你是这件凶案的要角！"

"凶案？先生，谁说我？"杏生霍地立起身来。

"自然是你要掩护的人啊。"

"喔，他……他说我什么？他说我干了什么事？"

"你是这件凶案的主角呗！你却还在拼命给人家掩饰。我真弄不懂。"

杏生的目光呆定了，他咬着嘴唇，重新坐下，经过一番踌躇，才点头答话：

"先生，我老实说吧。是的，刚才他是接了两次电话才出去的，不过，我不知道他到什么地方去。"

"这个我们知道，此刻他在警察厅的拘留室里。"

我明知霍桑在采取虚冒的策略，但是这一句话却最有效力。杏生的身子似乎微微震了一震，在椅子上已坐不稳，嘴里虽没有说话，脸上已经透露出慑服的神气。

霍桑缓缓说："我告诉你，他这个人是十分狡猾的，自己干的事不承认，却完全推在你的身上。我觉得你还算忠厚老实，似乎干不出这种可怕的事情，不忍叫你受冤枉，故而才到这里来搜查证据。现在，证据已完全搜出，他的杀人罪名也完全成立。不过，他既然诬攀了你，你至少有着帮凶的嫌疑。现在我和你谈话，就想给你一个开脱的机会。如果你老是说谎话骗人，那足以证明你的确帮同行凶，我当然也不愿虚费功夫。现在，再给你五分钟时间，假使你还不愿意在这个地方说，那只能让你到另一个地方去说了。"

这一番话说得杏生死心塌地。他挺直了身子，张大了眼睛，向霍桑瞧着，一时还开不了口。霍桑也不催促，衔着纸烟，缓缓地立起身来。他背负着手，走到那只半桌面前，伸手到皮包里去略略动了一动。

杏生大声说："他果真凭空咬了我一口吗？好，我说，我说！"他圆睁着两目："先生，你说的凶案可是指昨天夜里的事？"

"那自然。"霍桑把身子靠着那半桌站住，"你愿意说，那很好，不过应得说老实话，我没有心思再听你的鬼话。"

"我一定说老实话——先生，我决不再骗你。"

"好，你说得越详细越好。这回事发生在今晨几点钟？"

"那时候我已经上楼去睡了，但是还没有睡着。忽听得一声枪响，我连忙坐起来，开了电灯，瞧见桌子上的一只铁壳圆钟已经是一点二十分。我疑心马路上的车胎爆裂了，还不认作枪声，故而在床沿上坐了一坐，准备再睡。不料我刚把电灯熄灭，闭拢眼睛，又听得第二次枪声，才知道不是车胎爆裂。第二次枪声越发逼近，仿佛就在楼下，我不由得大吃一惊。"

"你只听得两次枪声？"

"是，只有两次。"

"这两次枪声中间隔了多少时候？"

"这个我不能说，因为我第二次开亮了电灯以后，不曾再瞧过钟。"

"那么，你第一次听得了枪声，就从床上坐起身来，开了电灯，瞧了瞧钟，在床沿上坐了一会儿，又将电灯熄灭，躺下去，闭拢眼睛，才听得第二次枪声，是不是？"

"是，我想这中间总有……总有六七分钟吧。"

我暗忖这两次枪声的时间间隔和徐之玉所说的不同，之玉所描述的好像前后不过半分钟或者一分钟之差。我瞧瞧霍桑，霍桑并没有表示，仍站在半桌旁边。他的眼睛不时瞧他的皮包：

"你第二次开亮电灯，就下楼来了吗？"

"不，那时我委实有些害怕，勉强走到楼梯头上，站住了不动。我低声喊了一声'徐先生'，没有人答应。我开了楼梯转折处的电灯，才慢慢走下来；到楼梯的转折处，又站住瞧瞧办公室门上的气窗，仍旧有灯光。我又喊了两声，依旧没有人回应。我越发害怕了，料想出了什么乱子，只依靠着楼梯的栏杆发怔。这时候……我听得……"

"听得脚步声音？是不是？"

"是……唔……"

"为什么不说下去？那脚步声音是从后门里进来的，是吗？"

"是的。我……我看见徐先生从后面进来，走到办公室的门口站住。"

霍桑丢了纸烟，举起右手："停一停。"

他回身伸手到他的皮包里去。我虽瞧不见他在皮包里做什么，但也猜想到七八分。霍桑又旋转头来：

"杏生，说下去。他站在办公室门口有什么动作？"

"他旋转头来，瞧见了楼梯上的灯光，便走到楼梯脚下来骂我：'该死的！你干什么？快上楼去，不许开口！'我就急急地回到楼上去。"

"你可曾看见徐先生手里有什么东西？"

"我没注意。"

"你不曾看见他手里拿着手枪？"

"没有。我记得他曾把右手挥过一挥，好像没有东西。"

"是的，我错了。他当然不会再拿在手里了。以后呢？"

"我回到了楼上，心中有些奇怪，徐先生怎么会在这当儿从后门里进来，但是我还想不到他竟会干出这种可怕的事情。

我勉强睡下，翻来覆去，再也不能合眼。我仔细静听，楼下不时有声音，分明徐先生还没有安睡。隔了好久，我又听得他的说话声音，才知道他在打电话。一会儿，楼下的声音静了，我方才模模糊糊地睡去。后来，我给他叫醒，他叫我下楼去开门。我委实害怕，但是我又不敢不听他的命令。我开了前门，见是一个穿黄制服戴白边帽子的巡官，不由大吃一惊。那巡官到了里面，和徐先生谈话，我才知道外面死了一个人。先生，这些都是真话，我也不敢说那外面的人就是徐先生打死的。不过，我实在毫无关系，他怎么乱说我是要犯？他为什么要冤枉我——"

霍桑阻止他说："只要真没你的事，就不用怕人家冤枉你。说下去，徐先生有没有对你说过什么？"

杏生的嘴唇张开了又合拢，忽而又迟疑起来。他呆瞧着不答。

霍桑催促道："为什么不说？你又想造谎话骗人？"

"先生，我决不骗你。"杏生仍瞧在霍桑的脸上，"徐先生说过话的。巡官走了以后，徐先生再一次叮嘱我不要多嘴，还说将来有重赏。他说：'你上楼去睡吧。如果有人问你，你只说睡得很熟，直到我叫你开门，方才下楼，别的事一切都不知道。'"

"这都是实话？"

"先生，完全实在，天在头上！"他摸一摸光头，"先生，除了这些，别的事我全不知道。"

我趁着霍桑回头去弄那半桌上皮包的机会，发出一句聊破静默的话：

"杏生，你也脱卸得太干净了。别的事你当真全不知道吗？"

杏生因着我一直采取旁听的态度，始终不曾发过一句话，似乎已忘记了餐室中还有第三个人，这时他突地转过脸来，向我瞅了一眼。

他答道："真的，我完全不知道。"

我又说："那么，昨夜里这件凶案发生以前，你为什么鬼鬼祟祟？"

他不提防我突然提出这样一句问话，呆了一呆，向我睁大了眼：

"先生，什么鬼鬼祟祟？"

"昨夜十二点以前，我们曾在这屋子外面察看过一会儿。我明明看见你伏在徐之玉的房间里，鬼鬼祟祟地开了房门，向外面偷瞧。这是什么意思？"

麻子呆住了，张开了嘴，说不出话。霍桑已旋转身来，仍靠着半桌站着，脸上带着微笑，似在庆幸他的工作已将近圆满。他并不把我从中插嘴认为多事。我受了这暗示的鼓励，索性再接再厉。

我又说："还有呢，后来徐之玉从外面进来，你就到楼上去代替他当瞭望哨。你从楼窗上瞧见了我，又偷偷掩掩地下楼来报告他。这两点就是你所说的全不知情的证据吗？"

杏生有些发急的样子。他坐不住了，又立起身来，用颤动的声音向我陈辩：

"先生，我的的确确并不知情！你说的两点，我也不赖。但是昨夜里的凶案，与我实在没有关系。"

霍桑接口道："没有关系最好。你也不用着急，坐下来，把有这种鬼鬼祟祟举动的原因说一说明白。"

"好，好，我告诉你们。"杏生似乎安静了些，连忙坐了下来，"昨夜十一点钟光景，我在办公室里整理旧报纸，偶尔向外面瞧瞧，看见一个人在铁栅外面站着。我起初还不疑心。隔了一会儿，我把旧报捆扎好了，正要从办公室里出去，再拉开了窗帘向铁栅外面瞧瞧，那个人仍旧等着。这不但使我疑心，而且有些害怕。因为屋子里只有我一个人，万一有什么抢劫等类的意外事情，我担当不起。后来，我把报纸拿进了厨房里去，又回进办公室里去瞧瞧，那个人依旧没有走开。因此，我悄悄地打了一个电话给徐先生。"

"你是打到明月舞场里去的？"霍桑插一句。

"是的。他告诉我，如果有什么要紧的事，可以打电话到那边去找他。"

我才知道上夜里徐之玉所以突然回来，原因是杏生报告了这个消息，他因着自己心虚，才匆匆地赶回来。杏生停了一停，继续解释：

"我打过电话以后，看见外面那个人走开了，心定了些。我到徐先生的卧室里去给他预备洗脸的东西，后来我又偷偷地开了房门，向外面看，又瞧见外面有一个人，却不知就是先生你。"他向我瞥一瞥，"随后，我就等在里面，直等到徐先生回来。"

霍桑道："他回来以后，你就把你看见的事情告诉他？"

"是的。我怕闹出什么乱子来，不能不告诉他。"

"他听到之后说些什么？"

"他想了一想，似乎并不在意。他说没有事的，也许我眼花瞧错了，叫我上楼去睡。我觉得他认为我打电话报告他是多事，心里有些不服气；故而回房以后，又到前楼去，开了楼窗，再向门外面瞧瞧。果然，我又看见了这位先生，所以重新下楼来报告他。我只想向他证明我的报告并不是无中生有。"
他又回头来瞧我，"我实在不是和他串通的。先生，你不能相
信他乱说。"

霍桑瞧瞧手表，又在他的皮包中翻了一下，现着紧张的神
气，继续发问：

"还有一句话。你可曾看见一个姓秦的女人到这里来瞧过
徐先生？"

"没有……但是……嗯，姓秦的？"

"是的。我想你虽然没看见过伊，大概曾接过伊的电话，
是不是？"

"伊……伊可是北方人？"

"对啊。你接过几次伊的电话？"

"记不清了。近来两个星期里，伊打过好几次电话来，我
接过三次——也许四次、五次。有一次徐先生不在家，我问伊
是谁，伊说姓秦；我问伊从什么地方打来，伊不肯说。伊说话
是北方口音。"

"你可知道，伊有没有到这里来过？"

"不知道——也许伊来的时候，我恰巧出去了。"

"关于这个女人的事，你还有什么话告诉我？"

"唔，我想想看。记得有一天徐先生还没有回来，这姓秦
的打电话来，接电话的是赵太太。后来，赵太太向徐先生取
笑，说他另外有一个女朋友。徐先生不承认，说伊只是一个舞
场里的舞女，毫无关系。"

"还有呢？"

"没有了。先生，我的话句句都是真的！我实在不曾跟他
通同，我没拿他一个钱。先生，你能不能担保我——"

霍桑忽然举起一只手，阻止他继续说，一边伸手到皮包里去弄了一弄，随即把皮包盖好，马上旋转身来。

他接口道："好，好，只要你说的话都是实在的，我一定给你担保。"他的眼珠炯炯发光，不停转动，显示出他的神经又紧张起来："包朗，现在得打一个电话给汪银林了，让他来做最后的料理——且慢，我想起来了，还有一种要证还没到手。"

我问道："是不是他的那支手枪？"

霍桑摇头道："不是，手枪一定在他的身上，此刻还没有希望。我想找的是那一颗打死苏崇华的枪弹。"

"这颗子弹，汪银林早晨在这门外的人行道上找过，我也瞧过一瞧，没找到。你此刻又到哪里去找？"

"据我料想，子弹绝不会掉落在人行道上，它也许射到了铁栅里面，或者竟穿到了隔壁裕成布号里去——"

他说到这里，突然停止，定了目光，侧着头，像在倾听什么。我留神一听，觉得有汽车声音停在门前。霍桑立即旋转身去，提起了皮包，向我挥一挥手，似乎叫我快走。我也明知一定是徐之玉回来了。霍桑所以急于要走，分明他此刻还不愿意和他会见。我急忙伸手握住了餐室门上的门钮，打算从后门里出去。不料杏生奔到了我的面前，用身子堵住了门，不让我开动：

"先生，你们不能走！一定是警察们来捉我了！"

我虽知道杏生阻止我们是出于误解，但一时间我不知道怎样解释。霍桑也紧蹙了双眉，显得进退两难。这时我听得盘花铁门上开锁的声音；更一刹那，门也给开动了。

霍桑忽然坚决地说："也好，包朗，坐下来。我们和他见见面也不妨。"

可怕的声音

我听从了霍桑的吩咐，放了门钮，在一把椅子上坐下来。霍桑也把手中提着的那只皮包轻轻地放在半桌的底下，也重新坐下，他的面部还是镇静如常。

花玻璃门上的开锁声音又透进了我的耳朵。杏生仍用力堵住了餐室的门，张大了眼睛，显得十分惊恐。

霍桑低声说："杏生，别慌，你也坐下来吧。"

"杏生！杏生！"徐之玉在餐室外面呼叫。

同时我又听得办公室门的开动声。杏生本来没听从霍桑的吩咐，依旧把身子靠在餐室门上。徐之玉的呼叫声使他震了一震。他用惊异的目光在霍桑和我的脸上瞥了一下，似乎他觉悟到刚才霍桑所说徐之玉被拘留在警厅里的话并不实在，他已经受了我们的欺骗。他的嘴角牵了一牵，便用力将餐室门拉开：

"徐先生，我在这里！"

数秒钟后，那位漂亮的教授就出现在餐室门口。他仍穿着那身阔条纹的白哔叽西装，头上的美发照样乌油油地发光。他胸前的那条灰色蓝条纹的毛葛领带，还是我在早晨所瞧见的那一条。他骤然间瞧见了我们两人，显然出乎意料，但是他并没有丧失他的自持力，依旧坦然无事地跨进门来。

"唉，霍先生，包先生。"他微微弯了弯腰，脸上带着微笑，"你们两位在这个时候光临，我真没有想到。失迎了，抱歉得很。你们来了多少时候了呀？"

霍桑也带着笑脸，点了点头："还不久，大概有一个钟头光景吧？"

徐之玉的眼光闪一闪，说："劳你们久待，我很不安。……

杏生，你怎么不打个电话给我？"

杏生在霍桑的脸上瞥了一瞥，吞吞吐吐地答道："这位先生说，你……你在——"

"我在什么？说啊。"

"他说你在警察厅的拘留所里！"

这一句话，我料想会成为爆裂的导火线，但是事实并不如此。徐之玉一边靠着餐桌的边和霍桑面对面坐下，一边摸出他的金质弹簧的外国纸烟盒来。

他斜睨着霍桑，说："霍先生，你这句话倒有趣！"

霍桑也笑着应道："唔，原是一句笑话啊。"他也照样伸手到衣袋里去，骄傲地摸出他的国产的纸烟盒和打火器来。

我仍靠门口坐着。我自认没有这两个人的镇静，故而想不到吸烟。杏生站在餐桌的一角，垂着两手，眼睛只在霍桑和徐之玉的脸上瞧来瞧去。

徐之玉烧着了纸烟，说："霍先生，你构造得出这样的笑话，真是富于诙谐天才的！"他的语声中仿佛带着锋利的针尖，听了很觉刺耳。

霍桑也冷冷地答道："不敢当，承你谬赞。假使我遵守'礼尚往来'的老话，也不能不恭维你一声，你倒是富于设计天才的！"

词令战已经开始，局势在逐步紧张。为了谨慎起见，我暗暗地把我的右手伸进了黑纺绸长衫的衣袋。室中静下了。他们两个人的烟雾各自在空中盘旋着，又慢慢地相互纠结在一起。这使我想起了神怪小说中教主们互相斗法的神话。

徐之玉吩咐道："杏生，去给我预备洗脸水。"

杏生分明满腹狐疑，想摸一摸底，但是又不敢不听命令。

他走出去时，随手把餐室门拉上。室中只剩下了三个人。以二敌一，我们方面显然占着优势，但是我觉得我神经上的紧张仍没有丝毫放松。

"霍先生，今夜枉顾，有什么见教？"

"我是特地来慰问你的。你的左臂上的伤势怎么样了呀？"霍桑吐出一口烟。

徐之玉的眼珠转了一转，两条浓眉也掀了一掀，似在辨别这句答语的含意：

"承情得很，我的伤大概可以平复了。我想霍先生的来意不见得是专程慰问我吧？"

"的确是的。我希望你能把你的伤臂给我瞧一瞧，我才能安心。"

"你太关怀我了！现在我已经不觉得痛。"

"虽然，我怕那刀口没有消过毒，不清洁，可能有什么细菌进到血液里去。那是会发炎的，还可能酿成破伤风，你不能轻意。"

徐之玉的嘴角上的强笑立刻消失，他的脸色沉下了，眼睛里射出异光，但仍没有惊慌的神情：

"霍先生，你弄错了。我是给枪弹打伤的啊。"

"喔？我说错了？"霍桑突地瞪大眼睛，假装着疑惑的状态，"尊臂是给枪弹打伤的吗？不是刀伤的吗？嗯，我可有些怀疑。"

"霍先生，你怀疑什么？"

"因为那枪弹明明是从外面穿过了玻璃窗，直接射进板壁里去的，我想不出它怎么会伤你的臂膀。"

"这很容易明白。我的左臂膀就是在枪弹穿过了玻璃还没有陷进板壁以前被擦伤的啊。"

"喔？那怎么可能？无论你的本领怎样高强，我决不相信你会有神怪小说中的分身术。"

"唔，什么意思？"

"因为在那个时候，你自己还站在这屋子外边的铁栅外面哩！"

徐之玉的神态突然变异了。他的脸色白得异常，那当然不再是雪花霜之类的成绩，他的额角上略略渗出了些汗珠。这是他走进餐室以后第一次出现惊惶状态。他把纸烟夹在指缝之间，他的右手慢慢地伸进他的柳条哔叽的裤袋里去。这举动告诉我他身上的确带着手枪。我的右手握住了衣袋里的手枪，食指也扣在枪机上面。霍桑却毫无准备，仍自顾自地吸烟，连眼睛都不注视他。

徐之玉说道："霍先生，你的话我完全不懂。"

霍桑答道："你不懂？嘿嘿嘿！这叫作聪明一世，懵懂一时。好吧，我可以说得明白些。我认为你在门外开了第一枪以后，略略耽搁，又站在铁栅外面，瞄准了那只有白套子的空沙发的左边，接连开了一枪。那时候你不是还站在铁栅外边的人行道上吗？我知道你是个博学的大教授，可是我不相信你博学得学会了神话中的分身术。你既然不能同一时间分身在两个地方，那枪弹怎么会擦伤你的左臂呢？"

霍桑的揭发明明已经是图穷匕见，一触即发的火山该爆发了，但是徐之玉仍旧想维持他的镇静。他吐出了一口气，发出了一阵子冷笑。

他道："霍先生，哪有这回事！你又想表现你的诙谐天才吗？"

"你还认为是笑话吗？好，就算它是笑话吧。"霍桑沉着眼光，把纸烟丢了，一只手撑在餐桌边上，准备立起来，"唉，夜深了。对不起，我们不再惊扰。"

"霍先生，我倒还不想睡哩。你的话怪有趣，不妨再坐一会儿。"

"不，我有些倦了。你如果有兴，我们明天不妨再来聊聊。"

霍桑离了餐桌，转身向半桌走去，他的步伐绝不慌急。局势是密云不雨，但是迅雷霹雳随时有破空而下的可能。我怕徐之玉突然下毒手，故而我把枪管暗暗地从衣袋中直对着他。他依旧坐着，他的手依旧插在裤袋里面，目光随着霍桑的行动而流转：

"霍先生，你刚才的话究竟有什么意思？你知道了些什么？"

霍桑本要偻下身去拿那半桌底下的皮包，这时他又仰直了身子，重新旋转来：

"我不知道什么，我只是猜想罢了。"

"你猜想我打死了那个苏崇华，然后又自己向屋子里开了一枪？"

"是的，我的确有过这种猜度。不过，现在我有些怀疑，这猜想未必中鹄。"

"我想你总已调查过了吧？你可知道这个苏崇华和我有什么关系？"

"是的。我查出他不但和你毫无关系，而且彼此素不相识。"

"那么，我为什么要打死他？"

"是啊，就因着这一点，我才怀疑我的猜想能不能成立。惊扰了，对不起得很！现在能不能请你引导？"

徐之玉略略疑滞，站起来鞠了一躬，似乎接受了霍桑的请

求，准备将我们送出去。这个人的犯罪阴谋既已证实了十之
八九，我们不是公务员，的确用不着急急地当场和他决裂。紧
张的局势松弛些了，我的戒备的动作自然也不便怎样显露。我
便将右手从黑纺绸长衫里面抽了出来。于是一瞬之间，那稍稍
消散的阴云突然又密集拢来，事态又变得严重了！

徐之玉的右手本已从裤袋里伸了出来，他旋转身子，首先
向餐室门口走去。他偶一回头，瞧见了霍桑从半桌底下提起来
那只皮包。他呆一呆，忽又将他握在门钮上的右手缩回去：

"霍先生，你带着什么东西？"

霍桑轻描淡写地答道："我刚才买了些罐头食品，还没有
回家去过，顺便带了来。"

这解答自然有些牵强，难怪不能叫徐之玉满意。他露着白
齿，嘻一嘻：

"罐头食品吗？唔，能不能送一罐给我尝尝？"徐之玉仍
站在门口。

"徐先生，这些都不是美国罐头，不会合你的胃口。"霍桑
强笑着回答。

"是本国产品吗？给我广一广眼界也好。我想你不会再见
拒吧？"他走近了一步。

霍桑忽向我侧一侧头："包朗，你开了门。我们不必劳徐
先生陪送了。"

我踏前一步，用左手握住了门钮，正要用力拉开，忽见徐
之玉的右手一扬，早从裤袋中抽出了一支黑钢手枪。他把枪管
对着我，大声呼喝：

"不要动！动一动我就开枪！"

他的枪管距离我的胸口不到五寸。在这样的局势下，我

如果蛮干，未免不智。我索性放了握门钮的左手，装着屈服的样子。我回头瞧瞧霍桑，霍桑仍不动声色。他明明也带着手枪，并且也有摸出来对抗的机会，可是他并不反抗。

他冷冷地说道："徐先生，我劝你还是谨慎些好。天这样热，动肝火也犯不着。"

徐之玉作命令声道："请你把这一只皮包留下！"

"假使我不遵从你的命令呢？"霍桑仍带着微笑。

"那么，你们休想离开这屋子！"

"真是笑话！我们怎能够打扰你在这里过夜呀？"他一边说一边自顾自地前进。

"住步！你再进一步，我就——"

他的"开枪"两字还没有出口，我趁他的目光略略左转的机会，早已飞起左脚，猛踢他握枪的右手。

砰的一响，枪弹已离膛而出，射到承尘上面，落下了一阵灰泥，可是他的枪仍没有脱手。当他的那只因被踢而高举的右手重新落下来时，便向着霍桑开了一枪。霍桑将身子一偏，也砰地回了一枪，但是彼此都没有打中。这时候我的手枪早已从黑纺绸长衫的袋里拔了出来，趁他躲避霍桑回枪的当儿，也向他发了一枪。可是他的动作很敏捷，我这一枪同样没打中他。霍桑一边保护着他的皮包，一边把身子一蹲，做出少林拳派里的金刚扫地的架势，射出右腿来在地上一扫。徐之玉晃了一晃，却没有跌倒。他分明感觉到寡不敌众，把枪管向我一扬，发射了第三粒子弹，便闪电似的拉开了餐室的门，向外面飞奔出去。他的第三粒子弹从我的耳朵旁擦过，本来非常危险，但这时候我像一个勇敢的兵士上了火线，生命早已不放在心上。我急急地追进通道，看见徐之玉已经奔出了花玻璃门。我虽不是公务人员，也没有正式的逮捕公文，但是对付一个现行罪犯，任何人都有抓捕的责任，因此，我决意抓住他。

正在这时，那黑脸麻子忽从办公室中蹿出来，阻挡了我追赶的路线。我就举起手枪，向着前面的徐之玉再发一弹。

枪声刚停，接着是一声惨呼，又是一阵惊心动魄的轰隆巨声，又是一连串的玻璃碎裂声，砖墙倾倒声，惊呼声，呻吟声，混成一片！

"包朗，快进来！外面有炸弹！"霍桑在我的后面惊呼。

我回进餐室以后，仿佛进入了梦境，回想先前的局面固然严重，但料不到会严重到如此地步。我的鼻子里嗅着一阵火药气味，耳朵中听得远远的警笛声音，我的脑子也有些昏迷了。霍桑仍镇静地提着那只惹祸的皮包，一只手扶我坐下来。

"事情闹大了！怎么办？"我说。

"放心，这不关我们的事。"霍桑安慰我，"我怕徐之玉已经逃了。……不过他一定逃不掉。"

"我听得他喊过一声，我的手枪也许已经打中他。"

"当真？你在这里坐一坐，小心着这皮包，我出去瞧瞧。"霍桑跨出了餐室门口，忽作惊异声道，"杏生呢？不好！他也溜掉哩！他是个重要证人啊！"

我离开了皮包，跟在霍桑后面，走到餐室门外，在楼梯的转折底下站住。霍桑还停留在办公室的门前。大门外却已人声喧闹，隔壁裕成布号门前更加吵吵嚷嚷，嘈杂不堪，分明已惊破了不少人的睡梦。

屋子前面的盘花铁门忽然被推开来，有两个人匆匆地走进来，但是他们并不直接进屋子里来，只在那水泥径旁站住，俯着身子在瞧察什么。

霍桑惊呼道："银林兄，你来得真好！好极了！"

"惊喜交集"真是我当时的心理状态。汪银林会在这当儿像飞将军般到来，委实使我们喜出望外。汪银林抬头一瞧，忙从花玻璃门里奔出来。他的同伴仍留在水泥径上。

"唉，霍先生，包先生，你们都安全？好得很！那个坏蛋躺在草地上，脸被炸掉了一半。但是，你们两位怎么会到这里来的呀？"

霍桑道："话长哩，此刻不能细谈。可惜那唯一的证人已经逃走哩！"

汪银林反问道："你说那个光头吗？没问题，他已经给我捉住了。刚才我的汽车从南面过来，看见光头在人行道上乱奔——"

霍桑接嘴道："好，好，再巧没有。现在我有一种重要的证物交给你，别的话明天细谈。……唉，包朗，皮包呢？"

"在餐室里。"

"哎哟，这东西是防杏生翻供的证物，你怎么随处乱放？"

我们三个人急急走进餐室，我看见皮包仍然在门背后的地板上，我的心头才放下了一块石头。

霍桑指着皮包，向汪银林说："这里面有一架小号的录音机，三张录成的录音片，就是杏生的真实口供，另外还有一件左袖上有个刀洞的染血的白细纱衬衫。这些东西是我们舍了性命保存的，你得小心些带回厅里去。外面的事大概是一件锄奸团的炸弹案子，你去照料一下。还有，徐之玉手里的那支手枪，你也应该收拾好。他是打死苏崇华的凶手，我相信他就是用他手里拿着的那一支手枪打的。别的话再谈。"

五分钟后，我们便从赵律师寓所的后门离开了，从小弄里走出来，绕过了那一大群人，坐了那等着的汽车回寓。

解　释

十七日早晨，天气比较凉快了一些。一层淡灰色的水云包
围了强有力的太阳，使它丧失了些威力。风伯伯又凑趣地上了
些劲，也把上一天的热气吹散了些。这天是星期日，各种大报
都附加各类的增刊。我因夜来酣睡，下楼时办公室的书桌上面
已经放着一大堆报纸和信件。霍桑仍照例出外去运动了，还没
有回来。我翻开报纸，找找上夜里的事情，只有《上海新闻》
上载着一小方新闻，那是因着发案的时间已晚，临时腾出了位
置插进去的。我把它节录在下面：

锄奸团的又一活动

今晨一点半左右，金山路八九一号裕成布号忽然发生
了炸弹巨案。炸弹非常猛烈，炸毁了布号的门窗，布号主
人贾茂椿被当场炸毙，司账叶鹏程被炸伤右眼。那炸弹的
弹片又飞到隔壁八八九号，炸了东华大学教授徐之玉，他
的脸部已经粉碎。那分隔两宅屋子的矮墙上端也给炸坏了
一处。

事件发生在深夜，那个丢炸弹的锄奸团团员，事成以
后仍然逸去。警区里得讯以后，虽迅速赶到，并四出追
缉，至今还没有下落。昨天本报所载的那个给枪杀在赵尚
平律师门外的苏崇华，或许也就是锄奸团团员之一，不过
被谁打死，至今还是疑问。据受伤的叶鹏程说，他们事先
曾接到过三封锄奸团的警告信，贾老板却置之不理，又因

着苏崇华被杀，可能因此才激成了这一次的骇人举动。因为锄奸团在上海的活动虽已不止一次，但大都只有警告意味，像这样一死二伤的巨案还是第一次。

受伤的叶鹏程和徐之玉二人已被送到附近的同仁医院里去。徐之玉的伤势比较厉害，恐有性命危险，这可算是他的无妄之灾哩。

这一段新闻虽不算怎样详备，但对于我先前的疑团却提供了几种解释：

第一，徐之玉打死苏崇华是出于误会的。苏崇华分明是团员之一，目的本来在袭击裕成布号的主人。徐之玉却因干了亏心事，庸人自扰，疑神疑鬼，才误会地把他打死。

第二，那裕成布号的主人是贾茂椿。他在上一天曾打过两次电话来：第一次是施桂所接，第二次是被霍桑自己回绝。这个人显然也是孟蓉圃一流人物，只想发财，不顾国家，私贩了劣货，又怕出丑；故而想利用霍桑，但是他还不及孟蓉圃聪明。孟蓉圃在霍桑拒绝之后，曾在他门前贴出一张讨饶式的声明；贾茂椿却倔强到底，不理不睬，终于丧了他的性命。我觉得这种只知有己、不知有国的奸商和那蹂躏女性的伪学者，死原是应得的惩戒。但是那一位爱国的少年白白地牺牲了，未免可惜。

上夜里炸弹爆发之后，汪银林所以能迅速赶到，原因是他接到了施桂的电话。因为我们在出发搜查的当儿，霍桑曾对施桂说过，如果在两个钟头以后没有消息，他可以打电话报告汪银林。施桂因着受过手榴弹的恐吓，怕我们遭到危险，故而不到限定的时刻，就报告了银林。

霍桑散步回来以后，他的神气真像天空中的气象一般，和上一天已显然不同。我们吃过早餐，霍桑又翻阅了一会儿报纸，看了几封信，我们便开始谈论这件疑案的经过。

他吐出了一口烟，叹息道："包朗，这一回事真好险呀！我的名誉和我们的生命都蒙受着严重的威胁。现在，这样的结局是出我意料的。"

我答道："是啊，不过坏蛋们种瓜得瓜，自食其果，也说得上大快人心。"

静了一静，霍桑又说："包朗，你给我的帮助真不少。还有，银林这一次也出了不小的力。若使没有你，我走进了那条迷路，不知什么时候才能回头。因为这案子最复杂的一点就是锄奸团团员苏崇华的惨死，好像隔着一重厚幕，我竟想不到隔壁的奸商。其实这完全是我的疏忽和草率。昨天上午，那个姓贾的打过电话来，问我能不能接受关于锄奸团的案子，我因抱着厌恶这班人的成见，连地址姓名都没有问他。我的精神只局限在死者和徐之玉之间，以及冯雪蕉和过去几个恋人的关系，虽费了一天的工夫，却丝毫没有进展。幸亏你昨天黄昏时到金山路去走了一趟，才使我得到一种启发，使我的眼光转换了一个方向。"

"你怎样得到启发的？我还不太明白。"

"好，我告诉你。"霍桑把背靠得更舒服些，又把两只脚搁在藤椅边上，缓缓吐吸了两口烟，"你告诉我，昨夜里那个穿深蓝色长衫戴深色软草帽的人，站在第二宅李星辉牙医生的门前。但是前几次你瞧见苏崇华都站在第四宅赵律师的门前。这一变换地位的举动引起了我的疑问。不过这疑问还很空洞，没有补充的佐证，我一时还是不能够触发推理。在那个当儿，果真来了个佐证——那就是昨夜里的一颗手榴弹。它和本月五日民国路上茂昌案中所用的一颗是相同的，这又给我一个线索。还有，我自认为为社会服务，从没有违反天良的行为，没有吃锄奸团的炸弹的资格，而且那炸弹上的安全针确乎又扣住着，显见它只有警告的作用。警告的用意是什么呢？是不是我妨碍了他们的工作？于是，我想到那两个守伺人变换地位的举动，便得到一种关合。他们一会儿等在第四宅赵律师的门前，一会儿等在第二宅牙医生的门前，可见他们的目的是在第三宅。第三宅是专做批发生意的裕成布号。布号里不是有贩卖劣货的可能，因而又有引起锄奸团团员注意的可能吗？我又记得苏崇华的左袖上染有灰尘，可知他守候时他的左臂曾经在第四宅屋子的装铁栅的短墙上依靠过。你总也瞧见过，那边一排洋房的短墙上面都积着厚厚的灰尘。因此，我推想他站立的方向一定是向着北隔壁的第三宅布号。同时，你又证明那个穿长衫的人站在第二宅门前时是面南背北的，目的也在南隔壁的第三宅屋子。这指示出苏崇华和那穿长衫的，一个向北站着，一个向南站着，目的都是在等候第三宅裕成布号屋子里的什么人。从这些互相关合的证迹上推想，我便成立了一种新的假定。接着，我又检查报纸，果真找不到裕成布号的声明广告，所以那些团员们心不甘服，才对贾茂椿再接再厉地实施惩戒。

"我想起了那个打电话骂你的孟蓉圃，我又记得了早晨姓贾的打来的电话——这两个人分明是一丘之貉，我就决意姑且用电话试一试。结果，裕成布号的主人果真姓贾。因此种种，我才明白不但徐之玉误杀了人，连我们也始终被围在隔墙里面。于是，我就推想到徐之玉误杀的情由，立刻改变了方针，急忙去搜罗物证和人证。"

我听了这番解答，不能不承认霍桑的随机触发的智能确非常人可及。昨夜里他固然来不及说明，我却缺乏领悟的智慧，瞧见了他的惊喜的变态，竟几乎疑他发疯。

我说道："这样说，你的思想转变就是这一枚手榴弹做的引线。"

我说时用手向书桌面上指一指。原来昨夜里霍桑将炸弹拿进来以后，就用一只胆红的花瓶做了个底座，手榴弹便像美术品一般地陈列着。

霍桑点头道："正是，不过，你却是引线的引线。"

"我是引线的引线？"

"说得明白些，这个手榴弹是你介绍来的！"

"什么？我介绍来的？"

"是啊。你两次到金山路去巡礼，都和守伺的团员们接近过，他们一定认得出你的面貌。你和我合作了这许多年，他们便以为我们受了裕成布号的委托，在和他们作对。昨夜里，你再一次到那边去，看见了那个团员，又冒险上前去和他谈判。为了对付我们和完成计划，他们自然不得不采取紧急措施，连夜用手榴弹来警告我们了。"

我笑着说："那么，你自己难道完全不相干吗？前天晚上，你从枫林餐馆里第一次打电话出来，你和我曾在枫林路的转角上立谈过一会儿。那时候那团员们一定也曾偷瞧过我们。你的身材状貌当然比我更容易被人认识，也许是你自己——"

霍桑大声笑道："包朗，别卖弄口才吧。我觉得眼前最迫切的问题，就是怎样解除这班团员们对于我们的误解。他们也许把我们当成奸商们的走狗看待哩！"

"唔，很可能，我看他们也可能以为苏崇华是我们打死的呢。"

霍桑闭拢了眼睛，想了一想，摇摇头："也许不致误会到如此地步，否则他们送我这种礼物，也不会这样子客气。"他顿一顿，又道："这一点不成问题。今天晚报上把徐之玉因误会而行凶的情由披露之后，他们就可以明白。不过还有没法披露的部分，例如，我一再拒绝过孟蓉圃和贾茂椿一类人的请求，就是没法直接剖白的。"

我譬解道："事实终究是事实，他们迟早会了解，你用不着担心。最可惜的，是这样一位有血性的爱国少年，竟死在那个没心肝的流氓手里！"

霍桑道："是的，不过我们用不着为他悲哀。人谁没有死？他的死是为了爱祖国。只要我们后死的人认识他的死的意义，各自出一番力，把我们的祖国的命运扭转过来，让大多数人站起来做人，那么，他的牺牲就不是白白的。"

大家静默了一会儿，我又请求霍桑解释徐之玉的阴谋的经过。

我道："我对于他犯罪的经过，大体虽已明了，但是还有几点不能够关合，你能不能再给我解释一遍？"

霍桑道："徐之玉如果不死，我想你还是听他自己供述的好，那要比我推想而得的更明确些。你暂且耐一耐吧。"

下午两点钟，汪银林来了，他又供给我不少资料。他在进门时，肥厚的脸上露着笑容；但在开始谈话时，他的眉峰又略略皱拢起来了：

"霍先生，包先生，昨夜里的事你们真是太冒险了！我在他的餐室中查到四粒子弹，另有二粒在天花板里，还没法取下。这四粒子弹中有两粒就是从他的手枪里射出来的。你们两位都完全没有受什么伤吗？"

霍桑应道："多谢你的关怀，我们都侥幸平安。"

汪银林道："假使你叫我一块儿去——"

霍桑忙插嘴道："嗯，这一点要请你原谅。因为昨夜里我们受了一次虚惊，才转变方向的啊。"他便把收到手榴弹的经过说了一遍。"因此，我们出发的时候，目的在得到他方面的人证和物证，实际上还没有多大把握，自然不敢就冒昧地请你去逮捕。后来，我查到物证以后，本想打电话给你，以便连夜将徐之玉拘捕起来，不料徐之玉突然回家，我却来不及了。"

"那么施桂怎么会知道你们在那边有危险呀？"

"这是我临走时和他约定的，以备万一。他的提前报告，事实上却很有帮助。还有，杏生的被捕也可以省去一番麻烦。现在他怎么样？有没有完全供认？"

"他已经将昨夜里和你谈的话完全告诉我了。不过，那个坏蛋却仍紧闭着牙关。"

我插口道："他不是伤得很厉害吗？当然还不能说话。"

"不，他是能够说话的，他的神智很清醒。他的受伤情况，只丧失了一只左眼，一只左耳和左面的面颊，据医生说，不会有生命的危险。"

"这样，至少他以后再不能玩弄女人了。"霍桑喃喃地说。

"除掉你说的几处，他的身体上没有别的伤痕吗？"我问。

汪银林道："左足踝上另有一处枪伤，但是并不厉害。"

"包朗，你还不满意？"霍桑已经看到我脸上失望的神气，"你得知道，就因着你打中了他的足踝，他才失却活动的能力，因而才有可能领受炸弹的滋味。进一步推想，那锄奸团团员恰恰在那个时候丢掷炸弹，说不定也就是你的枪声引出来的。"

我道："但他究竟还没有死啊！"

霍桑道："他虽逃得出死关，却逃不出法网。"

汪银林又皱着眉峰，说："刚才他的表兄已经从南京赶回来。他先到医院里去和徐之玉谈过一会儿，又到警厅里来接洽。他说关于徐之玉的处分，他准备进行辩诉。"

霍桑的唇角上露出些微笑："可惜他迟回来了几个钟头，否则我们对于人证物证的搜集便不会这样子容易。"他又抬起头来："银林兄，不必担心。赵律师就算有一千张嘴，但人证物证既然确凿齐备，他也无从狡辩。我们虽不能提出徐之玉强迫秦守兰服毒的佐证，不能因此致他死命，但是他杀死苏崇华的罪名是无法逃避的。"

汪银林默默地不答，只顾低垂了头，呼吸他的雪茄。

霍桑又问道："银林兄，那沙发旁边板壁上钳出来的一粒子弹，你可曾和徐之玉的手枪合对过？"

汪银林道："我已经请周宜方技师验对过了。他的枪是一支 .38 口径的九粒子弹的自动手枪，枪和子弹的确两相符合。"

"那就好了。还有那粒打死苏崇华的子弹，我们料想一定落在八八九号或八九一号两宅屋子的草地上。你若是能够找到，也是一种要证。"

"假使真在这两宅屋子里面，那终可找得到。"

"还有一点，你可曾瞧瞧徐之玉的左臂膀？"

"瞧过的，不过很费了些麻烦，他不让我瞧。"

"臂膀上怎么样？你可曾发现刀伤？"

"刀伤？没有。连血迹都没有一点儿！好端端的一只臂膀，只裹着两块染血的白手巾！"

霍桑从椅子上直坐起来："哎哟！这个人真了不得！我以为他设下了'苦肉计'，为掩饰起见，至少总要用刀在臂膀上割伤一些；万一有人验视，就可以混充枪伤。谁想他连这一着都省掉了！他的胆子竟这样大！"

荣誉的道歉

经过一度的静默，霍桑因着汪银林的请求，才依据事实的经过，把徐之玉的犯罪行为做了一次分析和解释，这原是我所迫切期望的。

霍桑重新靠着藤椅的背，丢了纸烟尾，说道："我先从后一案说起。他因着秦守兰的事情，心底里多少终存些戒备的意念。前天夜里，他接到了杏生的电话，便从舞场中匆匆赶回去，听了杏生的报告，心中一定就有些恐慌；后来，他又接到我的有恫吓意味的电话，便像火上加油，越发信以为真。他也许认为秦守兰那方面有人来代伊打抱不平，要向他报复，所以他就特别戒备。

"那时候，那位锄奸团团员苏崇华——他曾被我们一度驱散过，后来一定又自个儿回到那边去的——恰巧在他家门外守候裕成布号的贾茂椿。徐之玉大概就认假为真，确信有人要向他实施报复手段。他就决定先发制人，拿了手枪从后门里出来，兜到苏崇华的背后，悄悄地发了一枪。苏崇华的目的本来在隔壁的第三宅屋子，当然是面北背南的。他不但来不及抵抗，连开枪的是谁一定都没有觉察。时间既在深夜，这条路又本来静僻，街上没有人，那枪声竟不曾引起什么注意。

"徐之玉开枪之后，大概曾在那条第五宅第六宅之间的隔弄中躲过一躲。他看见他的阴谋得逞了，接连着的一个意念自然就是怎样逃避罪责。他构成了一条'苦肉计'，使他自己也作为被害的人，来迷乱侦查人的眼睛。他就走到铁栅外面，瞄准了办公室中那只靠板壁的沙发的左边，隔着没窗帘的玻璃长窗再开了一枪。为了使鬼把戏演得真实一些，他把他身上穿的衬衫的袖子和一块白巾，在死者的伤口沾上一些血。这时他发觉那死人他并不认识，而且从外表上估量，这个人不像是秦守兰的亲属，也不像有和秦守兰交朋友的资格。于是他可能觉悟到他的行凶出于误会，他的'苦肉计'也是多此一举。不过木已成舟，只得将错就错。因此，他后来把板壁上的一粒枪弹认定是流弹，他只受到了意外的擦伤，与案子毫无关系，因为他料定侦查人是侦查不出他和死者的关系的。当时，他完成了阴谋勾当，仍旧通过小弄，从后门回进屋子。"

汪银林点点头，道："他回进屋子去的情形，那光头已经说过了。"

霍桑应道："正是。他把杏生打发到楼上去以后，就开始布置。他用刀在染血的衬衫袖子上刺一个洞，仍旧穿在身上。后来王巡官和他谈话以后，他觉得衬衫上的洞是刀刺破的洞，不是枪弹穿过的洞，也许要露破绽，就脱下来藏在枕头里面，另外用染血的白巾包裹他的并无伤痕的左臂。当时他又费了一番功夫，构造了一篇应付警官们的故事。经过一番周密的布置，耽搁了相当的时间，他才打电话报告警署。"

汪银林摸出白手巾来抹了抹他的嘴唇和额角上的汗液，说道："唉，这个人真是狡猾得透顶！他干了杀人的勾当，昨天早晨我们去瞧他时，他只说受了流弹的伤，神态上极度镇静，故事也伪造得很近情。他真是胆大包天哩！"

霍桑叹一口气："他仗着自己的头衔和地位，又仗着他表兄的职业，看法律真像废纸烂布！"

"关于那个服毒而死的秦守兰，你又有怎样的见解？伊是不是被他谋杀的？"汪银林又问。

"是的，可是又不是。"

"什么意思？"

"我们虽确信这个女人是受了他的迫害而死的，可是我们找不到他谋害的直接证据。为了主持正义，为了维护女权，对于这样一个无赖是应该给予制裁和惩罚的。可是要不是有苏崇华一案，我很怀疑我们是否会有确切的根据可以把他抓进法网里去。"

"那么，伊究竟怎样服毒的？"

"据茶房朱阿大说，十三日那天下午，徐之玉从伊的房间里出来以后，伊还在里面哭。隔了二十多分钟光景，伊方才走出来。我想伊哭了一阵，又气又惧，觉得前途茫茫，走投无路，就从浴间里拿出洗浴缸的来沙尔液来，喝了下去。伊服毒也许就在这二十分钟里面。所以秦守兰的死是伊自己主动的，并不是徐之玉拿了什么武器当场威逼；那毒也不是徐之玉带给伊的。那么，在法律条文上，徐之玉有什么直接的责任呀？"

"我看就算是伊自己服毒，也明明是因着被他恶意抛弃，被逼怨命的。"我插口说。

"是啊，可是证据呢？那死板板的法律哪一条可以拘束徐之玉呀？"霍桑懊恼地摇摇头，"包朗，你得知道，恶意抛弃一类的指责，完全是道德问题。你和这班伪学者们谈道德，准会引得他们笑歪嘴哩！"

我作不平声道："他这种诱奸遗弃、蹂躏女性的行为，一朝揭发出来，至少也可以使他受到社会的制裁，为群众所唾弃。"

霍桑点点头，说："对，不过这里面也得区分一下。这样的制裁只存在于有正义感的劳动人民中间，在某些'上流人'中间，它是不存在的。好，我给你们看一张照片。"他立起来走到后面衣架旁去，从上夜里穿的那件深灰色外褂的袋中，摸出一张照片来："银林兄，现在对于徐之玉的制裁，苏崇华一案已经尽够应付了。这张照片昨夜里我特地从他的衣箱中拿出来的，你看是不是还有什么用处。"

那是一张四寸照片，照片上并不是秦守兰的形象，却是漂亮的徐之玉的半身像；照片下面签着几个英文字：上一行写着"给我的亲爱的兰"，下一行是徐之玉的签名和年月。照片的硬底片上还有凹凸字的"纽约美术照相馆"字样。

霍桑解释道："这照片是徐之玉在热恋时送给秦守兰的；后来他和伊决裂了，就用了什么方法骗了回来。我料他一定也有秦守兰的照片，但为灭迹起见，大概都已毁灭。这一张他自己的照片，他也许因着欣赏他自己的美貌，舍不得撕毁；片上写的又是英文字，料想不致露什么马脚，故而拿回来后，仍留在他自己的箱子里。"

汪银林点头道："正是，这东西给我瞧见了，也不一定会被认作证据。以后，为着应付这些博士罪犯，我倒还得补习些英文呢。"他嘻一嘻，随手接过了照片，放在衣袋里："如果有什么报馆访员来找我，我会把它给他们发表。"他的眼光闪一闪，像又想到了什么，急忙掏出一本记事册来乱翻，翻到了一页，用手指指着说："霍先生，这好像也是一种证据。你瞧瞧，怎么样？"

我凑过去一瞧，他的记事簿上画着一个类乎篆字的图案，像是一个没"貝"的"寶"字，我不识得。

"唉，真是一种证据。"霍桑开始解释，"这不是一个字，是由一个'守'字和一个'玉'字拼凑而成的合体。你从哪里瞧见的？"

汪银林答道："你记得那女人饰物里面，不是有一条细的金项链吗？链子上还连着一粒小蚕豆瓣大小的鸡心。我前天偶然玩弄它，发觉这鸡心有一个盖可以打开，里面就刻着这劳什子的篆文字。我把它画在记事簿上，后来竟忘记了。"

霍桑瞧着我，说道："包朗，对于与女性的交际，你的经验比我丰富得多，那么，关于女子的饰物，你也应得更熟悉些。那天晚上，我们在旅馆里时，你怎么不指点我一声？我委实想不到这样一粒小小的鸡心还开得开。"

我笑着应道："不错，我太粗心了，没有及时指出来。不过，我劝你以后对于女性也应当更多接近些，那么，对于女人们的用品的知识自然也可以丰富起来。"

霍桑皱着眉，说道："这个倒很困难。我根本缺乏接近女子的天才。即使我要接近她们，她们却可能会'敬鬼神而远之'，那又怎么办呢？"他嘻一嘻，旋转脸去："银林兄，这的确是一种足以证明他们俩的结合关系的证据。假使我们早一天发现，在侦查上也许可以减少些麻烦。现在，你不必再守秘密，尽量发表好了。……慢，我还要请你帮一帮忙。"

汪银林正想立起身来，预备要走的样子，问："什么事？"

"据我料想，秦守兰的事情在报纸上被披露以后，那亚东旅馆的李狐狸一定会推想到马祥宝和朱阿大曾经多嘴过。这样，他们就有给敲破饭碗的危险。他们如果因这件事而失业，那我们太对不起他们。你知道，目前失业的人这样多，除了有阔佬亲友或者有靠山的人，一般人要找个职业，真是难于登天。我没有给他们介绍职业的能力——"

汪银林连连点头道："这个容易。如果有这样的事，我可以通过上级，负完全责任。"

这天星期日傍晚出版的各种晚报上都刊载着徐之玉的案件。那最晚出版的《上海新闻》上，更标着特别惹人注目的标题：一行是"疑案主角是大学教授徐之玉博士？"，另一行是"神秘莫测的苏崇华被杀案同时解决"。在第一行标题"博士"之后所以附连着一个"？"号，分明是因着案情还没有经法院正式裁决，顾忌着徐之玉的身份和地位，故而不敢确定。新闻的内容很长，分了好几个章节，我不便节录下来。所叙的事实大部分都是汪银林所供给的，访员们有恃无恐，写得活灵活现。那徐之玉给秦守兰的照片和那个鸡心中的篆文合字，也都制版印了出来。负责侦查的是汪银林。这是霍桑授意的，并不是汪银林夺功。关于徐之玉打死苏崇华的部分，所载的比较简略些，只说证据确凿，准备提起公诉。因为这案子赵尚平既然准备正式辩护，种种证据，在公开审讯以前，当然不便先在报纸上发表。

另外有一节关于裕成布号炸弹案的新闻。这案子并无新发展，掷炸弹的团员仍没有下落。关于死者贾茂椿的行径却有一段补充的记载。贾茂椿是湖北人，在汉口还有一爿煤号，历年经营很有积蓄，据说大半是靠贩卖劣货所得。在上海，他有一妻三妾。他自从得到锄奸团的警告以后，怕外界议论，不敢声张，便日夜伏匿在金山路八九一号布号里面，也不敢回家去。据附近的邻居说，布号附近已经有人守候了三夜。

那天晚餐时分，汪银林来了一个电话，报告那粒打死苏崇华的子弹被倪金寿找着了，果真在赵尚平律师屋子里的铁栅里面那垛分隔的短墙脚下。子弹落在草中，短墙上有一个着弹的断口。当检寻时，赵尚平也在旁边监视。倪金寿当场将那短墙的断损处摄了一张照片，后来，他又把子弹送给周技师检验，结果完全和徐之玉的手枪符合，故而在证据上可算已周密无缺。银林还连带提起同仁医院里的徐之玉，他的伤势似乎反而减轻了些。这一点最使我感到不快。

晚饭后，我们特地再一次到明月舞场里去，找着了我们老同学的弟弟谢敬渊。霍桑把徐之玉作恶的事告诉了他，感谢他的帮助。最后，霍桑表现着诚恳的态度，向他进了几句忠告。

他严肃地说："敬渊兄，你总也知道，现在是外侮内忧交迫的关头，绝不是我们享乐的时候。我们既然比较有些知识，我们的责任该是怎样重大？国家给鬼子们步步侵逼，大多数人在泥潭中挣扎，剥着树皮充饥，可是都会中的一些享乐分子却仍把有用的精力消耗在销魂荡魄的魔窟里！想一想，我们如果还有一毫人性，又怎能放纵享乐？我敢说，现在上海的所谓舞场实在是一种吞噬我们青年男女的魔窟，你今后应少来这里才是。敬渊兄，你有了一些学识才能，应得做个实验室中的主角，不应该做舞场里的熟客。"

我不知道谢敬渊是否能因着霍桑这一番规劝的话而幡然悔悟，但他当时却红过一阵子脸，总算不曾当面壁谢。

我们从舞场出来之后，霍桑向我说话：

"包朗，你夫人在嘉兴还有三四天的耽搁吗？你再到我寓里去住一夜吧。今夜大光明戏院正在开映《国魂的复活》，此刻还赶得上最后一场哩。"

这夜里我们回寓时已是十一点半。施桂告诉我们，有一个不肯说姓名的人来了两次电话。霍桑并不在意，仍然认为是什么委托他办理锄奸团事情的一类人物。但当霍桑在楼上洗澡的当儿，电话的铃声又响动了。我代替他接电话，竟得到一种意外的信息。电话里是一种广东口音的国语：

"你是霍桑先生？"

"正是。你是谁？"我权且冒替着。

"对不起，我不能告诉你。我特地向你道歉。"

"唉，为了什么事？"

"我们误会了。昨夜里的举动委实太冒昧。霍先生，请你原谅！"

"喂……喂……喂……"

电话挂断了。我凭空里接受了一种道歉，简直莫名其妙。我把这信息告诉了霍桑，他想了一想，笑着给我解释：

"包朗，昨夜里，你也同样感受着虚惊，现在你代替我接受了这个道歉，这原算不得僭冒。"

"你想这是锄奸团的团员打来的？"

"那还有什么疑问。"

"唉，可惜他立刻挂断了，又不肯说出姓名地点。否则，我们倒可以把这个礼物送还给他们。"

"那也不必多此一举。这东西尽可留作纪念，或者将来我们也用得着！"

我追想霍桑调笑的话，说："此刻我冒了你的名字，接受了一种荣誉的道歉，固然有些僭冒，但是那天我也代替你接受过‘畜生’的头衔，总算两相抵销了。”

霍桑大声笑道：“喂，你还消受了三声‘玉哥’的称呼呢？怎么不提了呀？”

我也笑道：“那也有一声‘流氓’抵消的，你如果眼红，我尽可以奉让。这称呼我不但没有资格消受，而且也不敢消受。”

作为对我的回答的，是霍桑的一阵得意的笑声。

★　★　★

这案子的结束直拖延到近两个月以后。在结束以前，霍桑又曾接待过一个从重庆来的远客，那就是秦守兰的弟弟秦守桂。这个人果真证实了我先前的假定，但是我没有亲自瞧见他。霍桑告诉我，秦守兰表盖里面的那张照片上的少年就是秦守桂。秦守桂在重庆中学当教员，他曾说出秦守兰和徐之玉结合的经过，还带来了一封他的姐姐守兰给他的信。据霍桑说，那封信很长，我也没有亲眼看到。

守兰和之玉的结合当真是在留学美国时期。他们早已有了口头婚约，约定回国后正式结婚。他们是同船回国的；到了上海，守兰先回四川家里走一趟，之玉却留在上海。四川那时候在军阀割据之下，大大小小的军阀分割着各城各县。大军阀征粮，小军阀抽税，征粮有预征三十多年的奇谈。老百姓都被压得焦头烂额。守兰的父亲叫秦源，本来有二百多亩田，又开设一爿米栈。因为连年预征，在守兰出国后的三年多时间中，粮又征得特别凶，经济情况已经渐渐不佳；上一年他的米栈又遭到了火灾，家产就大都丧失，连指定给守兰出嫁的奁资也完全落空。守兰回家之后，知道了详细情况，就写信告诉徐之玉。这可能就是伊被之玉抛弃的原因之一，因为这个无赖玩弄女子，同时也着眼在钱上面，但瞧他更换的那个冯雪蕉是大利银行经理的独生女，就是一个明证。当时守兰的父母对于伊的婚约表示反对，并且要求伊在家乡找些职业，给伊的弟弟分担些供养家庭的责任。当时伊迷恋徐之玉，又习惯于美国的荒唐奢侈的生活方式，说什么也不肯答应。伊在美国学习医学，离毕业还差一年，因跟徐之玉一同回国，放弃了学位，故而在找职业方面也有困难。但他们姊弟间的感情很深厚，守桂也很了解伊的处境。守兰因着徐之玉杳无音信，故而典质了川资，赶到上海来找他。伊到了上海以后，遭到了徐之玉的冷淡抛弃，知道他已经另外爱上了一个有钱的女子。伊感到非常痛心，便写信向伊的弟弟诉苦。守桂顾念手足情谊，趁着假期，准备来代伊交涉和解，却不料变成了来收伊的尸骨。伊的信写得非常凄婉，并且早有了自杀的意图。原来伊写信的时候，伊身上已经有了三个月的身孕。伊是享用惯了的，不可能耐苦地就什么低微的职业。家庭既无颜回去，在上海又是孤立无援，伊的景况的确是走投无路。

因为徐之玉的伤势迟迟不愈，赵尚平律师曾一再向法院声请延期审讯。之玉的伤口因着沾染了某种细菌，不但不能愈合，而且逐渐蔓延开去，从脸部扩展到颈项。经过了两个月的医治，终于因着颈项的溃烂而伤及神经中枢。在十月十四日那天，上海各界曾举行一次苏崇华志士的公葬典礼，我和霍桑都曾去参加。到了十月二十日，公立医院的院长正式报告法院，苏崇华凶案的嫌疑犯徐之玉因伤重而死。

　　末了，我还得附加一句。徐之玉先前告诉我们他要在九月初旬和冯雪蕉结婚，那当然不能实现。当徐之玉从同仁医院迁送到公立医院里以后，法院里虽没有禁止他接见亲友，但在一个多月之中，他的未婚夫人冯小姐竟绝足不曾到医院里去过一次。

猫 儿 眼

一只燕子

我读到那一节新闻时，不由得震了一震。我的眼睛虽仍瞧在报上，嘴里却禁不住惊诧失声：

"奇怪！这样的盗案真可算得上闻所未闻！"

报纸上的新闻记载着信用信托公司被盗的事。这消息在上一天本已登载过，可是还带着传说的口气，没有确定。今天却不但证实，还说明被盗的东西就是存在元字第二号保管库里的珠蝶和钻镯等，价值在十万以上。

我所以诧怪，就因这样的案子在上海还是头一次见。信托公司里的保管库不消说是纯钢质的，一定特别坚固。钢库里的东西竟会遗失，可见那盗窃的人本领不凡。可是略定一定神，我又推想这一次被盗，也许是监守自盗，可能是公司里的自己人偷了库钥，乘间窃取，未必就真有外来的大盗破库盗取。那么我的诧怪不免有些神经过敏。

"包朗，这不是你的神经过敏。你先前的设想简直是完全对的。"

我又微微一怔，仰起头来一瞧，看见我的老友霍桑正站在办公室的门口。我自然不能不惊异。霍桑既不是超自然的，凭着什么根据，竟能瞧破我的心事，而有这突如其来的话？

我问道："霍桑，你什么时候回来的？怎么说这样不伦不类的话？”

霍桑答道："我进来的时候，你正在那里骇叫，所以没有觉得。但你说我的话不伦不类，难道我料错了不成？"他卸下了他的那件黑呢外衣，站在火炉面前。

"你料的是什么？我还没有明白。"

"你刚才读到的那节新闻，因为单单记载盗失的东西，没有记载盗失时的情形，所以你第一步的反应，便以为有人破坏了保管库才着手盗物。因此之故，你就觉得盗者的本领太高强，不由得失声惊怪。然而一转念间，你的神色忽又冷静下来；接着是微微地一笑，似乎你又觉得你起初的料想太鲁莽。这就是你的思想历程，我从冷静中观察而得。难道我没有料中吗？"

我笑一笑，答道："我老实说，你完全料中了！霍桑，你的观察力真敏锐！"

霍桑在火炉旁坐下来，缓缓地道："这是很容易的事，只要懂一些心理学，又肯用一用脑，谁也办得到。"他伸着两手烤一烤火，又说："包朗，你不是认为这一件盗案上海从来不曾有过吗？是的，这见解实在不错。"

我怔一怔，应道："什么？真有这样一件事？"

"是。所以我说你起初的骇怪并不是神经过敏。"

"难道果真有人破坏了保管库？"

"是。我已经进去瞧过。那纯钢的库门是被人用电力烧坏的。"

"了不得！"

"墙上还用炭墨画着一只燕子！"

"唉！一只燕子！"我想起了那闻名已久的神出鬼没的江南燕，我的神经顿时紧张了。我又问道："霍桑，你现在可担任这一件案子？"

霍桑摇摇头："还没有。在信用信托公司里我有一个朋友，当协理的何介轩。我因着他的介绍，才得进去瞧一瞧。"

我又问："那么你想那只画着的燕子是不是强盗的留名？还是有人假托的？"

他沉吟地说："据我看，这件案子无论是不是假托，那个人必定是一个好手。那只燕子——"他的眼光斜射到书桌上面，他的脸色沉下了："包朗，这封信谁送来的？"

我又怔一下，应道："哪里有人送过来？"

我仰起身来，向书桌上瞧去，果然看见一个小小的白纸信封，上面写着一行铅笔草书："霍桑先生收阅。"霍桑早已伸手将信拿起来，急急将信封拆开，抽出一张雪白的信笺，笺上是几行矫健活泼的铅笔草书。

那信道：

霍桑先生：

久违了。此刻我道经上海，将要勾留几天，很想趁此机会和先生会一下子，了了我的夙愿。不知道你肯见教吗？

江南燕白　二月十五日晨

这寥寥两行字给予我的反应是使我忘却了季候，还使我出了一身冷汗。江南燕这家伙，我们虽然不曾见过面，但是已经发生过几次间接的联系，我所记的《霍桑探案》里面，像《江南燕》《黄浦江中》等，也曾好几次提过他的名字。此番他说要来会会，有什么用意呀？是敌意还是友意？

霍桑问我道："你真不知道这封信的来由？"

我答道："不。你出去之后，施桂送上报纸来。我带了报下楼，开了这办公室的门，便坐在这里读报。直到你来，没有一个人进来过。"

霍桑向窗口望一望："这窗是你开的？"他立起来走到窗口去。

我应道："正是。"

霍桑又把那信封看了一看，点点头："唔，它一定是从窗口里飞进来的。"

"我怎么一点儿没有知觉？"

"一则你张开了报纸，把你的目光完全遮住了；二则你读得出了神，我走进来时你也不觉得，何况轻轻的一封信？"他从窗口回过来，坐在书桌后面的椅子上。

"可是这窗口并不临街，外面还隔着一层短墙，怎么这样子巧，不远不近恰正会落在书桌面上？"

"这是一些小技巧，不值得诧异。你总知江南燕是个什么样人。"

"喔，你相信他就是真正的江南燕？"

霍桑咬着嘴唇，缓缓答道："怎么不是？我相信信用信托公司的案子多分就是他做的。"

我迟疑道："我看信上的口气有些不合。"

"什么不合？"

"我们从来没有见过他的面，他却用那'久违'的字样，岂非不相称？"

"唔，你提起这一句，真叫我惭愧。别的案子姑且不提，但你可还记得'断指团'一案？我们被党人们禁闭在念佛寺里，亏得江南燕的救援，才得逃出来。那时候我们虽没有看见他，他一定已经瞧见我们。现在他竟用着'久违'字样，也许就含着取笑作用！"

"那么你想他这一次的来意是好意还是恶意？"我在静默了一会儿之后提出这一句问话。

霍桑拿了笔向桌上墨水盂里蘸一蘸，在信笺背上注了几个字，折好了藏在日记册中。

他应道："哪里会有好意？你想我们所干的任务和他的行径处在什么样的地位？"

"地位固然是敌对的，但在苏州孙家的案子——'江南燕'——里，我们曾给他洗刷过一次被人假冒的冤枉，他对我们似乎还有好感。"

"这样的好感，他也已经报答过两次了。现在逢到了利害冲突，你想这好感还能够永久维持吗？"

"这样说，我们倒不能够不准备一下。"

霍桑点点头："是。我料他的用意，无非因着我在上海的虚声，有些不甘服，现在犯了案子，把我牵进去，以便彼此见一个高下。如果我斗他不过，少不得要销声匿迹。他就可以横行无忌了。"

"你想那信托公司的盗案，就是他对于你的试验？"

"或者如此。"

"你如果担任了这案子，你可有破获的把握？"

"这难说。那人不比寻常的匪盗，本领既高强，手下的羽党也一定不少，实在不容易对付。"

"你怎么知道他有羽党？"

"别的莫说，这一次盗案，那公司的守门人至今还没有下落。"

"那守门人就是他的羽党？"

"无论是不是真正羽党，通同当然是可能的。否则，他既没有翅翼，又没有隐身法术，又怎么能够下手？"

铃铃铃！——电话机上的铃声突然地响了。

我失声道："也许是信用公司里打来的吧？"

霍桑不回答，急忙立起来赶进电话室去接电话。一会儿他回出来重新归座。

我问道："怎么样？"

霍桑摇头道："不是信用信托公司，是和平路九十九号一个姓徐的打来的。"

"这姓徐的有什么事？"

"他没有说明，只说有件紧急的事，请我们就去。"

"你怎样对付？"

"我想我们去走一趟再说。"

空盒子

那徐姓的主人叫守才，曾当过一任烟酒督办的差使。只瞧他住的那宅连花园的高大洋房，而且佣仆成群，便可想见他的宦囊的充盈。我们到那里时，我看见仆人们都安谧如常，并没有什么惊乱的情形。这是出我意料的。徐守才是个年近六十的人，肥圆的脸上点缀着两只狭缝般的眼睛，似乎不大相配。他穿着一件蟹壳青的狐皮袍子，足上白丝袜缎鞋。他见了我们，连连拱手，引我们进了一间布置精致的书房，便坐下来，轻声地报告。

他说："霍先生，包先生，你们可听得过江南燕？"

开门见山，就使我暗暗吃惊。这件事也和他有关系的！

霍桑应道："是，他的大名我们听得好久了。"

徐守才道："那么大前天十二日晚上信用信托公司的那件事，你们也早已知道？"

霍桑道："是。你可是就着这一件事有什么见教？"

"不是。那是舍亲吴伯常的事。公司里盗失的东西，都是他已故爱姬的饰物。他起先得到一封自称江南燕的恫吓信，要问他借用那珠蝶等物，他不理睬。后来果真失去了两只钻戒，他才恐慌起来，就将其余的贵重东西送到信用信托公司的保管库里去。不料那保管库的钱箱也敌他不过，没有几时，到底被他盗了去。你说这人厉害不厉害？"

"是，这个人果然比不得寻常的小窃。但是你此刻招见，究竟为着什么事？"

徐守才很郑重地从狐皮袍子的袋中取出一封信来。

他说："我所以说起舍亲的事，就为要举个例证。这一封信就关系我自己的事。"

霍桑将信接了过来，展开来默念。我也把头凑过去瞧。

那信道：

徐守才：

听说你新近从北平回来，得到了一粒猫儿眼。我想你玩了几天，总也玩够了。现在本城民众教育团的经费非常困难，请你把这猫儿眼捐给他们，补补你自己的前过。这东西在三天以内我自己来取，你应得早些准备好。

江南燕　二月十四日

霍桑读完了信，眼睛向着那大壁炉凝视了一会儿，才回过来瞧着徐守才。

他问道："怎么样？那猫儿眼已被他盗去了没有？"

徐守才摇摇头："还没有。这信昨天晚上才从邮局寄来。我一得信，不敢怠慢，便将这东西从铁箱中取出来藏在身上。现在还在这里。"

他解开了皮袍纽子，从里衣袋中摸出一只小锦盒来。盒子给打开了，里面是红丝裹缚的一个黄缎子小包。他解开了缎包，我才看见一粒圆润澄澈、彩光闪烁的猫儿眼。这真是一件稀有的珍物，我还是第一次见到。

霍桑瞧了一会儿，叹赏道："真是难得见的东西！你出多少钱买的？"

他答道："这本是清宫里的藏宝，我出了七万二千块钱。据说这还没有到实价的一半。"

"珍宝本来没有一定的价值，七万二千当然算不得多。你可是果真在北平买的？"

"是。你想他的消息这样灵通，岂不叫人害怕？"他仍将猫儿眼包好了藏在盒内。

"这也无非是他羽党众多罢了。现在你打算怎样处置它？"

徐守才眯了眼缝，摇头道："我就为了这一着，昨晚上通夜不曾合眼，左思右想，终想不出什么妥当的办法。因为伯常的事给我一个前例，我当然不敢再送到保管库里去。若使放在家里，当然更不妥当。要是报告警署，我也有些怕，效果不知道，先跟他结了怨，说不定还有性命危险。所以我才想仰仗先生们的大力，替我保存这一件宝物。酬劳多少，我决不吝惜。"

霍桑低垂了头，用目光瞧着炉火，显然在踌躇。主人却放宽了眼缝，注视霍桑，分明在等候一个满意的答复。我也感到这题目难于应付。

一会儿霍桑缓缓地说："这种保镖性质的事情，我们如何干得？"

徐守才着急道："霍先生，我是诚意恳求的，万望你助我一臂！"

"我的职务是侦贼，却不会防贼。"

"我不是要你们在这里防守。我打算将这东西交给你们，代替我保管三天。三天以后，他如果失败，谅必不敢再来。那时候我准重重地酬谢。"

霍桑皱皱眉："徐先生，我们不是为酬报而工作的，你别一再提酬报。我觉得这个责任太重。你想那人既有本领破坏钢库，我家里的一只铁箱哪里会在他眼里？"

徐守才又拱手说："霍先生，你别顾虑太多。这个人只是一个老贼，并不是一个巨盗，他绝不敢公然来劫夺。况且先生你的大名，谁不知道？他听得了这件事有你在里面，哪里还敢猖獗？我所以借重，就因着这一点。霍先生，你总得成全我！"他的声调很恳挚，又连连地拱着手。

霍桑的眉尖依旧深锁，又沉吟了一下，才道："我看他的目的似乎很冠冕，不一定要你的宝物。你如果爱宝，何不依他的话，向他所说的民众教育团去捐上三万五万？这回事也许就可以和平了结。"

徐守才顿一顿，说："这未始不可以，可是没法和他沟通。假使我捐了钱，他又来偷我的宝物，岂不是全都落空？"

霍桑略一思索，答道："那么你尽管捐钱，我们暂时担负三天的责任。三天内如果有失，你的捐款由我们承担。你看怎么样？"

徐守才呆了半晌，才缓缓应道："既然如此，我就捐助三万。现在请你将这东西保管好。希望你在三天以后平安无事地交还我。"

他将装有猫儿眼的锦盒双手交给霍桑。霍桑接过了藏在袋里，随即起立告辞。我也跟着走出那温暖的书房。

我想起了一点，说："徐先生，我有一句话。我们代管的事情，必须严守秘密。因为他如果不知道这事的内幕，防备上当然疏懈些。假使他真来践约，在你既然没有失宝的危险，在我们却可以有对付他的机会。你同意吗？"

徐守才诺诺连声道："可以，可以，这个当然遵命。"他随即很谦恭地送出门来。

我们既回爱文路寓所，便商量对付的方法。因为这件事在表面上我们虽只负三万元的责任，其实万一失败了，霍桑也没有颜面再干这侦探事业，关系实在不小。我的意见是我们不能偏于消极防守，却应积极地对付，设法把江南燕捕住，才算是上策。这意见霍桑也表示同意。

他问我道："你打算怎样捕他？"

我道："我想代管的消息若使能够秘而不宣，他自然仍旧要往徐家去。我们若能预先埋伏，不难乘机捕拿。"

霍桑略想一想，答道："你说的预先埋伏，可是伏在徐家屋内？"

"不是。据情势推测，他的家里难免有通同的人。我们若是大张晓谕，反而会误事。不如悄悄地伏在他的宅子的附近，倒可以趁他不备。"

"唔，不错。但是我们若往守候，这一粒猫儿眼又放到哪里去？"

这问题经过了一度斟酌，我们觉得最妥当的，莫如放在身上；不过万一动手交锋，又不免有些危险。末后我们决定分别负责：我在家里保守铁箱，霍桑一个人到徐家屋外去守候。这样，虽然我的责任比较重些，但事实上既不得不分，我也只得勉为其难。好在我们寓里有电话，我又有防身的手枪，也不怕他用强暴手段。商议定了，霍桑将装有猫儿眼的锦盒打开来，重新验一验，就亲手放在铁箱里面。

他含笑说："包朗，这两天内，你得特别谨慎些。这铁箱虽由哥斯达名厂制造，也存放过不少重价东西，从不曾出过什么岔子，但是江南燕是个特殊人物，这铁箱在他的眼里也许并不稀罕。"

我也笑道："这箱子一到他手，也许果真会变为无用。但如果不让他的手指和铁箱接触，我想他总不会有什么通神术吧？"

十五日这一天晚上，我们便开始加意准备。霍桑吩咐施桂谨守前门，无论送信人等，一概不许走进门来；或是有造访的陌生客，也得先问明白了，才可放入。晚饭过后，霍桑穿上一身灰色的短棉袄裤，颈项间绕了一条黑绒线围巾，头上戴了一顶灰色旧毡帽，帽边覆在额上，脸上也涂了些颜色，活像一个江北小工。他向我和施桂叮嘱了几句，便一溜烟地走出去。我把手枪装满了子弹，藏在短褂袋中，走进办公室里，静坐着保守那藏宝的铁箱。

气候很寒冷。路上行人也稀少。屋内屋外都是静悄悄的，只有窗外的风声和火炉中煤块爆裂的微声打破些沉寂。我很小心地守了半夜，丝毫没有动静。我暗想江南燕虽是一个不寻常的巨窃，但对于我们多少总有些畏惧。此番宝石既在我们手中，他即使知道了我们代为保管宝石的事，若要履行他的预约，亲自来偷取，当然也有些冒险。他会不会避难就易，过了几天再去和徐守才为难？

夜半后一点钟模样，霍桑回来了。他也没有什么端倪。霍桑叫施桂睡在办公室里，又将门窗紧闭好，我们就上楼去安睡。

第二天十六日，我们照样防守，仍旧没有动静。晚饭过后，霍桑又打扮成小工出去，我依旧在屋里坐守。我连续地烧吸纸烟，默想又继续活跃。今天已是十六日，是约期的最后一晚了。如果再没有变动，明天早上我们的责任就可以告卸了。

小瓷钟还在嘀嗒嘀嗒地奏着规律的节拍。风仿佛宁静了些。忽然有细碎的脚步声，像有人在走近窗外。我敛神地倾听着，我的右手本能地伸到衣袋里去。不是。步声经过了我们的寓所，渐渐地走远了。大概是过路人吧？

到了十一点半钟，我猛听得门铃声音，接着便见穿灰布袄裤、围黑围巾、戴旧毡帽的江北小工装束的霍桑，气喘喘地大踏步奔进来。

他走到我的面前，喘息地附着我的耳朵说："包朗，不好！我们的屋子左右都有羽党守伏着！"

我忙道："怎么办？"

霍桑急止住我："轻声些！你快上楼去换一身黑布的工人装束，带了手枪，再跟我出去。"

"有什么用意？"

"你别问。快上去换！我在这里等你。"

我不便再问，急急奔上楼去，开了衣箱，找出一身黑棉短

衣，又脱下了皮靴，穿上一双黑布鞋。约莫费了一刻钟左右，我又赶下楼来，走进了办公室，霍桑却不见了。我连忙退到前门问施桂。

施桂说："霍先生才出去。你怎么不知道？"

我道："我在楼上换衣裳。他可有什么话说？"

施桂道："他只叫我紧守着门，没有别的话。"

门铃声又响。我向外面一望，是个黄包车夫，车子还停在门前。我不禁有些诧异。

那人忽大声叫我："包朗，快开门。是我啊！"

我一听声音，惊问道："是霍桑？"

施桂早把门开了，果真是霍桑。霍桑一走进门，便低声吩咐施桂：

"你去打一个电话给捷登黄包车公司，叫他们派一个人来，把车子拖回去。"

我问道："霍桑，你怎么改装得这样快？"

霍桑瞪目道："什么意思？我已改扮了两个钟头了啊。"

我开始惊怪："什么？十分钟前，你不是装着小工模样进来过的吗？"

霍桑的眼光闪一闪："哪里有这回事？……唉，快进去瞧！"

他反身奔向办公室去。我也急急跟在后面。我才明白事情起了变端，我已经中了人家的诡计。刚才进来的人，一定就是那狡诈百出的江南燕！

霍桑走到壁角，大声道："哎哟，这一只铁箱果真送到他的手里了！"

我趋近去一瞧，铁箱门上已有了一个足以钳取一只小盒的孔洞。

我不由得失声道："唉，坏了！"

霍桑仍不失镇静，向我摇摇手："慢。他虽已烧了一个洞，却没有工夫开锁键。"

"嗯，不错。我记得你把那宝盒放在铁箱的角落里。他也许还来不及拿。"

我在绝望中又产生一线希望，急急把箱门旋开来，借着电灯光向箱角里一瞧，我看见那锦盒还在那里。我又不自觉地欢呼起来：

"哈哈……"

霍桑又很沉静地说："慢，你姑且把盒盖开了。"

变化又出我的意料。我把那盒子打开了，我的一线希望忽又变成失望。盒子虽还在，可是是只空盒子——盒中的黄缎小包已经不见了！

一个劲敌

惊异，懊恼和失败的情绪霎时间攒集我的心头。我呆木了。我回头一瞧，霍桑忽已上楼去。一会儿他取了他的衣服回下楼来，走到书桌面前坐下，缓缓地更衣。他又偻着身子换去他足上的草鞋。他的态度似乎比先前更镇静。

他向我说："包朗，你在这一回事上多少总可以得到些教训。"

怎么？我固然是失败了，但在这个当儿，他还用严师般的态度来训责我？

我负气道："别多说。这三万元由我一个人担负就是了。"

霍桑不答，微微笑一笑。他把换下来的衣裳草鞋送到办公室外去。他又取出两支白金龙烟来，一支自己烧着，一支给我。

他说："老朋友，你也坐下来，别和我生气。你总知道失败不足为耻；但是经过了失败，如果不曾得到一些教训，那才可耻。你这一次的失着，主因就是在惊乱中缺乏镇静。否则你怎么会连我的声音面貌都辨不清楚？"

我在他的对面坐下来，勉强烧着了纸烟。我觉得我的脸部一阵阵发热。是的，他的理论的确很合理。我回想当时那人虽狡猾地立在我的侧面，不使我的目光直接接触他的脸，但他向我附耳说话的声音本也有些异样，我怎么不觉察？并且他叫我上楼去换黑布工人模样的衣服，也没有充分的理由——其实明明是要延宕些时间。种种疑点都是很显然的，可是我竟为惊乱心所胜，不曾觉察。我的镇静力的缺乏当然是无可置辩了。

霍桑继续道："别的莫说，那人的身体比我的约短半寸，你如果能镇静些，总可以瞧出他的破绽。并且他的毡帽的颜色比我的深一些，帽边也比我的略阔——"

我大声道："什么！据你这样说，莫非你也已看见过他？"

霍桑吐了一口烟，慢吞吞地答道："你说得不错。我方才已经见过他了。"

我不禁欢呼道："哈哈！怪不得你这样子闲像！我想那江南燕一定已给你拿住了交给警署了！"

霍桑摇摇头："没有。我虽然看见他从这门里进来出去，还在电灯底下瞧明了他的面貌，可是我没有和他交谈；更没有蓄意捉拿他。"

我又惊异道："奇怪！这又为什么？你好容易见了他的面，怎么又轻易地放过他？"

"他不曾和我们为难，我又何必捕他？"

"什么？他不曾和我们为难？"

"至少只弄坏了一只铁箱。"

"那么那猫儿眼宝玉——"

霍桑插口道："这东西他到底不曾偷去。"

"没有偷去？"我惶惑地瞧着他，觉得他不像是说笑。

"是。你不必着急。"

"那么东西在哪里？可是在你的身上？"

霍桑又摇摇头："不是。放在身上究竟太危险。"

他仰前些身体，伸手从桌上的墨水盂里，拿出一粒墨汁淋漓的猫儿眼来！

他又道："我早先说过，这样一只铁箱绝不在江南燕的眼里。我若仍旧藏在箱内，那就是天字第一号的笨伯。因此，我把这东西移藏在墨水盂里，箱中却换了一块假石。我料定他若使果真来盗，最先注目的总是那只铁箱，仓促间他一定不会瞧破我的秘密。这就是《孙子兵法》上的虚虚实实啊。"

我抱怨道："既然如此，你为什么不让我早些知道？"

霍桑笑道："这一着你得原谅我。要是你知道了真实的所在，你的一举一动说不定会给江南燕一个暗示，使他知道真宝在哪里。那才不免要弄假成真哩。"

我顿一顿，又说："那么你刚才进来的时候，就应得明白宣布，不应再装腔作势地戏弄我啊。"

霍桑忽扬一扬手，笑道："包朗，你当不知人们求智求学都得付出相当的代价吗？你此番得到这样一个教训和经验，当然也不能例外的。"

我只得笑一笑："可是你这位教师未免太狡猾些哩。"

室中静一静。充盈这办公室的，烟雾代替了声浪。我默念这回事我们虽不曾失败，但江南燕既然扑了一个空，势必不会甘心。展望前途，我们正未必乐观。霍桑轻易地放过他，在我总觉得不大舒服。

我又问道："霍桑，你怎么会碰见江南燕？"

霍桑道："当初你的意见固然不错，想要叫徐守才保守秘密，以备我往那里去守待，让江南燕自投陷阱。但是徐守才所以教我们代管，就因怕江南燕去寻他。那么你想代管的事情，他岂肯照你的意思不宣布？况且江南燕的耳目很灵敏，即使徐守才真肯守秘，这秘密也不会保得住，江南燕总不难知道这事的真相。

"因此，我就料他会来寻我，不会去寻徐守才。所以昨天晚上我到徐家去走了一趟，觉得一点儿没有动静，便回来看守我们自己的寓所。我今晚上重新出去，仿佛觉得有人在附近的树背后守伺。我觉得我的乔装不免已给瞧破，便急急重新改变，往捷登公司里去租赁了一辆车子，借了一身衣服，权且尝一尝拖车滋味。

"我在那转角上歇了一会儿，又兜了两个圈子。起先我瞧见两个羽党伏在街对面；后来又瞧见一个像我方才装扮一样的人走进这里来，我便知那人是真江南燕了。"

霍桑的应变之才确是高人一等的，可惜这里面的曲折，我以前竟蒙在鼓中。

我责怨地说："你既然看见他进来，不捉住他，又不阻挡他，究竟太冒险。"

"怎见得冒险？我不捉他，为的是留些余地，阻挡更用不着。你得知道我藏宝的地方虽在眼前，但不仅他在急忙中不会发觉，就是他仔细搜寻，一时也断不会想到这墨水盂。这一着我是有绝对把握的。"

"如果他用别的方法，将我捆缚着，果真仔细搜寻起来，那你也不免会打碎穗瓶！"

"这也何用慌得？假使他在这里再耽搁几分钟，那我自然也要进来请他宽坐一会儿了。"

"虽然，据我看，你这一次轻易地把他放掉，究属失计。猫儿眼的事，他虽没有得手，但信用信托公司的一案，被盗的珠宝为数很大。你倘使把他拿住了，那——"

霍桑忽正色插口道："包朗，你怎么这样子贪功忘义？你忘掉了'断指团''黑地牢'那两案吗？这个人虽走在法律轨道之外，但不曾越过正义的界线。他活动的对象，都是些社会上的压榨阶级，或是只知安享而不知劳力的人。说句原情略迹的话，他还不是我们目光中的非扑灭不可的死敌。现在信用信托公司的一案，在我完全没有责任。这猫儿眼的事，一方面我已经尽了保管的责任，另一方面我又认识了他的面貌，而且以假代真，更把他戏弄了一次。所以除了那铁箱的小小损失以外，我们可算得到了全胜。你为什么还不知足——"

霍桑说到这里，忽然停住了，丢了烟尾，侧耳静听。不一会儿施桂走进来，右手中拿着几件布衣，一条黑围巾和一顶毡帽，左手中另有一个小纸包。

他说："先生，黄包车公司里已经打发一个人来。我向他说明了情由，那人已将衣裳和车子带回去。……这衣帽也是他带来的。"他将围巾，棉袄裤和一顶灰色毡帽放在椅子上，又将另一手中的小纸包送交霍桑："刚才有一个人送来这小纸包，说要给你。那人个子相当高，穿一件黑绸袍子，说完了便走——"

霍桑不等他说完，不发一言，急急将纸包接过了拆开来。纸包裹了好几层牛皮纸，内中有一张信笺，一个红丝缚扎的黄缎小包，另外还有一小卷纸钞。霍桑已经展开那信笺。信笺上同样是矫健活泼的铅笔草书。

那信道：

霍桑先生：

听说民众教育团里已经收到徐守才的三万元捐款。此事想必是由你授意的。我的夙愿略偿，很感谢你的同情。那猫儿眼既然由你代为保管，我本不想再多事，不过我若不略略献些末技，不免有负雅爱。现在我将原物奉还，缄封都没拆开，借以明我的心迹。另附纸钞若干，作为赔偿尊箱的费用，抱歉得很。贵友包君前，也望你代为道歉。后会有期，再图相见。

江南燕上　二月十七日晨一时

我们读完了这信，彼此默默地相视一会儿，都没有说话。施桂也带着惊异的眼光退出去。静寂中但听得窗外呼呼的风声和火炉中的"必卜"声。

一会儿霍桑立起身来，打了一个呵欠，又背负着手，眼睛凝注在地毯上面，连连点了几点头，仿佛一个艺术鉴赏家正在欣赏一件精工构造的美术品。

他缓缓地说："包朗，江南燕真是个好家伙！我们今天总可算遇到了一个劲敌！"他踱了几步，又说："包朗，明天一早你打个电话给徐守才，叫他再送两万元到民众教育团去，拿他们的收据来换取他的猫儿眼。"

我问道:"什么意思?再要他捐两万?"

"是。这是我的意思。那天我向他提议捐三万五万,他只挑选一个较小的数目。这个人我虽不知道他的底细,但料想起来,他的宦囊里不一定都是清白钱。我干这件事,当然不是为他。便宜了他,也不合我的夙愿。"

项圈的变幻

项圈与表链

在我的许多朋友和那些见面时照例点头实际上还够不上称朋友的人们中，有几个类似小说憎恶者。他们常有一种近乎讥讽的见解："小说中的悲欢离合的情节往往曲折幻复得使读者触目惊心，尤其是侦探小说，其实都是出于作者的想象，都是作者故弄手段，事实上绝不致如此。"这种议论是否因着他们对于小说有什么特殊的恶感，故意要贬损小说的价值，我固然不得而知，但我敢证明，这见解实在是错误的。

凡稍有些阅世经验的人，大概总可以承认事实的离奇往往会超出推想的范畴，一件事情时常会扑朔迷离得使人无从猜测它的结局。这种事我经历得已多，并不算稀罕。此刻所记的一案，也就是一个显明的例证。

那是九月十三日的清早。新秋的早晨，空气清凉而舒爽，使人精神上感到一种爽豁舒畅的愉快。早餐完了之后，我和霍桑一块儿默默地坐在办公室中。书桌的一角，一枝新折的雁来红在一只铜瓶中嫣然弄姿。壁炉檐上的小瓷钟在嘀嗒嘀嗒地响。送报的已经把几份报纸送进来。霍桑并不披览，兀自靠着那张摩擦得光滑的藤椅，衔着纸烟缓缓地吸着。他的眼睛瞧着古铜瓶中的红叶，不过不像是在欣赏。我知道这几天他闲着没事，大概已有些耐不住。连日的报纸上又都是些混乱扰攘的新闻，更使人无聊。虽然如此，我仍将书桌上的报纸取了一份，借此消遣一会儿。我正翻开了专电栏，忽听得霍桑喃喃地说着：

"九点钟过三分了。"

我的眼光从报纸上端透出去，瞧见他双眉紧锁，脸上现着焦灼的神气。

我问道："你可是等什么人来？"

他点头道："是。汪银林昨夜里有电话来，说今天九点钟来见我。"

"有什么案子来请教你？"

"他虽没有说明，但我相信他'无事不登三宝殿'。"

"唔，这也怪不得你。这几天你——"

霍桑突然从藤椅上仰直了身子，一手从嘴里取下了烟尾，使我不由得住口。

他止住我："且住！外边有人来哩。"

我果真听得开门的声音，料想是汪银林来了。施桂传进一张名刺来。不是。我接过名片一瞧，片上印着"南京公学理化专科教员高亚子"。我觉得和我们这个人并不相识。霍桑只在那名片上一瞥，眼光早射向办公室的门口去。

来客已站在门口，是一个二十六七岁的西装少年。他穿一套白色柳条法兰绒的衣裤，圆角的短褂，阔大的裤脚，式样很入时。他足上的一双白麂皮靴子也是崭新的。但是他的蓝绸领带扣结得不整齐。他的草帽拿在手中，那本来抹着膏泽的头发也蓬乱不曾梳理。我瞧他的脸部，更显露着惊慌的神气。他的黑眉美目原很挺秀，这时面颊上却惨白无血；两眼张大，瞧人时双眼直视，并且眼眶上还泛出些黑色，分明是失眠的征象。

他从门口跨进了一步，一手执着草帽，一手插在外褂袋里，向霍桑微微地鞠躬。霍桑和我都立起来。

来客说："霍先生，我认得你。五年前你给我们学校里破过一件化学仪器被窃案，我曾看见过你。"

霍桑也鞠躬答礼道："对不起。我可不认识你了。你说的是旦华大学？"

来客点头道："正是。我就是在那一年毕业的。但是今天我来请教你的，比那件事还离奇得多。我……"

他插在衣袋中的一只手像要伸出来，却又疑迟不决。霍桑用锐利的眼光仍向对方瞧着。

他安静地问道："什么事呀？请你坐下来讲。"

高亚子似乎没有听得，仍站着说："霍先生，我不是贼；请你也不要把我当作疯子或幻术家看待。我虽然会变戏法，但这件事比戏法更奇怪，竟使我疑心在做梦！可是这实在不是梦，我有证物！……唉！这里也有一种证物呢！"

言语太突兀，使人摸不着头脑。我踏前一步。他似乎刚才瞧见了我，向我点一点头，便从我的手中将报纸拿过去。他翻到了本埠新闻，便指着给霍桑瞧。

他道："霍先生，请先瞧瞧这个。"

我瞧他所指的新闻，是一节关于旦华大学十周纪念会的记载。那新闻并无可异，只是照例记着些来客怎样众多，游艺怎样动人，此外又有几个名人演说等等。可是那末后一节竟吸引我的眼光。

那末节记着：

……如此盛会，有一点美中不足。传闻赵校长的女公子赵素馨女士失落了一条玛瑙项圈，价值不小，失落的情由也很奇秘。这件事当时没有发表，究竟如何尚不能深悉。本报有闻必录，姑且记着，留待后证。

霍桑看完了新闻，又看看那教员的脸，才指着这末后一节，开始发问。

他道："高先生，你可是为这件事来的？"

高亚子连连点头道："正是，正是。"

霍桑道："据报上的记载，这件事似乎还只是传闻，没有确定。你可是说这事是实在的？"

高亚子忙应道："是！实在的……实在的！"

他插在衣袋中的左手忽又瑟缩不宁，两只眼睛也灼灼地注视着霍桑。这个人的状态如此奇特，莫非当真有些疯？霍桑似乎也和我有同样的见解。他的眼睛瞧在那少年的脸上，他的右手在他的左肩上轻轻拍一下。

他婉声说："好，你坐定了讲。要不要喝一杯水定定神？"

霍桑就顺手把他推到一只沙发椅上。我连忙倒了一杯沙滤水，送到来客面前。他接过饮了两口。霍桑和我也归座。

霍桑说："高先生，现在你从头讲起，不必再这样子惊疑。如果有为难的地方，我们能力所及，一定给你尽力。请你不用怀疑或顾忌。"

这几句同情话显然已刺中了那人的心坎。他脸上的神色果然略略宁静些。略停一停，他便开始讲他的故事。

他道："好，我从头讲。我本在南京教书，这一次因着母校开纪念大会，特地赶回上海来。一班老同学们知道我会幻术，所以在昨晚的游艺中，都要我表演一下。我自然也义不容

辞地答应参加。当时宾主们都很快乐，想不到会有什么意外事
发生。到了十点钟光景，全体宾主摄好了一张镁光照片，方才
散会。我耽搁在东大旅社。我的两个老同学陪着我一同回去。
到了旅馆，彼此说笑了几句，他们就辞别回家——"

霍桑忽插口道："这两个同学是谁？"

高亚子道："一个叫陆荣芳，在中华通讯社里办事。还有
一个是荣芳的表弟，叫钱馥葆，在兴华制革厂里当技师。他们
俩是住在一起的。"

"住在一起？在哪里？"

"长浜路兰馨坊十八号。"

霍桑点一点头："好。请说下去。"

高亚子继续道："现在要说到奇怪事情了。我送陆荣芳和
钱馥葆出去以后，叫茶房端一盆洗脸水进来，打算洗了脸再
睡。这时我把这一件外褂卸下来，忽觉得衣袋中有一种细碎的
摩擦声音。我暗暗地惊疑，伸手一摸，不禁大吃一惊。"

他顿住了，眼珠向我们俩乱转，面色也灰白了。霍桑仍稳
定地发问：

"你的衣袋中有一条项圈？是不是？"

"是！一条玛瑙项圈！"

"是一条真玛瑙的项圈？"

"是的！"

"你看清楚？"

"当然。那粒粒的金星还在电灯光中灿灼耀目！……唉，
霍先生，那时候我真像进了梦境！可是那绝不是梦！我实在不
知道这东西怎样会进我的袋中。霍先生，你想奇怪不奇怪？"

这故事使我回想起好几年前霍桑也曾经历一件类似的案

子，我记述过一篇《幻术家的暗示》。不过那章守丰的故事完全是出于脑海里的幻想。这个人莫非也有同样的情况？

霍桑仍一眼不眨地瞧在高亚子的脸上，问道："那么这条项圈呢？"

高亚子不再犹豫，那只进门时就插在衣袋中的左手突地拔出来，拿出一个白巾小包。

他答道："在这里！"

他且说且把手巾包打开。我们三个人的眼睛同时都瞧在这个包上。他既然有实质的项圈，显见已不是凭空的幻想。我刚才的料想明明已不能成立。手巾包打开以后，另有一张报纸裹着。等到报纸也给打开了，有一种黄色的东西投入我的眼帘。

我不禁失声道："这是一条金表链啊！"

霍桑霍地立起来，早把那链子取在手中。

他说："不是。是铜的！高先生，你说的玛瑙项圈在哪里呀？"

来踪去迹

高亚子慌了——也许近乎疯了！他右手中的草帽早已落在地上，他的两只空手在发抖，脸上也满现着惊骇。他的眼睛张得像胡桃般大，额角上缀满了汗珠，嘴也开着，尽塞得下一个浑圆的汤团！

他作惊怪声道："怪事！……怪事！……唉，怎么会变成这个东西？"

霍桑笑嘻嘻地说："高先生，你是擅长幻术的，是不是想显显手法给我们瞧？"

霍桑的声音状态告诉我他的话不是调笑，是想调剂一下气氛，震慑对方的过度惊异的神经。但是高亚子仍认真地竭力声辩：

"霍先生，不，不！你别误会。我绝不是和你开玩笑。这件事委实太奇怪。我明明亲手将玛瑙项圈包好，不知怎样，竟会变作了这条铜表链！"他显得非常着急，忽而抓头，忽而摸耳，却总想不出答案。

霍桑重新坐下，沉吟了一下，才说："是，的确很奇怪。你说的那条项圈，来由既然暗昧不明，现在忽又这样子变化，太不可思议。现在你定一定神，答复我几个问题。你说那项圈是你亲手包好的，你在什么时候包的？"

高亚子道："昨天晚上。"

"包了以后放在哪里？"

"当时我看见了这重价的东西，心中惊疑不定，既不知它怎样会在我的袋中，又不知是谁的东西。昨晚上我看见素馨的颈项间戴着一条美丽的玛瑙项圈，但在拍照以后，伊的项圈似乎便不见了。不过我还不能确定我袋里发现的东西是不是伊的。假使果真是素馨的东西，怎么会进我的袋中，我也猜想不出。那时候已晚，我不便再出去，就定意等到今天早晨，再打破这个疑团。故而我当时把项圈包好了，藏在我的枕头底下。"

"你藏项圈时，可曾被什么人瞧见？"

"没有。我发现这东西的时候，荣芳和馥葆已经走了。后来一个麻脸茶房送面水进来，我特地把这东西藏起；等他出去以后，我关上了房门，才把那项圈包好藏匿。"

"之后可有什么人来过？"

"没有。之后我锁了门就睡，没有任何人进来。"

"今天清早怎么样？"

"昨夜我因着翻来覆去地睡不着，今天起得很早。我起身以后，又把这包打开，项圈还在里面。我寻思怎样处置才算万全，却到底想不出什么方法。一会儿，晨报来了，我展开来一瞧，看见了这一节新闻，才知我昨夜的推想果真不错。这项圈果真是赵素馨的。我觉得尴尬了。怎么办？不瞒先生们说，从前我和素馨的交情本来很密切，不过因着齐大非偶，我还不敢闯进恋爱的圈子。此刻伊既已和别的人订了婚，不久就要结婚，我当然不能再和伊怎样接近。

"我自己寻思：我能将项圈直接还给伊吗？但这东西是伊失窃的。若使伊问我怎样得到，我又如何回答？我和伊以前既有过一重小小的交情，说话行动更不能不有些忌避。我想来想去，没有妥当的方法，后来才定意到你这里来请教。所以梳洗完毕，我吃了些早餐，就带了这东西到这里来。谁知道这东西竟又变换！"

情由显明了。我也不能不承认事情太觉离奇，除非这个人真是故意来开我们的玩笑，可是我相信绝不致如此。来客说完了，仍用惶惑的眼睛注视着霍桑。

霍桑沉着地说："今天早晨可有人进过你的卧室去？"

高亚子疑迟道："除了那麻子茶房和一个卖报人以外，没有别的人进出过。"

霍桑瞧着他的脸，逼问道："你应得实说，究竟有没有别的人？"

高亚子偻着身子，把落在地上的草帽取了起来，又顿了一顿，方才答话。

他说："是……有一个朋友来过。不过那时候我已经走出卧室，这手巾包也早已放在袋里。"

霍桑道："我想这个朋友大概是个女性吧？"

高亚子又吞吞吐吐地答道："是……是的。但这回事和伊绝对没有关系。我因着心事重重，和伊没有谈几句话便分手。接着我就乘电车到——"他的眼睛又张大："唉！我记起来了！电车中挤得很紧。我袋里的东西谅必就在那时候被什么剪辔的调换的。"他拿起那块白巾来细瞧，眉毛又蹙紧了："真奇怪！这手巾还像是我自己的！"

霍桑皱皱眉，微笑说："奇怪的事真是太多了！这个剪辔贼既已偷窃到手，却还给你换一条表链，又用你自己的手巾给你包好，真是再道地没有！"他停一停："慢。今天早晨来看你的这个女朋友是谁？"

"伊……伊是陆荣芳的妹妹，陆芝英。"

"你是向来和伊认识的？"

"是，我在旦华读书时，就和伊相识，之后也时常通信。但这件和事伊一定没有关系。"

"我原没有说伊和这件事有关，你何必发急？伊今天来看你有什么事？"

"没有……没有什么。伊只是随便来瞧瞧我。我已经说过，我们并没有多谈。"

"那么昨夜纪念会伊可也在场？"

"是，伊跟着伊的哥哥荣芳一块儿去的。还有伊的同学戈秀爱也在。戈小姐是擅长舞蹈的，在交际场中很有些声誉。昨夜伊也表演过一次。可是这些事都不关本题。我要请教你的，就是这东西怎样会到我的袋里？现在又到哪里去了？这两个疑团真会叫我发疯！霍先生，你想你能不能够解决？"

问题果真太幻秘，说得夸张些，简直近于神话。我承认我虽也绞过一会儿脑汁，可是也想不出一个合理的解释。霍桑既然毫无依据，又没有超自然的本领，怎么能够看得透？他把那久息的纸烟重新燃着了，低垂了目光，分明在那里思索。

一会儿他扬起头来："你这问题确实是很离奇复杂的。解决的方法必须分别来踪和去迹，可是也很困难。现在我们姑且先就所知的事实，把关于项圈怎样会到你的袋中的问题推想一下。好不好？"

"唉，好极！"

"这里面好像有一个或两个人，瞧见了那重价的玛瑙项圈，忽然起了盗念。那人趁着拍镁光照的当儿，或是另有别的机会，便把那东西取到了手。但这人怕事情会立时被发觉，不易脱身，故而想利用一个人给他藏赃。因此那人就把东西又悄悄地放在你的袋中，以备万一被发觉，有什么搜查的举动，窃项圈的人仍可以安然脱身。"

"但是当时并没有被发觉，更没有搜查的事啊。"

"我知道的。但窃项圈的人却不能不先自预防。"

"虽然，假使你的见解不错，那人只想暂时利用我，事后应当向我索回。怎么那人会让我带到旅馆中去？"

"现在那项圈不是已不在你的手中了吗？在你回旅馆以前索回，和在你到了旅馆以后动手，又有什么分别？"

"那么你可是说此刻项圈再度不见，就是被先前窃项圈的人取去的吗？"

"唔，也许……唔，大概如此，不过直接间接还难说。"

"这个人是谁？"

"唔——我不知道。"

霍桑又把头低下去，皱着眉峰，努力吸烟，好似这里面还有难解之点，他的推想也不能贯通。我觉得就是他所假定的也近乎空泛。我旁听了好久，这时禁不住开口。

我说："我也有一个见解。这个人把项圈放在你的袋中，也许是出于误会的。那人或者有一个同党，模样很像你。那人得项圈以后，也许因着一时慌乱，把你误认作同党，便悄悄地把赃物塞在你的袋中。你可记得昨夜里有没有和你同样打扮的人？"

高亚子寻思道："唔，有的。我记得有一个人也穿着同样的柳条法兰绒西装。唔，个子也跟我一样高！"

霍桑忽从嘴里取出了烟尾，顺手丢在灰盆中，点头道："这推理也可能。如果如此，那倒容易破获。"

高亚子高兴地说："唉，但愿如此！霍先生，请问你有什么方法？"

霍桑想了一想，答道："要是包朗兄的推理不错，最简便的方法就是按图索骥。你们不是拍过一张全体照吗？我们但须从照片上找寻那个穿柳条衣服的人。对方假使果真趁着拍照的机会行窃，那么这动手的人站立的位置，也势必和赵素馨相近；我们也许可以连带地找出这个人来。"

高亚子道："唉，这方法真好。不过那人既然蓄意要做行窃的勾当，未必肯把真相在照片中显露清楚。如果如此，那不免又为难了。"

霍桑道："这个别过虑。你姑且把照相馆的名称告诉我们。"

高亚子道："那是南京路的心印照相馆。"

霍桑点了点头："好，现在你回去。这条铜表链姑且留在我这里。我少停还要到你的旅馆里去一次。假使今天有什么人来看你，你得留心防备着。最好你今天不要出外。"

高亚子应道："好。不过你打算从哪方面进行？你要追寻这项圈的来踪？还是探究它的去迹？"

霍桑道："我们打算两头并进。现在你赶紧回旅馆去，别的事再谈。"

高亚子去后，霍桑开始整理他身上的衣服。他的眉尖蹙紧着。

他向我道："包朗，这回事太蹊跷，我委实把握不定。现在姑且试一试，我们各走一条路——你去侦查项圈的来由，我去探求它的去路。"

我道："你想我应得从哪一条路着手？"

霍桑寻思道："我瞧那项圈的来由，除非超出了想象的范畴，大概不出我们先前所料的两种可能。因为除此以外，虽不能说没有第三种，就是素馨自己把这项圈放在高亚子的袋中。不过素馨已经和另一人订婚，若是开玩笑，也不会延搁到这许多时候，未免不近情理。所以根据你我所料想的，那窃项圈的人无论暂时利用亚子移赃，或出于误会，事后势必要向他追回的。现在项圈虽已得而复失，但是瞧情势，不像就是行窃的人直接拿去的。这里面也许另有第三个人。所以你姑且到心印照相馆去探听一下，是否已有人去要求看照相的底片，那人若果真因误会而把项圈放在高亚子的袋中，势必也要从照片上找他的踪迹。"

我同意说："不错，这是一条线路。如果我找到这个人，决不放过他。"

霍桑点点头："你先走吧，我也要往旅馆里去走一趟，再打算去看看那陆荣芳和钱馥葆。"

我整一整领带，取了草帽先自出门。我临行时听得电话铃响，霍桑走进电话室中去接谈。从他第一句的招呼，我得知是警察总署的侦探长汪银林来电。

我到了南京路心印照相馆里，向一个职员接洽，请求瞧瞧那旦华大学纪念照片的底片。不料那底片还没有洗出。我问他曾否已有别的人来瞧过。据他说已经有两个人来问过：一个是穿白法兰绒的西装少年男子，另一个是漂亮的少女。他们都说是昨夜纪念会中的来宾，但因着底片没有洗出，都有些失望。当时馆中的职员告诉他们，底片在午后可以洗晒，故而那两个人说不定下半天要再去瞧。

我们的设想会不会已成事实？这两个人不会就是案中的关系人吗？如果这样，这一条线路已经有些眉目，我得赶紧回去和霍桑商量一下，派一个人到这里来悄悄地守伺。

离开了照相馆，我一直回寓。霍桑还没有回来。我坐下来等他，烧着了一支烟，又做一番小小的推想。现在项圈的来由，已经有了几分把握，但后来的变换，还不知道是什么人干的。霍桑正在向这一方面进行，但愿他也有些头绪。我等了约莫一刻钟工夫，仍不见霍桑回来，心中有些不耐。幸亏照相馆里的底片必须下午才可洗出，眼前还不必着急。

转　变

我烧完了第三支烟，忽听得前门上铃声大震，接着有一个人跟跄地奔进来，是先前来过的高亚子。他的状态非常奇怪，脸色通红，口眼大张，额角和鼻尖上缀满了汗。

他满口嚷道："霍先生呢？……霍先生在哪里？"

我答道："他到你的旅馆里去找项圈的下落了。你没有看见他？"

"没有。我此刻正从旅馆里来啊！……包先生，你……你可有法子跟霍先生接洽一声？"

"接洽什么？"

"我……我叫他不要再费心了！"他的呼吸很急促，一边用一块白巾在他的脸上乱抹。

我暗暗地惊异，问道："什么意思？"

"我请他不要再找寻那项圈了！"

"为什么？可是你自己找到了？"

"不是。"

"那么那项圈实际上没有遗失？"

"也不是。项圈果真是失去的，此刻也没有找回，不过实在没有找回来的价值。"

"奇怪！究竟什么意思？"

"那是一条假玛瑙项圈，并不值什么钱！"

奇怪！事情会有这样的转变！我忽觉脸上一阵子热灼，但还看不透这回事的内幕。

我庄容问道："高先生，你当真来和我们开玩笑？"

高亚子竭力辩道："不是，包先生，不是。我怎敢如此？我是受了人家的玩笑！包先生，我一百个对不起你们！在半个钟头前，我接到这封信。现在你姑且瞧一瞧，就可以完全明白。"

他拿出一封装在淡蓝色信封内的信来。我接过抽出来一瞧，信是用紫色墨水的钢笔写的，字迹细弱娟秀，像是女子的手笔。

那信道：

亚哥伟鉴：

　　我知道你此刻认假作真，有些心慌意乱吧？现在请你定定神，不必再为着那条不值钱的玻璃项圈惊惶奔走了！

　　我告诉你，昨夜纪念会中，我的表兄馥葆看见你双目灼灼地瞧着素馨，似乎你很注意伊的头颈上的那条玛瑙项圈。他觉得你的样子太惹目了，才打算和你开一下玩笑。他特地出去买了一条假的，悄悄地塞在你的袋中。后来他陪你一同回旅馆，你到底没有发觉，他就再进一步地捉弄你。你知道家兄担任着几家报馆的通信。馥葆在家兄寄新闻稿子的时候，竟私下添注了一节失物的新闻。直到今天早晨，馥葆才和家兄说明。家兄虽责斥他不应如此恶作剧，因为这一来会影响他的职务，可是除了等明天更正以外，已没法挽回。馥葆说你平日善变戏法，喜欢作弄人，所以也跟你玩一玩，瞧瞧你的眼力究竟怎么样。

　　我知道了这回事，今天早晨特地赶来看你。不料你正匆匆出外，不容我开口。我跟着你同走，瞧你到哪里去。你果然认真起来，去请教大侦探霍桑了！因此，我不待表兄的同意，先把这个疑团给你打破了。不过你也不必怨人。你昨晚上的行径确实有些不是，莫怪馥葆要看不过去。如果我说一句"自作自受"，你总也不能抵赖吧？

　　　　　　　　　　　　　　　　　陆芝英上　九月十三日

　　果然，这封信揭露了一个谜，可是同时引起了我的羞愧。我仰起头来，瞧见高亚子的脸忽红忽白，似乎有些忸怩不安。

其实那时候我若是照一照镜子，我的面部表情谅必也和他相仿佛。因为这件事他直接受了人家的戏弄，我和霍桑却做了间接的傀儡！霍桑此刻还在外面白白地奔走，若被人家知道了，岂不要闹出笑话？

高亚子又道："包先生，现在你总明白了。这件事馥葆如此恶作剧，我少不得要向他算账。只是破费了你们两位的光阴，我着实过意不去。"他取出一个信封，里面分明藏着一沓钞票："这是我的微意，请你收下了吧。"

我又尴尬起来——接收了吧，似乎受之有愧；拒绝了吧，觉得空忙了一回，太不值得。我又不知道霍桑对于这注报酬的意见怎样。高亚子已恭恭敬敬地把信封送到我的面前。我的手却伸不出来，一时真不知所措。

"包朗，收了吧。这是我们服务应得的酬报，不必客气。"

说话的是霍桑。他走进来时，我和高亚子都不曾觉察。他叫我接受这注款子，谅必还不知道这里面的把戏。

我说："霍桑，你还不知道哩，我们只是白忙一回罢了。"

霍桑正色道："怎么说白忙？这位朋友所请求我们的，就是查明那条项圈的来踪去迹。此刻这两点都已有了成就，我们原应当拿酬报的啊。"

他把高亚子手中所执的信封接过了，顺手纳在袋中。但他的手从衣袋中抽出来时，已另换一种东西。那是一条黄色金星玛瑙的项圈。

他说："高先生，你遗失的东西在这里了。你留着做一个纪念吧。这东西也值好几块钱呢。"

诧异又充满了我的脑子。这项圈他从哪里取得的？他的口气又像已经知道这是条假项圈。他也明白了内幕中的情由了吗？高亚子接了那条项圈，却目定口张地说不出话。

霍桑继续道："高先生，回去吧。这件事总算不辱君命。但我有一句忠告。要是你是个宿命论的信徒，那我敢说你现在正交着厄运，以后的行动应得谨慎些。换一句说，你的恋爱路途上已经长了一株小小的荆棘。你得小心进行，才有到达终点的希望。"

高亚子的呆木神气消失了，连连点着头，好似一半领受霍桑的训话，一半又表示敬佩。我更加诧异了，霍桑在一刹那间，怎么竟已探明了这事的内幕。故而一等到高亚子别去以后，我便急不容缓地向霍桑询问。

我道："霍桑，这样一出把戏，我事前实在想象不出。你凭什么查明白的？你的智能竟有些不可思议！"

霍桑忽连连摇手："不是，不是智能！我这一次依凭的是机运！"

"机运？什么意思？"

霍桑忽慨喟地摇摇头："包朗，你总记得我常说人世间最神秘和最难解的就是这个'机运'。数学上的概率对这神秘的'机运'也不能给一个答案。举一个最浅显的例证吧。'叉麻雀'是我们东南一带家喻户晓的一种玩意儿。因着用金钱衡量输赢，它是一种废时、耗钱、伤和、损脑的赌博，但从它上面可以显示出机运的神秘性而无从否定它。譬如一只'老麻雀'会斗不过一个初出茅庐的生手。'老麻雀'殚精竭虑审己度敌地谋算，要是机运不照顾他，牌面尽管好，可一连几圈和不出一副。反之，一个不会谋算不顾利害的新手，却会连续地三翻五翻！这理由是什么？包朗，你除了归之于机运，还有别的解释吗？"

　　我默瞧着他，我的脸上也许有某种表情，我自己也不知道。因为我急于要知道的，是他探究这离奇迷惘而事前无从索解的疑案的过程，他却在发挥关于机运的议论，似乎和本题不相干。

　　他向我点点头，继续说：“是的，我的话是有关系的，我在给你辩证啊！你不是已经把我们探案的经历发表了不少吗？有一部分自以为抱着现实主义的读者，因着探案中有时牵涉到偶然性极强的机运，便认为实际上万无其事而指斥它是虚构的。其实机运尽管无从理解，但它是存在于我们实际生活间的。你不妨记录下来，做一种平心静气的答辩。因为我们一切事业成功的主因，固然是依靠我们的心智才能和努力，但有时候‘机运’忽然眷顾你，你的成功便会出乎意料地迅速。这一件事我幸而没有失败，也无非靠凑巧的机运罢了。”

　　我领会地点点头：“那么你遇到了怎样的机运？”

　　“我不是告诉你汪银林本约今天九点钟来看我的吗？他自然是为着另一件事来的，但当他如约到达我们的寓所时，忽见有一个少年女子尾随着一个少年男子，一块儿到这里。银林瞧伊的状态非常诡秘，自然引起了他的注意。这一男一女到了这里的门口，那男子按铃进来，女的忽退回去。银林越觉得伊可疑，便也跟着伊同去，一直跟到长浜路兰馨坊十八号。接着他就打电话通告我，以备我如果对于那来请教我的少年有什么疑点，这一点也可以做一种线索。他的电话就是在你出门时我接到的。”

　　“唉，真凑巧！”

　　“是。所谓凑巧，也就是机运的别名啊。我听了这个报告，觉得这女子确有注意的价值。我根据高亚子的话，知道这女子就是他到这里来以前去看他的陆芝英，而且地址也相同。因此我就改变路线，先到长浜路去。因为我本来也要去看看这陆钱二人。等到我见了陆芝英，伊也并不隐瞒，我才发觉了这把戏的秘幕。"

我恍然大悟，说："嗯，真是巧极，可是也险极！不然你也不免要走到错路上去了。"

"是。你想这举动会出于玩笑，而且高亚子又糊涂得真假不分，说定是一条真玛瑙项圈，我们怎么能料想得到？"

我想一想，点头道："是，焦点果真在他说得太确定。我看他的眼睛也给恋爱的翳障蒙住了。"

霍桑的嘴角牵一牵："对。我看这种恶作剧的玩笑也有些原因。"

"是酸素^①作用？"

"当然。我瞧亚子和芝英间的关系，内中却夹着这一个钱馥葆，他的前途真未免有些危险。"

我想到了项圈的变换问题，又问："那么那条假玛瑙项圈怎样给换掉的？你又怎样追回来的？"

"这一点原没有困难，我早料到变化发生在旅馆中。因为这东西到了亚子手中以后，既没有别的人和他接近，只有旅馆的茶房最可疑。所以我早就打算往旅馆里去查究。我从长浜路兰馨坊出来以后，又到东大旅社去，因着那条铜表链的引导，立即查出了是那个麻皮侍者，叫吴锡森。这人因着上夜里听了亚子在卧室中的惊呼声音，引动了他的好奇心。他曾从门上的锁孔中偷窥，看见亚子把这东西藏在枕底下，自然也以假作

---

① 酸素，氧元素的旧称。

真，认作是重价的东西。到了今天清早，这吴锡森忽然产生了盗念，就趁亚子洗脸的当儿，私下用他的一条铜表链调换了。"

秘幕一经揭晓，疑问就不成其为疑问。不过有一点我还不明白。

我说："奇怪！他偷了东西，怎么还调换一条铜表链在里面？"

霍桑答道："这也不是没有理由的。这麻子很细心，卸责的计划也就特别周密。他所以要用一条表链，就防亚子会在未离旅馆时马上发觉。但是这麻皮把假项圈弄到手以后，眼光倒比亚子清楚，立即瞧出是假的，可是一时他又不知怎样挽回。所以等我去时，没有三五句话，他便慌得和盘托出。现在这件小事我已交给汪银林去办，铜表链也交给他了。"

故事结束了，一切疑窦都已给正确的事实填充了，便使人觉得这把戏也平淡无奇。但在结束之前，它的迷离扑朔，仿佛给一层厚幕掩蔽着，谁又看得透它的幕后？

霍桑说完了，拿起一把扇子，又向我道："包朗，你快叫苏妈备饭。午饭过后，汪银林将有一件惊奇的案子来报告我们。你准备着收获好资料吧。"

那天午后汪银林带来的案子果真很奇怪动人，但是不在本篇范围之内。这一件小小的疑案还有一个尾声，第二天报纸上的来函栏中，旦华校长赵学源登着一段更正的启事，声明他的女儿素馨失窃项圈的事出于误传，完全没有这一回事。

魔　力

请帖与电话

这案子发生在一个我还没有和霍桑分居的夏天。

正午时分，像火一般热的太阳满照在街心。那一条黄澄澄的砂石马路，给熏炙得如同烙铁一般。黄包车夫们赤着双足，在烈日中挣扎卖命。他们的足底上虽然起了厚茧，但神经的感觉似乎比较迟钝一些，但是究竟不会完全麻木。瞧他们的脚在烙铁般的路上拼命地起落交换，不敢稍稍停顿，就可以想象到他们的脚如果起换得迟些，也许就要忍不住地面上热灼的痛炙。但他们的足换得越快，他们背上的汗珠也越见得粗大，也越容易滚泻下来！

那天我的车子停在爱文路七十七号寓所门前的时候，手表上已指着十一点三十四分。我走下车子来，看见了车夫那种喘息咻咻的状态，心中引起一种莫名其妙的感想。接着，我摸出两个银币，向他的手中一塞，便掉头走进我们的寓所。我委实再不忍瞧见车夫的那种状态。

"什么时候机械的交通工具会普遍地替代这种不人道的人力交通工具呢？"这是时常在我脑子里活跃的思考。

我走进了门，去了草帽，又卸下了那件糙米色纱布的外褂。我觉得我的那件白纺绸衬衫，背上也被汗粘住了一块。我随即一并脱下了，叫施桂打水洗面。

我问施桂道："霍先生回来了没有？"

施桂道："没有。他不是和你一块儿出去的吗？"

我应道："是的。但是我们虽然同出，并不同道。"

那天早晨我到城中心去访问我的同学。霍桑却往自新医院去看他的老友何乃时医生，顺便去瞧瞧他的落成了不久的疯人院，但他并不曾说不回来午膳。此刻午时已近，我不知道他怎么还不回来。

我又问道："他可有电话来？"

施桂摇头道："也没有。"

施桂走向书桌边去，我也坐下来。霍桑每次出外，大半总说明什么时候回寓，以免进餐时彼此等待。今天他既没有预先说明，到了临膳的时候仍不见他的影踪，略略使我有些惶恐。莫非他已遇到什么意外事故，因而不能分身？施桂重新走到我的座旁，手中拿着一个浅红色的信封。

我问道："有信吗？"

施桂道："不是。像是一个请帖。"

我接过一看，封面上写着"霍桑包朗先生"字样，拆开来果真是两张粉红色的西式请帖。

那帖上印着几行金字：

国历七月二十四日下午二时假座银河路也似园举行结婚典礼　恭请观礼

王汉景　戚佩芝

鞠　躬

我读了那张请帖，一时记不起我和这姓王和姓戚的有什么交谊。霍桑也不曾说过近日有什么朋友要结婚。那么这张请帖是谁给我们的？那寄帖的人有没有用意？莫非因着我们俩的虚名，社会上知道我们的人不少，因此便有人想要向我们"打抽丰"？或是有人慕我们的虚名，想借此机缘来和我们缔交？不，这两种推想我都觉得不很近情。末后，我假定有什么人间接或直接受过我们好处，此刻追念旧谊，所以发一张请帖给我们，表示不忘。我们的经历既多，接触的人为数不少，我当然也记不得许多。

我问道："施桂，这请帖什么时候来的？"

施桂道："你们出去以后，约在九点半钟，有一个小童专程送来。"

"可曾说什么话？"

"他说：'我家小姐说的，一定要请先生们光降。'此外没有别的话。"施桂斜着眼梢，暗暗地向我的脸上瞥了一瞥。

奇怪，请帖是一个小姐给我们的！这小姐是谁？会不会就是今天结婚的戚佩芝？或是另有别的小姐？但是我和女子们的交际很少，更想不起有姓戚的女朋友。霍桑的交识，我也大半知道，我不曾听得他新近结交过什么腻友。这一位小姐到底是谁？这一个小小的谜团，一时也不容易猜度。我便立起身来，把帖子向书桌上一丢。

我说："施桂，你去叫苏妈预备饭吧。快十一点三刻了，霍先生不见得会回来吃午饭。我肚子很饿，不等他哩。"

施桂答应着走出去，但他出门口时，他的眼梢似乎仍在窥察我的心思。

我又推想到霍桑所以不归的原因。莫非他就是往那结婚人家去的？或者他早知道今天也似园中的婚礼，但为了某种关系，隐瞒着我，便一个人悄悄地去？……不，不是。观礼是冠冕堂皇的事，他为什么要保密？既然要保密，请帖上为什么又写着我们两个人的名字？大概他所以不归，不过偶然巧合，和请帖绝对没有关系。我如果继续猜想，未免要被他说我神经过敏了。

苏妈进来报告，饭已备好。我一个人就进餐室里去大嚼。进食时寂寞无伴，我又乘间解决这请帖的疑问。

这不知谁何的小姐既然特地来请我们，我们去不去呢？霍桑是最怕无聊的应酬的；况且他此刻还没回来，两点钟就要行礼，当然来不及去了。我呢，在这炎热的天气，实在也懒得动作。结婚的人因着恋爱热度的高升，等不到秋凉，急急在这暑期中成婚，那还有可说。我却非亲非友，又何必冒着盛暑，赶到城中心去观礼？我的主意定了，就把请帖问题抛开，认为无关紧要。

我正在进第二碗饭，忽闻电话机上铃声大震。大概是霍桑的回话吧，我便放了饭碗去接。不料电话中是一个女子的声音，语声急促而尖锐，似乎有什么非常的事情。

那女子问道："你是霍桑先生？"

我含糊应道："是。你哪里？"

"霍先生，你可能为了一个女子的性命和名誉破工夫走一趟？"

我怔了一怔："唔，你有什么事？能不能说得明白些？"

伊答道："电话中不方便，请你原谅！你如果不怕危险，肯帮助一个女子，请你答应我的请求。我已经打发汽车来接你，见面后你自然可以明白。"

我迟疑着不答。我应怎样回答呀？电话中又发出悲切恳挚的声音。

伊催促道："霍先生，你能应许我吗？"

我默揣伊的意思，似乎事情非常急迫。霍桑既不在寓，一时又不知往哪里去找，我不如权且应允了再说。

我答道："好，我应许你。你住在哪里？姓什么？"

伊忙道："唉！霍先生，我很感激！我想汽车马上可以到尊寓了。请你立即动身。事情已十二分危急，别的话见面后谈吧。"

伊的语声沉寂了。嗒的一声，电话也断了。我重新回到餐室门口，还没进去，忽见施桂已拿着一封信走进来。

他报告道："这信要回音的。外面还有一部汽车等着。"

我接了拆开来一看，只寥寥两行，没有署名。

那信道：

霍桑包朗先生大鉴：

请发些慈悲，救救一个在危险中的女子！汽车候在门前，请你们立即命驾。

摩登女子

我接连受了两次刺激，神经上兴奋起来，便也按捺不定。我本想吃完了饭走，但这时脑室中充满了一个女子求救的呼声，要吃也吃不下去。于是我慌忙走到楼上，换了一身灰色羽毛纱的学生装，头上戴一顶国产的硬胎草帽，又把手枪藏在裤袋里面，以备万一。因为我听那女子的口气，这件事似乎性命交关，不能不防。下楼后，我向施桂说了一声，一直走出门去，果然看见一部福特牌的黑色汽车等在侧径下面。汽车的号数是一八九九，白地儿黑字。车上的皮篷下着，车中坐着一个车夫，约莫有二十岁。他一见我走下石阶，便回身开了车门。我一步跨了上去，自己将车门关好，车便立即开驶。我回头一看，施桂还立在门前石阶上遥遥目送。

这样离奇的事情，我生平经历的还不算多。从前在南京时，我也曾坐过一次不知去向的车子，竟被断指团人所赚，关进黑室里去。这一次大概不会再重蹈覆辙吧？这件事既是有一个女子被难，究竟是什么性质，伊的举动为什么如此诡秘，也使人不能不疑。我想问问车夫到底往哪里去，但问了如果他不答，反讨没趣。无论如何，上海究不比别处。我身上既有手枪，环境我也熟悉，万一有什么意外，随地可以得警士的助力，所以我便放心不疑。

汽车驶出了爱文路，向南穿过光德路，到了静安寺路，便一直向东。我暗想汽车既往闹市中进行，绝不致有什么危险，就绝不疑及被赚。我又悬揣那女子所说的危险究竟是怎么一回事。是失窃的事？不会。失窃不致危及性命。或是有仇人寻怨，伊无法对付，所以向我们求救？但这仇人又是什么样人？是男子，还是女子？我一个人去，抵敌得住吗？其实此刻霍桑既不在寓中，时机又十二分急迫，势不能够耽搁延待，除了我一个人去冒一冒险，再也没有别的办法。

汽车已驶进了民国路，一直向南。汽车一路破风而行，虽当中午，我倒也不觉得炎热。等到将近尚文路时，汽车骤然停止。我正探头出去，瞧瞧到了什么所在，陡见一个装束入时的摩登女子走近车厢的前面。

那女子的年纪不出二十五，身材不大高，穿一件淡绯色滚紫色花边的蝉翼纱颁衫，袒着一双玉臂，未袒部分和胸口微微突起的双峰，隐约地显示出伊的肌肉的丰腴；下面露出一双浅乳白色的丝袜和高跟的白鹿皮短筒皮鞋，鞋面上还缀着一朵钻花。伊的手中拿着一只紫红皮的小手袋。伊的面貌很艳丽，一双美目，两条细眉，细鼻下面配着一张樱红的小口，白雪似的颈项上围了一条晶莹圆润的珠圈，益发显得富丽娇媚。

伊这副姿态只在我的眼球上映了一映，原不过一眨眼工夫。我知道伊来迎接我了，便立起来开了车门，预备下车。可是那女子向我点了一点头，不但不让我下车，反而拽着颁衫，跨上踏板，也走进车厢中来！

局势近乎尴尬，我有些发窘，但也只得重新归座。那女子也就在我的旁座上坐下。接着伊低低地说了一声"开吧"，那汽车便继续进行。一阵激烈的香气直扑我鼻观，"中人欲醉"的形容丝毫不曾夸张。我的耳朵接受一串莺啭般的语声。这是一种新的经验，我觉得心意缭乱，很不自在！

那女子回面问道："霍先生，你能应许我的请求，我很感激你！"

唔，打电话的就是伊。但瞧这样打扮的一个漂亮女子，哪里像有什么性命危险？我偷眼向伊细细一瞧，伊那秀媚的眼波中果然含着些惊怖的意味。

我答道："方才接电话应许你的果然是我，但我并不是霍桑。我因为你的说话非常恳切，所以权且代替他应允你。"

伊微微一怔，伊的身子似乎也退缩了些。伊用乌黑的双眸向我瞅了一瞅。这一瞅之中似乎含着"那么你是谁"的暗示。

我又说："我是包朗，是霍桑的好朋友。有时候他逢到机密疑难的事情，我也常常帮助他。"

那女子微微笑了一笑，接口道："唉，包先生，我也闻名好久了。我知道你是一个有血性的男子，对于女权的保障最肯尽力。刚才你一听得一个素不相识的女子的呼救，便肯不顾危险地赶来，足见你是最热诚、最勇敢的！"

这奖誉是意外的。我虽不敢向伊平视，但觉得伊的娇媚的目光凝注在我的面部。香气又继续地侵袭我。浑淘淘？是！我决不赖。原因是我和一个陌生的女性这样子接近，生平还是第一次！我的面颊上热了一阵，一时不知如何是好。可是我终于找出了一个问句：

"请教贵姓？"

"包先生，请原谅，我不能将姓名告诉你。"

"那么，你有怎样危险的事？"

"这不是我本身的事。我是替朋友请求的。"

"贵友是谁？"

"伊姓戚，叫佩芝。"

"不是今天下午要在也似园结婚的戚佩芝？"我突地记起了那张莫名其妙的请帖。

女子点点头："是。包先生，你已经接到了伊的请帖？"

"是。可是我不认识伊。"

"是的。包先生，我告诉你，伊在这两个钟头中，说不定会有性命的危险。"

"唔？"

"现在只有靠你的大力，也许可以使伊转危为安。要不然，伊今天的婚礼多分是行不成的！"

我疑惑地问道："那么，伊到底有什么样的危险？"

女子顿一顿，忽瞧着我道："包先生，你能应许我守秘密吗？因为这件事还关系一个女子的名誉。不论成功或失败，你断不能告诉人家。"

我忙道："那当然。你放心。如果有守秘密的必要，我一定不漏一个字。"

汽车继续地进行。我不曾注意进行的方向。伊又回过眼波来，瞧着我微微一笑；伊的肩部也微微地耸动了一下；伊的身子仿佛更靠近我些；伊的袒裸的玉臂紧贴在我的膀上；伊的细细的鼻息也在扇拂我的面颊。我的"不自在"的程度在加强，但我仍维持我的镇定力。

伊又说："多谢你！现在我可以告诉你这回事的真相。伊的危险就是有人要打算谋杀伊！"

"有这事？为什么不报告警察？"

"不行。警察的能力绝不能够解决这个困难。"

"先把那企图行凶的人拿住了，不行吗？"

"也不行。这件事非得请求你帮助不可！"

我略一沉吟，又道："既然如此，请你把内幕中的情由说一说。"

一段故事

那女子从手袋中拿出一块丝绒的白巾来，在嘴唇上按了一按。香气又加强进攻，我仍稳坐着等伊开口。

伊说道："佩芝在一年以前，认识了一个姓陈的少年。他们俩起初的交谊虽很密切，可是还没有到谈恋爱的地步。后来那姓陈的离开了上海，佩芝也别有所爱，和王汉景订了婚约。"

"侃侃而谈"，是当时我对伊的印象。伊的口才非常流利，说到恋爱婚约等名词时，也绝没有一毫寻常女子羞涩的态度。我料伊受过相当教育，一定也是一个交际界上的名花，在近时流行的所谓"摩登"程度上也已经相当成熟。否则伊和一个素不相识的男子并坐一车，怎么会有这样绝无顾忌的态度？

伊继续说："论情理，这件事本来和陈剑英绝不相干。因为恋爱自由，在今日谁也不能否认。包先生，你说是不是？"

"是。"

"佩芝既不曾和剑英有什么约，此刻伊和汉景订婚，当然是完全自由的。不料陈剑英一听得，忽来向佩芝要挟，要求三千元，不然他便要散播谣言，毁坏佩芝的名誉。包先生，你总也知道王汉景是大利银行行长王叔云的公子，在社会上很有面子。万一那不堪的谣言传到了他的耳朵里去，又有佩芝的相片作证，别说婚事会给破坏，就是佩芝一生的名誉不是也要断送了吗？"

"你说陈剑英的手里有你的朋友的一张相片？"

"正是。这照片起先本是佩芝送给他的。但朋友们既有交谊，送一张照片，有什么稀奇？陈剑英却想借此胁诈，作为他们俩有过关系的证据。你想可笑不可笑？不过在现在顽固的旧社会中，黑白不分，如果宣扬出去，却也有口难辩。包先生，你说是不是？"

"唔，你的朋友有过什么表示？"

"佩芝非常惊恐，特地和剑英商量，情愿出两千元，把那照片赎回来。他应允了。佩芝就设法借贷，凑满了两千，果真换了那照片回来。"

这时我觉得车身震颤得厉害。一阵热风，挟着许多沙泥扑

在我的脸上。我偶然向车窗外一望，地点比较荒僻，已到达沪
军营半淞园相近。

我插口问道："慢。我们此刻往哪里去？怎么一直向南？"

伊答道："我们不往哪里去，只因我们没有谈话的地方，
所以利用着这部汽车，可以细细地把情由告诉你。现在我们可
以回去了。"

那司机很灵敏，早已减缓了速率，将汽车掉过头来，向原
路驶回。

那女子又道："包先生，现在我应当把紧要的话说明白，
以便你挽救佩芝的性命。"

我点头道："好，你说下去。照片赎回来后又怎么样？"

"那陈剑英真是一个阴险的无赖。他拿到了两千元之后，
不但不知足，反而动了他的贪心。他再要求一千元，声言非凑
满他先时要求的数目不可。佩芝因着没处再借，并且照片也收
还了，便不理他。谁知陈剑英胁索不成，昨晚上来了一封恫
吓信，说当晚佩芝若不把一千元送去，今天他就要用手枪对
付——"

我插口道："这封恫吓信此刻可在你身上？"

伊又把那块香气醉人的丝巾扬一扬，在粉颈上轻轻地抹了
一抹，又摇了摇头。

伊道："没有。那信如果被什么人瞧见，太危险，所以佩
芝当时就把它烧掉了。"

我失望地说："可惜！否则这一封信就是胁索的铁证。他
如果有什么举动，将他捉住了，送交警察，他就不能够狡赖。"

女子摇摇头："我说过了，佩芝的意思，不愿意使这件事
落到警察们的手里去，怕的是张扬开来。"

"那么，他第二次胁索，贵友可又应允他？"

"没有。时间既然太短促，一时凑不足一千元，所以没有理他。可是昨天深夜，佩芝的卧房后面，忽然有砰的一声，显然是手枪。佩芝吓坏了，只怕今天婚期，要闹出什么乱子。伊没有办法，和我商量，只有请求先生们来参加婚礼，以免万一发生危险。"

"今天早晨，伊发给我们的请帖，就是这个意思？"

"是。但是到了十一点钟左右，佩芝又瞧见陈剑英在门前打探。他向一个老妈子问明了两点钟在也似园举行婚礼，便匆匆地走了。因此，佩芝更着急起来，料他在婚礼举行的时候，一定要有什么举动。故而伊叫我来恳求你，总要请你出一些力，保全伊的名誉和性命才好。"

我略一沉吟，把这件事的局势思索了一会儿，方才答话：

"你们希望我怎么样效力？"

"很简单。你但须往也似园去，看见了剑英，就设法把他看住，不让他有任何活动。等到婚礼完毕，新夫妇上了汽车，便不妨由他自由；你的责任也就终了了。我们一定要重重酬谢。"

"酬谢且不必谈。这种欺凌弱女的无赖，我们最痛恨。如果能够尽力，原是我们分内的事。但我见他之后，怎样对付他？要不要揭破他的阴谋，把他送到警署里去？还是——"

"不！不！这样子仍不免违反佩芝的意思。包先生，这决计使不得！你只需把他软禁住，不使他有什么动作，那就好了。"

"软禁的时间，是不是只要在行婚礼的时间？"

"正是。婚礼完毕了，料他不至于再有什么举动。即使他再来，佩芝也不妨向新郎说明真情，那就容易对付了。"

我又一度静默。汽车还在进行，因着速率迟缓，风透进车厢门里来得不多。我感到些闷热。

我说："既然如此，我就这么办，不过便宜了那个无赖。你告诉我，陈剑英的身材状貌怎么样？"

女子道："他是一个矮胖子，面形带方，鼻子特别高耸，皮色略黑，左颊上有一粒黑痣，很容易辨别。"

"他穿什么衣服？中装还是西装？"

"今天早晨，老妈子看见他穿一件宽大的细白夏布长衫，戴一顶巴拿马草帽。但有时候他也穿西装。"

"好。现在你可以去回复戚女士，让伊尽管安心。无论如何，我决不使那流氓实行他的无耻的阴谋。"

那女子又现出一丝媚笑，瞧着我道："包先生，多谢！你真是弱女子们的保障者！我们永远不会忘记你！"

伊的最后一句话是凑在我的耳朵边说的。那声浪钻刺我的耳膜，我的耳朵感到痒刺刺。我真有些受宠若惊，低垂了头，略略鞠了鞠躬。

伊又道："唉，这里是尚文路了，我得下车。包先生，你可直接往也似园去。再见。"

汽车停止了。那女子就盈盈地立起身来，走下车去，下车后又回眸向我笑一笑。

变　端

汽车重新行驶的时候，我的神志稍稍安宁些。我暗想这种胁索的勾当，我们也曾经历过一次。当时那个人真是个阴险的狠客，不但我对付不了，连霍桑也觉得有些棘手。这陈剑英谅来不致像那人一般地阴毒。他既然同样胁索，目的也只在金钱罢了，何致动用手枪？显见这只是借此恐吓懦弱的女子，绝不会演成事实。况且他既已得到了二千，为了一千的少数，反而行凶肇祸，世间断没有这样的愚人。再进一层，即便他还要行凶，可当众宣扬秘密的举动，谅他也不敢实施。因为这不但于他无益，万一破露，他已经到手的两千也许有呕出来的危险。不过女子们无论怎样老练，究竟受不起惊吓。我瞧那不知姓名的女子，社交的经验似乎很丰富，但一经那男子的玩弄，便也慌得手足无措。现在这件事落在我的手里，虽没有霍桑在场，料想起来，我一个人也还担当得住。

汽车在也似园门前停住，我就走下车来。园门外汽车马车停得不少。办婚事的仆役执事们也忙碌异常。加着许多看热闹的闲人，更是拥挤不堪。原来一点半钟已过，距离行礼的时间只有二十分钟，新郎新娘快要到了。

我进了园门，向一个招待员点了点头，便一直走到礼堂。礼堂中已经坐满了男男女女的来宾。我向宾客中寻觅那个拆白少年，但瞧来瞧去，不见那高鼻子的胖子。莫非那人只是虚声恫吓，实际上没有来？

我退出了礼堂，立在石阶上面，抬头一望，忽见对面假山顶上的一只亭子里面，站着一个少年。那人的身材果然矮胖，戴一副黑色眼镜，头上一顶巴拿马草帽，身上穿一件白夏布长衫，左手中执一根手杖，倒有六七分相像。不过我和假山中间还隔着一个荷池，我瞧不清他的鼻子是否高耸，和左颊上有没有痣。我就走下石阶，慢慢地从石桥走过去。等到走近，我抬头细瞧，那人果然有一个高鼻子，左颊上又有一粒显明的黑痣。他的身子靠在亭柱上，手杖却支在腰下，面色苍黑，眼光灼灼地从黑眼镜里透射出来，直望着对面的礼堂。他的外表凶狞可怖，果然像是来寻仇的。

这人就是陈剑英吧？大概不会错。和他攀谈几句，当然是一种应有的举措，但我怎样开口呢？正像一个小学生拿到了考题，一时无从落笔。继而一想，这件事当事人既然怕张扬而不愿决裂，我不如用反衬的笔法，做一篇反面文章，使他知难而退，不敢发作，我的责任也就可以告卸。

我一步步跨上假山的石级，将近亭子时，忽见那人直立了身体，眼睁睁地望着我，又把他的手杖用力挥一挥。怎么？他已经看透了我的来意吗？这一着是不是先声夺人，含着示威作用？但我估量他的年龄在二十二三，身材不比我高，我一个人能够对付；况且我学过几拳，裤袋中又藏着手枪，正不必怕他。我缓步走进了亭子，把草帽除下了，拿在手中扇汗，顺势向他点一点头。

我搭讪着说："热得厉害！这里倒还凉快些。"

其实假山上树木并不多，完全在骄阳的包围之中，并且受了荷池中水光的反射，热度很高。我这一句话的确是无聊的。那人的眼光从黑镜背后射出来，又向我仔细地打量一下。他也点一点头，却并不答话。第一个爆仗不响。但我并不失望。

我问道："对不起，你的手表几点钟了？"

他冲口答道："还有一刻。"

"嗯，离两点钟还有一刻？"

"是，一点四十五分。"他又瞧瞧我，"你来瞧结婚？"

"是。你也是？"

他只点点头。话线又中断了。他的眼光很忙碌，一会儿凝注在园门，一会儿又射到礼堂方面去。

我自言自语地说:"奇怪,来宾中间会夹杂许多侦探!"

那人突地旋转头来,显然很注意。

他反问道:"有侦探?"

"是。瞧,那边有好几个。"我随便向礼堂的人丛中指一指。

"你可知道因为什么?"他追问我。

我淡然地道:"我也不大明白。大概王家很有些势力,这里的巡官特别讨好,所以派几个侦探来防防意外。"

那人沉吟了一下,点点头:"唔,我想大约因为阔绰的女客们太多,特地来防防扒窃。"

"这也难说,说不定另有用意。"

"喔?你想有什么用意?"

"我听得昨晚上戚宅后面有人放枪,怕有什么无赖阴损作弄。今天的侦探也许就为防这一着。"

我从眼梢暗暗地偷瞧他。他的面色果然有些变异。他眨眨眼睛。他的右手下意识地在衣袋外面摸一摸,随即又定睛瞧着我。我瞥见他的衣袋中有一种突出的东西,仿佛是一支手枪。唉,事情倒不像玩!他真要动手?我又怎样阻止他?

一阵军乐声音突然传入我的耳鼓,跟着是一片喧闹呼喊的声音:

"新娘来了!……新娘来了!"

胖子一手执着手杖,一手撑直了腰,怒睁着黑眼,遥望着园门口的方向。他在瞭望那缓步进来的新娘。

我凭高下瞩,也瞧得清清楚楚。一会儿,笼在白纱中的新娘被拥扶着走近礼堂。我远望伊的装束姿态果然非常艳丽。旁边一个女傧相穿一件淡绯色薄纱顸衫,也打扮得花枝招展。这傧相不是别人,就是半小时前,那个和我在汽车上并肩密谈的不知姓名的女子。

那男子一看见，忽而高鼻子里哼了一声，双眉一皱，腰肢一挺，好像要走下假山的样子。唉，我未免太小看他了！那人不只是恐吓，简直要动手了！

我说："喂，礼堂中挤得很，倒不如站在这里，可以瞧得清楚些。"

那人道："我想到下面去走走。"他回身跨出亭子，向石桥走去。

这时新郎新娘已进了礼堂，正并肩站立着。司仪员已开始唱婚礼节目。钢琴也在悠扬地响起来。那黑胖子已踏到亭子的阶级上。我有些着急，突然发声喊他：

"喂，朋友，知趣些！走下去不会有便宜！"

那人果然停一停脚步，回头来向我瞧瞧：

"什么意思？"

"你自己总知道，何必问我？"

"我不懂你的话。"

那人回了一句，略一踌躇，继续跨下石级。我也离开亭子，步武他的后尘。

我高声呼喝："慢走！"

"为什么？"他只略略侧一侧脸，脚没有停。

"喂，你的衣袋中不是藏着违禁品吗？"

"笑话！"

他不但不停，竟放开脚步，连跳带奔地穿过了石桥，直向礼堂中奔过去。局势恶化了！似乎不能不决裂。我也急步追在他的后面。那时我和他相差六七步远。我才刚踏上石桥，他却已经跨上礼堂前的石阶，正在向人丛中竭力钻挤。我走过了石桥，还瞧得见他的背形。他正插在几个孩子的中间，还没有挤进去。

琴声又在响。宾客们不大守秩序，笑语喧器，闹得不堪。我奔了几步，也到了石阶下面，急忙伸出一只手，按在那人的肩膀上。不巧！我的手才刚触着他的夏布长衫，还没有把握得稳定，他已经滑进了人丛中去。

怎么办？追赶进去吗？但石阶上围观的男男女女和孩子们，排挤得密密层层，放进了一个人，却不容我第二人再挤进去。

"交换饰物！"

仓皇中我听得司仪人在高唱。唉，婚礼快完成了，或者可以平安无事吧？不料司仪人高唱的余音还没有消散，忽而——

砰！……砰！……

接着又有女子的惨呼声，观众们的骇乱声，司仪员的狂呼声，孩子们的哭喊声，组织成一片怕人的喧叫：

"新娘给打死了！……新娘给打死了！……"

唉！我失败了！

是的，我已慌了手足。第一次单身出马，竟会闯这样的大祸！我眼看那凶手行凶，竟没法阻止，岂不羞煞？亡羊补牢，我可再不能把凶人放走！我拼命地挤进去捕凶手。可是这时候观众已不像先前那样挤紧得像围墙一般，却像潮涌般地倒退出来。

砰！

又是一声枪响。观众们益发惊乱了，忽像墙坍壁陷般地分开两边，各自逃命。

我看见那个戴巴拿马草帽的凶手了。他高举着手枪，枪口上仰，大踱步从空隙处走出去。人尽管多，竟没一个人拦阻他！

我不顾危险，早已摸出手枪，向前赶上去。他回头看见我，忽把枪口垂下，望准我砰的一枪。我早防他如此，急忙把身子一蹲，枪弹便从我的肩头上飞过。那人趁我俯蹲的当儿，早从侧旁闪出去。我挺直身子追上去，一边举起手枪，打算瞄准他的腿发一枪。正在这时，一个穿白西装的人远远从园门口走进来。他放过了擦肩而过的凶手，向着我迎面奔来，举着他的右手，挥着一块白巾，显然在阻止我进行。大概是凶手的同党吧？

"包朗，停！"

我愣一愣，不知不觉地停了脚步。声音很熟悉。我定睛瞧时，这人就是我的朋友霍桑！

做梦吗？霍桑怎么会突然出现？他既然看见凶人，又为什么当面放过他，反而阻止我追赶，让他逃走？

"凶手逃走了！……凶手逃走了！"

园门前众声喧嚷。于是一阵嘈乱，大众都纷纷追出园门。霍桑也拉着我的手，一同拥到外面。园门外人头蠕蠕，车马纵横，闹得不亦乐乎。我听得吁吁的警笛声音，吹向北面去。警士们也在那里追赶凶手了。有几个警士举着警棍，竭力在人堆里乱喝。可是人多声杂，休想弹压得住。霍桑拉着我沿墙向南走去，到了一部停在后面的汽车面前，便开了车门推我上车。车夫便缓缓地发动机轮，向南行驶。

霍桑轻声道："包朗，你出险了。定定神，有话回去谈吧。"

另一段故事

我的惊惶的神经略略宁静些，我觉得我的额角颈项和胸背上汗液淋漓，就摸出白巾来在面部抹拭了一会儿。直到我们回寓之后，霍桑吃过了他的失时的午膳，彼此洗了一个澡，我方才向霍桑究问情由：

"霍桑，你怎么也会到也似园去？你为什么阻止我追赶凶手？"

"就为了你啊。现在我先问你，你怎么竟会单身去干这样冒险的事？"

我就从那女子打电话起始，直到被霍桑阻住为止，从头至尾地说了一遍。霍桑且听且把眼光盯在我的面上，等我说完，不禁哈哈地笑出声来：

"唉，女子的魔力真厉害！我听你的口气，你简直情愿替她们牺牲。怪不得你方才尽力追赶那凶手，连性命都不顾了！"

"什么意思？我所以不顾危险，为的是主持公道，保障被欺侮的女子。你怎么说魔力不魔力？"

霍桑反问我道："唔，你为主持公道？你可曾查明白这件事的真相究竟怎么样？你只凭着那女子的一面之词，便贸贸然从命，冒了暑热不算，还冒了生命的危险，盲目地乱干！这还不是受了伊的魔力所驱使吗？"

我呆了一呆，觉得耳朵发热，面颊上也有些热灼，一时很觉惭愧。

我迟疑道："难道那女子的话不完全实在，内中还有别的蹊跷不成？"

霍桑点点头："是啊。老实告诉你，那女子的话不但不完全实在，简直完全假造。其中的真相恰正是相反的。"

"真的？我竟遇见了一个女骗子？"

"差不多。"

"喔？我……我不相信。"

"事实如此，不由你不信。"

"那么到底怎么一回事？"

霍桑摸出了一支纸烟，擦火烧着了，靠着椅背，拿一把湘妃竹的折扇摇了几摇，才缓缓地解释：

"好！我讲一个故事给你听。

"有一个男子爱上了一个女子，要和伊订婚。但据那男子的父亲观察，他儿子和那所爱的女子有种种不相宜的理由，所以不赞成，并且劝他和那女子断绝来往。那儿子正被迷昏了心，不但不依，反而窃取了他母亲的饰物，备了一只钻石戒指，私下和那女子订了婚约。

"这件事发作以后，男子的父母认为这种不名誉事有玷家声，便把那儿子登报驱逐。你想，这样的后果，那男子的牺牲也不算小了，是不是？如果那女子和男子能够始终相爱，男子也有坚持的毅力，原也算不得什么。谁知那女子得到了那只价值八千元的订婚戒指，又知道伊的情人已被家庭驱逐，没有承袭产业的希望，就吞没了约指，赖掉了婚约，对他冷淡起来了！"

霍桑略略停顿，闭了眼睛，慢吞吞吐吸纸烟。我也取出一支纸烟吸着，并不插口。

霍桑继续道："那男子受了这个打击，正自走投无路。不料不多几个星期，他得到一个消息。那他所心爱的女子又和另外一个男子订婚了——这个另外的男子又是百万富翁的儿子！"

我静了一静，说："这倒是一件新闻。难道这新闻的发展就是今天的婚事？"

霍桑道："自然。你自己总也想象得出。"

"那么那女子就是戚佩芝；男子就是行凶的陈剑英吗？"

"你只猜中了一个，那男子还有些曲折。"

"内中还有第三个人？"

"是。那男子叫陈志英，是一个神经质的文弱人，大学还没有毕业。他受不住一再的挫折，竟发了疯；现在他还在疯人院里。刚才行凶的人是志英的弟弟剑英。他天天往医院里去慰问他的哥哥，竭力安慰他，声言要替他复仇。今天的把戏大概就是剑英实践他的报复主义。"

霍桑的故事又停顿了。他的脸色阴沉着，声调也带些凄婉。当然，这绝不是杜撰的故事。我开始后悔，不禁产生一种感慨。平时我相信比利时的克脱雷脱（A. Quetelet）所提出的"道德统计论"，根据统计的结果，作恶犯罪的男子约多于女子四倍。所以逢到男女间发生纠纷，我总以为无赖的男子多，往往会欺凌弱女，女子却总是天真纯洁，处于被压迫的地位。谁知金钱和虚荣的毒焰，竟也会把无瑕的白玉，熏染成鬼蜮恶魔！想起了真教人兴叹！

我说："这样说，那个戚佩芝是个变相的女拆白了。"

霍桑点头道："即使不是实缺，候补的资格总够得上！"

我叹一口气："唉，恋爱是多么神圣的东西，可是一夹杂金钱的毒质，竟能变得如此可怕，它的真假使人不容易测度。真危险啊！"

霍桑摇着扇子，也感喟地说："我们眼前的教育完全是杂拼零凑的舶来品，丧失了民族的中心思想，结果便形成一切商品化。在这样的环境中，安琪儿会变作母夜叉，恋爱当然也不能例外地不变质！"

我深深地吁嗟着。

霍桑又道："包朗，你得知道，这种变了质的女子是很可怕的，面具还是安琪儿，心肠却是母夜叉。别的莫说，但看你今天受了愚弄，始终没有觉悟，可见伊的蛊惑的魔力着实不容易抵挡。"

蛊惑？是，我的回想告诉我，那女子的举止行动过分解放，不无带一个"轻"字。伊的声音笑貌也果真有一种故意的媚惑；伊说话时毫无顾忌，也显见和那司机同出一气。但当时我怎么竟完全不疑，也不察觉伊的破绽？这大概就是霍桑所说的"蛊惑"和"魔力"的作用了！

我又说："那个和我谈话的女傧相，谅必是戚佩芝的同道中人。"

霍桑答道："当然。这女人的蛊惑技巧一定也不在佩芝之下。否则伊把一个虚构的故事说给你听，要不是你早已给伊玩得浑淘淘，你怎么会丝毫不疑惑？包朗，以后你假使不留些神，我真替你担心呢！"

我感到内愧，又叹一口气："伊的故事结构得太逼真了。我真佩服伊的聪敏。"

"唔，可惜聪敏被误用了！"

"是，很可惜！"我顿一顿，"而且伊能不顾危险，给伊的朋友出力，也不无可取。"

霍桑不答。彼此在静默中吐出了不少烟雾。我又请霍桑解释：

"霍桑，你这真的故事从哪里得知的？"

"我从自新医院的疯人院里得到的。那里面的故事很多很多，有关于男的，也有关于女的，只要等他们偶然清醒，便会和盘托出。你有空时也可以去听听，你的阅历经验和小说资料一定可以增进一些。"

"那个陈志英可就在何乃时的自新医院里？"

霍桑一边摇着扇子，一边答道："正是。我看见他的时候，他正在那里摩拳擦掌地骂戚佩芝。"

我说："原来如此。你因为听得出神，连吃午饭的时候也忘掉了。是吗？"

霍桑道："我几曾忘掉？我从医院里打电话给你，十二点还少三分。但施桂告诉我，你在十一点三刻不到，已经先自吃饭。你也太性急了。"

"施桂告诉你我出去了？"

"是。我打电话时，你才刚坐了汽车出去，还不到两三分钟。我就也急急地赶回来。"

"虽然，施桂也没有知道我往哪里去。你又怎么会知道？"

"施桂虽不知道，但书桌上的请帖和楼上的信，合着我在疯人院里听得的故事，我便料到八九分。施桂又告诉我，你坐的汽车号数是一八九九。我打了几个电话一查，果真是姓戚的租去的。我也雇了汽车慌忙赶到也似园。真危险，时间上不能再差一分钟。我进园门时，看见那凶手正在奔逃出来，手中执着手枪，其势很凶猛。你却不顾厉害，在后面急急地追着。如果我当时不阻止你，你吃了亏，非但无功，反而落个助纣为虐的罪名。想一想，你这举动可能算主持公道？"

我再没话说，只恨自己太颠顸，没有精细的辨别能力，竟致受一个女人的愚弄，险些铸成大错。

电话铃响了。霍桑丢了烟尾，立起来去接。一会儿，他回进来，含笑问我：

"包朗，你猜一猜，这电话是什么消息？"

"可是关系这新婚案子？"

"是。第一步你猜中了，再猜一猜，是什么事？"

我寻思了一下，答道："我希望这不是陈剑英被捕的消息。"

霍桑摇摇头："不是。你放心。刚才他既然侥幸地脱身，大概再不容易把他拿住。"

"那么这是什么消息？"

"电话是何乃时打来的。"

"何乃时？他报告陈志英的症情有什么变动？"

"是。这一着又被你料中了！他说志英的神经受了一个非常的刺激，竟有些起色了。"

"哈！什么刺激？不是——"

霍桑接口道："是——因为那受伤的新娘也已给送进了自新医院里去了！"

我诧异道："什么？戚佩芝没有给打死？"

霍桑摇了摇头。

我又问："那么伊可还有救治的希望没有？"

"何乃时不曾说起。不过伊如果不死，一旦和陈志英会了面，你想他们俩会产生怎样的感想？"

我低沉着头，不能回答。我很想推测这两个失恋的男女见面后的情景，却终于失败。原因是这里面有种种复杂的问题，不容易凭我的主观想象。例如戚佩芝有没有悔心？伊仍做王景汉的妻子？还是和陈志英重续旧好？陈志英方面又怎么样？恨伊？原谅伊？还是怎么？他和王景汉会产生法律问题吗？还是会有什么折中的和解方法？种种问题，我都不能代他们解决，我的推测当然也没有结论。

我站起来，在窗口吸受些凉风，清清我的纷乱的思绪。

我又叹息道："无论如何，我仍希望这不幸的女子能够延续伊的生命。我更祝望伊因着这一次的教训，连同那个患难相共的陪新朋友，都能够改变她们的人生观，趋向光明的大道！
那不但关系伊个人的利害，还关系全社会的福利。"

　　霍桑伸了伸腰，应道："是，我也希望如此。因为伊的缺
德行为多分是受了物质享受的诱惑，主因仍是社会环境的不
良。……包朗，现在你再冒些暑热，赶快把这案子记出来。我
很希望社会上的一般女子，能够把这件事当作一种小小的殷
鉴，别再被物欲恶魔所吞噬，那么你这番冒暑冒险的经历也不
算枉费了。"

嗣子之死

一件看似平淡的案子

我先来介绍一下本案中的一个角儿。那人姓韩名承祖，是一个旧式商人，年纪已有五十五以外。他身上穿一件细夏布长衫，白纱袜，黑缎鞋，非常整洁朴素。他一手执一柄折扇，一手执一块白纱巾，面上灰白中带青，一双棕色眼珠满现着惊恐的神色。他坐在霍桑的对面，把那折扇紧紧地握着，似乎已忘掉了扇子的功用，只把他的颤动的右手中执着的那块白巾不住地在他的额角上抹拭。那白巾已经湿透了，差不多能绞滤出水。霍桑仍闲散地躺在那张藤椅上，口中衔着一支纸烟，手里也拿一把折扇，缓缓地摇着。他早已叫施桂送了一杯冷水给来客。可是效力不大，它仍止不住来客的喘息骇汗。他终于说不出话来。

霍桑又向施桂说："把电扇开了。"

我们的寓所中虽装设着电扇，平时却不大应用。这不是吝惜电费，是由于霍桑的怪癖。他每逢热汗的时候，宁可借重他的扇子，却不大喜欢享受电扇的逸福。他认为人们应当劳逸得宜，不可太安暇，闲居时更应注意。他一再表示过人的肢体若使过于暇逸，绝对没有劳动的机会，那么他的精神和思想也不免会处于惰弛状态；这对于他的事业和生活都有重大的影响。他抱着这特殊的观念，便在他的生活上处处实施。例如他的寒暑无间的清晨散步；若是时间上许可，他宁可步行；夏天对扇子的应用，也就是他的实施方式的一种。

电扇呼呼地旋转了一会儿，韩承祖的额角上的汗珠果然逐渐地减少了些。

霍桑才缓缓说："韩先生，你定心些。事变既然来了，焦急并不是解决方法，还不如定定神，说明了你的来意，总可以有个办法。"

韩承祖张大了呆木的眼睛，向霍桑有意地瞧一瞧。他的惊慌的心似乎因这几句话得到了多少安慰。这原是人们的普通心理。任是平日刚愎自用的人，当遭逢急难的时候，总也盼望他人的同情。无论是否是实在的援助，即使是言语或精神上的同情，也可使遭难人得到若干安慰。

他答道："唉！霍先生，这一次横祸实在太可怕！我的儿子志薪，因着我的侄儿惠杰暴毙，竟被侦探们当作嫌疑凶手，今天早上已给捉进去了！"

我和霍桑的目光彼此交换了一下。我料想来客的故事不会怎样平淡。霍桑不接口，凝神地等来客说下去。

韩承祖继续道："霍先生，志薪是我的独生子，如果他有半点差池，我这条老命也保不住！现在只有你能够救他！"

霍桑婉声道："那么你把这事的原委说明白，我们也许可以效些劳。"

客人点点头，说："是，我得先提一提我们的家世。我的祖父和父亲都是做药材生意的。我们弟兄三个靠了祖上的余荫，都有些产业。我是长兄，次弟名守祖，三弟名念祖，虽则彼此分居，感情也还好。我和二弟守祖仍做本行，三弟念祖却改行做中医，不过生意并不好。守祖比我经营更得法，开了三爿药店。这是我们弟兄三个人的大概情形。

"十八年前因二房里守祖没有生育,就把三弟念祖的儿子惠杰继承过去做嗣子。这承继的事原是次弟妇姚氏的主张。当时他们结婚已经五年,还没有生育过一次,虽然彼此的年纪还轻,但姚氏恐怕伊的丈夫借着没有子嗣的名目纳妾,便急忙把三房里的惠杰嗣了过去。这件事彼此妥洽,大家都没有异议。

"不料在立嗣的后一年,次弟妇姚氏自己也生了一个儿子,就是现在的师雄。那时我原虑到要发生什么纠葛了。幸而姚氏和二弟守祖都非常体谅。他们在亲族中宣言,他们自己虽然有了儿子,但仍旧承认惠杰是他们的嗣子,将来的遗产照例彼此均分。这样过了两年,大家相安无事。后来三弟念祖因着在外面胡闹的结果,疮毒溃发了,染及三弟妇,夫妇俩便相继而亡。这时惠杰的亲生父母虽死了,然而嗣子的地位仍旧稳固。那年姚氏又生产一个女孩,叫娟宝。因着这一次的生产,伊也就因产后病故世。守祖虽赋悼亡,却独身不再娶,只雇了一个姓朱的乳娘抚养娟宝。朱乳娘至今还在守祖家里。现在娟宝已经十五岁,师雄也已十七岁。那嗣子惠杰比师雄长四岁,今年已是二十一岁。"

我默默地估量,这大概又是一幕宗法制度下的悲剧。霍桑闭着眼睛静静地倾听。他听得韩承祖的话略停一停,便张开眼睛来发问。

他说:"你的家世的大概,我已经明白。你方才说那个嗣子惠杰此刻已经死了。他怎样死的?"

承祖瞪目道:"中毒死的。就为如此,我的志蕲才遭殃!"

霍桑道:"那么你把惠杰死时的情形说一说。"

韩承祖道:"惠杰本在南京法政学校里读书。现在离暑假

本来还有两个星期，因着守祖的病势危险，特地打电报叫他回
来。守祖自从前年得了咯血病，据医生诊验，说是肺痨，虽然
尽力治疗，然而时发时愈，终究没有断根。到了本月十一日那
天，他忽然又病倒了；请了许多中西医生，服了不少药，病势
非但不减轻，却反而一天一天地加重起来。到前天十四日那
天，他自知不妙，就打电报到南京，叫他的嗣子惠杰回来。昨
天十五日午后，惠杰果然赶回来，父子俩见了一面，谈了几句
话，守祖就在昨天傍晚身故。亲戚们得到了守祖的死信，大
家都赶去吊唁。惠杰一面请亲戚们料理他的嗣父的丧事，一
面宣布他的嗣父的口头遗嘱。他说他的嗣父的遗产合计约有
六十万，除了娟宝的奁费十万元以外，余五十万，归惠杰和师
雄两个人均分，每人各得二十五万；不过这时师雄的年纪还
轻，娟宝也没有到出阁的时期，全部财产都暂归惠杰掌管。他
又取出守祖临终时交给他的账册，租折，田契等做证据。

　　"亲戚们听了这个口头遗嘱，不无有些诧异。因为守祖生
前和惠杰不大融洽，怎么会有这样的遗嘱？不过当时大家只注
意料理丧务，没有人发什么议论。到了今天十六日早晨天气非
常热，大家正在给守祖大殓的时候，忽传说惠杰发痧，于是忙
着去请医生。不料医生还没有到门，惠杰却已经气绝死了。"

　　霍桑仰起些头，说："这样说，惠杰是患痧症死的。怎么
又有疑问？"

　　韩承祖忙道："他不是发痧死的，是中毒死的。因为他死
后的状态十分奇怪——他的嘴唇和指甲都现青黑色，口角和鼻
孔外面还露着血迹，都是中毒的迹象。"

　　"这中毒的见解有没有被证实过？还是只凭着外表的观察，
便指为中毒？"

"证实了。据医官和侦探的检验，都确信他是中毒死的。"

"可有什么服毒的证据？"

"那侦探在书房里寻到一只茶杯，杯子里有一些黑水，说是一种化学毒药水。因此他就疑心我的儿子志蕲！"他喘息着，又将那块湿透了的白巾抹到额角上去。

霍桑皱着眉峰，怀疑道："那侦探根据什么理由疑心你的儿子？"

韩承祖又张大了眼睛："说出来真荒谬。因为志蕲在江南医学校里读书，家里的人只有他研究化学，所以就疑心他谋害。"

"唔，这样的理由真有些荒唐。那侦探是谁？"

"他叫蔡长福，是东区警署里的一个探目。他听得我的志蕲说，志蕲曾和惠杰同桌吃过饭，又曾在书房中喝茶谈话，所以便疑心他。但和惠杰同桌吃饭的人，除了志蕲以外，还有守祖的亲生子师雄，和守祖的内侄姚荷轩。那个饭桶侦探不疑他们两个人，却只疑志蕲。你道可恶不可恶？"

"他们四弟兄同桌吃饭在什么时候？"

"就是昨晚上的晚餐。"

"四人中哪一个年纪最长？"

"死的惠杰最长；荷轩和志蕲同年，都是二十岁；最幼的是师雄，今年只有十七岁。"

"有人结过婚没有？"

"都没有。"

"亲戚中可还有什么别的人在场？"

"我和内人，和守祖的内兄姚尔强，还有我的表叔李崇道等虽都在场，不过不曾和惠杰一起吃饭，没有接触的机会。"

"那么据蔡侦探的意见，是不是就因着同桌的缘故，就说志蕲下毒谋害？"

"侦探很注意茶杯中的黑汁。他知道志蕲和死者在书室中谈过话，就此疑他。至于同食的关系是夏医官的见解。因为惠杰死之前，曾呕吐数次，夏医官把那吐出来的东西略略验了一验，假定是中毒。因此便说和他同桌而食的人不能无关系。"

"这夏医官也只疑令郎？"

"不，他说他先得把吐出来的东西仔细查验，查明了是什么毒质，然后互相参证，方可指定。"

霍桑点头道："这话还觉得中听。但茶杯中的黑汁，他曾查验过吗？"

韩承祖道："他已分取了一半，预备带回去查验。这黑水究竟是什么东西，现在还不知道。"

霍桑低一低头，交抱了两手在深思。室中静一静。电扇好像没有用，来客的额汗还是在分泌。我始终采取旁听态度。

一会儿霍桑又问道："那个亲生子师雄和惠杰，往日里的感情怎么样？"

承祖道："师雄去年才进上海中学，人还忠厚。他们弟兄俩的感情怎样，我不知道。因为他们俩在两地求学，平时不常在一起，外人自然不容易知道。"

"惠杰的表弟姚荷轩呢？"

"他似乎比师雄厉害得多。他的父亲姚尔强是个律师，荷轩也在研究法律。"

"那姚尔强可就是已故的守祖的妻弟？"

"不，他是次弟妇姚氏的长兄。"

"荷轩和惠杰的感情又怎么样？"

"他们起先曾同过学，彼此似乎很投机。"

霍桑又把目光在地席上停一停，便立起来，伸了伸腰。

他说："这案子的情节，大概我都已了解。现在我得向各方面调查一下。你放心，别白白地忧急。事情只能一步一步地进行，总有个水落石出。天气这样热，急坏了反而不妙。现在你把那夏医官的姓名和姚荷轩的住址写明了，安心些回去吧。"

韩承祖果真安慰得多，态度也比初来时从容些。他把住址写在纸上，接着便摇着折扇，千谢万谢地辞别出去。

推车撞壁

霍桑把电扇关了，仍旧拿起了他的折扇，又烧着一支纸烟，回到藤椅上去。他闭着眼睛，且吸且缓缓地摇着扇子，分明在那里思索。

一会儿，他张开眼睛来问我："包朗，你可能陪我走一遭？"

我应道："你要往长浜路韩家去？"

"韩家当然是要去的，但此刻先得去见见那医官夏芝荪。"

"好。你对于这件案子有什么见解？"

霍桑把烟灰弹去了些，答道："据我想，这只是一件寻常的遗产纠纷案。"

我略略有些失望："你想蔡长福的举动不是太鲁莽吗？"

霍桑微微叹口气："他这样子随便拘人，简直是胡闹。"他顿一顿，又表示他的见解："你想他所以怀疑志蕲，据说就因着志蕲和惠杰曾在书室内饮过茶谈过话的缘故。但茶杯中的黑水是不是毒药，不是可以随便指定的。假使是毒，惠杰的死是不是就因着这毒药丧命？这两个要点都还没有证明，他便贸贸然将志蕲捕去。你说不是胡闹是什么？"

我也不禁叹气说："这原是侦探们的惯技！他们高兴抓一个人，就随便抓一个进去玩玩，抓错了也绝对不负什么责任。"

霍桑喷出了一口烟，说："这就是我们努力的对象。这种公务员随便玩法的现象，我们决不能让它延续下去！"他的声调带些愤激。

我静一静，又问："那么你的主见怎么样？能不能先说给我听听？"

霍桑吐了一口烟，点头道："也好。这案子既然说不上什么疑难离奇，我不妨破一次例，把我的看法预先说一下子。"

我非常欢喜。因为霍桑每探一案，总是郑重其事，不肯预先说明他的见解，好似一落迹象，如果不能实现，会损害他的令名；所以总得等到全案结束，他才肯把闷葫芦打破。此番他居然肯破例，我自然不由得高兴。

霍桑说："我看案情大概总不外乎遗产问题。但在确定之前有一个先决问题：惠杰的死是否由于中毒？假使不是中毒，或因长途冒暑，或因别的急病而死，那不消说这疑案就根本不能成立。如果确是中毒，我相信中毒的缘由，十之八九会和遗产有关。因为惠杰是一个嗣子，而且他宣布过守祖的口头遗嘱，自然不免要引起他人的竞争。竞争上有直接嫌疑的人，当然是守祖的嫡子师雄和女儿娟宝。"

我问道："你想那志蕲和荷轩不会有关系？"

"这两个人只有间接的嫌疑。因为他们对于守祖的遗产本来没有份，即使毒死了惠杰，遗产只能归师雄独享，不会分润给他们。不过通同的可能也不能说一定没有。就是他们在名分上虽没有继承守祖的遗产的权利，暗中也许和师雄通同。如果他们先煽惑师雄，他们中有人把惠杰毒死了，师雄应许给报酬若干，要是师雄同意了，那么这两个人也就有间接谋害的可能。"

"还有其他可能性吗？"

"除此以外，志蕲或荷轩平时和惠杰有怨隙，这时他们看见惠杰承袭遗产，而且独霸财权，洋洋得意，他们或者就因怨生妒，就此毒害他。不过我看这一着的可能性并不大。"

"除了这几个人以外，还有别的可疑人吗？"

"别的人虽多，可是没有充分的根据证明他们与谋产案有关，我们不能凭空推疑。即使下毒的人，也许是什么佣仆等辈，不过主谋的绝不会是仆人们。"

我想一想，又问："我看佣仆中间有一个人似乎有主谋的可能。"

霍桑放下了纸烟，带着诧异的神气，反问道："喔？是谁？"

我答道："据韩承祖说，抚养娟宝的是个姓朱的乳娘。或者伊因着回护娟宝或小主人师雄，觉得惠杰这样子独霸遗产，深恐小主人将来受祸，就趁老主人新丧的机会，下手毒死他。你想可能不可能？"

霍桑沉吟了一下，说："唔，可能性不能说没有。不过在勘问之先，我们不能够下任何论断。"

他立起来，放下了扇子，扣一扣白纺绸的领带，走到衣架那边去。我暗想这事经过了霍桑这样推度，事实的真相谅来也相差不远。这的确不像是怎样疑难的案子。

我说："霍桑，这回事不见得怎样困难，现在你去查勘，也没有什么特别手续。我这里有些未了的笔墨，不如你一个人去走一趟吧。"

霍桑向我做一个鬼脸："唉！包朗，你真狡猾！你叫我把案中的情由先给你说一说，现在你对于案情既已有了一个影子，认为再去探究，也没有多大兴味，便怕到外边去流汗了！是不是？"

我笑道："对，我的心事被你猜中了。不过要是你一定要我去，我也决不因怕热不出去。"

霍桑穿上了那件国产章华白哔叽外褂，挥挥手："算了吧。你既然怕热贪懒，我也用不着勉强你。不过这是一种教训，下一次你若再要我先说案情，我不能不审慎些了。"他把草帽取下来。

我又问："你此刻直接去见夏芝荪医官？"

霍桑点点头，开抽屉拿应用的东西。

我道："那么你问明了是毒不是毒的问题，能不能先行打一个电话给我？"

他答道："好，你安安逸逸地听好消息吧。"他冒暑走出去。

我就收束神思，把未完稿的《江南燕新案》继续写下去。这一节恰巧是案中的紧张部分，写到案情危险的当儿，我自己也差不多化身进去，头部的汗液淋漓地泻下来。约莫过了一个钟头，电话机上的铃声琅琅地响动。我急忙掷笔去接，果真是霍桑从夏芝荪那里打来的。

我问道："怎么样？毒物可曾验明白？"

霍桑道："验明了。惠杰的死实在是因中了砒毒，不过毒量并不多。"

"茶杯中的黑水究竟是不是毒汁？"

"不是。那是蔡长福闹笑话。茶杯中的黑水是浓茶。那泡茶的水大概因着水管生锈的缘故，含着一些铁质，一经茶叶中的单宁酸的化合，自然就会变成深黑色。这原是很普通的化学原理，那不学无术的蔡长福竟把它当作凶案的证据，贸贸然怀疑人家。你说他是不是一个胡闹大家？"

"那么你可曾见过这一位善于胡闹的大侦探？"

"我刚才已经打电话给他。他听得茶杯中的黑水不是毒汁，是浓茶，似乎也有些自觉鲁莽。现在我就要往韩守祖家去。如果查得了真凶，那韩志蕲的嫌疑就不难立刻洗刷清。"

电话断了以后，我重新着笔，又写了两个多钟头，觉得有些疲乏，便收拾稿件立起来。

时候已是六点多钟。一轮炎威垂尽的残日渐渐向西沉下去。天空的暑气因着失去了日光的撑腰，不免振作不起，逐渐地衰落，风姨却开始抬头了。天气觉得凉爽一些。我洗了一个澡，还不见霍桑归来。直等到暮色冥茫，街上的电灯都放了光，我才见霍桑垂头丧气地踱进来。这情况给我一种意外的惊异。为什么？莫非有什么意外的事？

他卸下哔叽短褂，又把草帽向桌子上一丢，倒身在他的藤椅上。

他说："包朗，我失败了！"

我大惊道："失败了？怎么——"

"我已经向韩家的许多人一个一个仔细问过，竟寻不出一个真凶！"

"你问过几个人？"

"刚才我不是假定过对于谋害惠杰有直接嫌疑的人，就是守祖亲生子女师雄和娟宝两个人吗？这两个人都是天真未熟的小儿女，人事尚且不明，哪里会干这种谋财害命的勾当？那姚荷轩父子，人虽然厉害，但是关于这件事谈吐间很公允坦率，况且他们的家境也还好。我又查明荷轩和惠杰平时非常莫逆，在情势上也不致出此毒手。"

"那姓朱的乳母怎么样？"

"伊是个吃素念佛的人，年纪已经五十，心地似乎很慈祥。"

"吃素人未必都是善良的。"

"不错，不过我相信我的眼睛还不会渎职。我问伊时，伊也坦白地实说。伊的确觉得惠杰独霸财产，很替小主们担忧。但是伊究竟是个佣仆，除了心里怀疑以外，也无法抵抗。所以下毒谋命，我料定这老妇人断断不会干。"

我想了一想，又问："此外可还有没有别的人？譬如亲戚佣仆等辈？"

霍桑摇摇头："我也和我们的委托人的表叔李崇道谈过一谈。他是个七十多岁的道学先生，完全没有可疑。我又问过一个男仆和两个女仆，也寻不出什么疑迹。"

"韩家里烧饭的是谁？"

"唔，你疑心厨子下毒吗？那不近情理。因为同桌吃饭的有弟兄四个人，如果食物里面有毒，何以单单死了惠杰一个人？"

"那么惠杰难道是自杀的？"

霍桑低沉了头不答。他的眉峰间的皱纹刻画得很深。

我又道："霍桑，那个被拘的志蕲不会真有什么可疑处吗？我们会不会受成见的支配？"

霍桑道："我虽没有见他，但从情势上推测和听各方面的口气，我也敢说志蕲绝不是杀人的真凶。可是我虽相信他含冤，寻不到证据，又怎能给他洗刷，恢复他的自由？"他叹口气："包朗，我失败了！我受了他的父亲承祖的嘱托，又轻许他终可以水落石出。现在水既不落，石也不出！你想我怎样对付他？"

他的神气沮丧了，声音也变了常度，低垂着头，把目光注在地席上。

唉，一件看似平凡的案子竟会处处撞壁，找不到一条出路！霍桑从事探案以来，虽也不免有失着之处，可是从来没有像这一件案子一般山穷水尽。他起先也以为这是一件寻常案子，不难着手成功，谁知竟这么幻秘，反使他陷进了失败的境域！现在怎么办？卸了责任不理会吧？他已经应允于先，食言固然不应当，失败的声名也不能逃。再打算进行吧？听他的说话，差不多已是推车上壁，无路可通。这样看，进退两难，他这一次的失败免不掉了吧？

一种考试

霍桑立起身来，从书架的顶上取下了那只提琴的皮盒，拂去了些灰尘，开了皮盒，把那乐器取出来。

他说："包朗，这东西我好久没弄了。你听我拉一会儿。"

霍桑对于音乐有相当的嗜好。他所擅长的，只有一种小提琴。我有时向他取笑，他是否也沾染了那班没心肝朋友的"摩登毒"，故而只喜欢西洋乐器。他便声色俱厉地说出一篇大道理。他说音乐是艺术之一种，艺术本来是没有国界的；本国的乐器太单纯，又偏于缓弱萎靡，所以不喜欢。他绝不承认像那些奴性的人们，脑中装满了西洋偶像，事事物物，不分青红皂白，都迷信着西洋。他说的话自然是合理的。因为音乐是属于美感的，人们的审美情绪既然彼此不一，嗜好也当然不能够强同。这时他在懊丧失望之中，却仍有闲情雅致玩弄音乐，我真佩服他的镇静精神。

他抑扬顿挫地拉了一会儿，把乐器放下来，又取了一支纸烟和一把折扇，重新归座。我从电灯光中望过去，他脸上的神色似乎比之前焕发了些，已不像刚回来时那么灰白沮丧。他常说音乐是精神上的补益剂，从这一次例证上看，他的话当真不错。

他一边吸着烟，一边摇着扇子，闭目静思，一会儿紧皱着双眉，一会儿忽又暗暗点头，末了他的眉宇好像明朗些，仿佛阴霾沉沉的天空忽然透露些淡淡的阳光。他也许已经寻得了什么出路了吧？

我问道："霍桑，你可是想出了什么解决方法？"

霍桑疑迟道："不是方法，只有两种设想，但是渺茫得很。"

"有了设想，终比束手无策强。你可能说出来商酌商酌？"

"唔，也好。你方才疑心惠杰或者自己服毒，这是情理中必无的事。他既然有了承袭遗产的机会，前途的希望无穷，而且当他向众亲戚宣布遗嘱的时候，还是兴高采烈的，当然不会自杀。不过你这提示，使我想起了他是才从南京回来的。或者他在未归之时，遭了人家的毒害，等到回家后，毒发作了，便酿成这一桩疑案。"

"对，这分析有些近情。但你有什么根据没有？"

霍桑思索了一下，才说："在理论方面，或者惠杰在学校里面有什么仇敌，听得他的嗣父将死，他有承产的希望，便因嫉妒的缘故暗暗地害他。在事实方面，也觉得符合。据夏医官检验，毒质非常轻淡。那么毒性的发作也当然迟缓。所以他若在外面受毒，等到回家的第二天才发作而死，也很近情。"

我答道："理由很充足，但是有一个前提。韩惠杰生前的为人怎么样？是不是真有像你所说的仇家？你得先查一查。"

霍桑点头道："不错。这一层我早已想到。惠杰很厉害，不但他的嗣父守祖不满意他，亲戚们也众口一词。别的莫说，但瞧他生前弟兄辈中最莫逆的，只有姚荷轩一个，就是一个明证。因为我觉得荷轩是一个精核不过的人，惠杰所以单单和他友善，当然是气味相投。因此，他生前有没有怨家，也不难推想而知。"

"那么你何不就从这一条线路进行？"

"是，从这条路进行固然还不难，不过我还有一种想法，两者之间，一时竟无从抉择。"

"喔，还有一种想法，是不是更近于事实？"

"我看似乎更近些，但着手的方法却完全没有头绪。"

我进逼一句："那么这又是怎样一种想法？"

霍桑道："据我调查，守祖生前和惠杰的感情并不融洽，但他到临终的时候，竟会把财产全权交托惠杰，所以亲戚们都觉得出乎意料。我又听得娟宝的乳娘说，守祖在跟惠杰会面之后和气绝之前，曾有两封信叫朱乳娘投入邮筒。这也是一件值得注意的事。"

"对，这两封信一定有关系。你可曾查明白？"

"没有。朱乳娘不识字，不知道寄给谁。我到邮局里去问过，但信没有挂号，无从根究。"

"你想这信有什么作用？会不会是守祖真遗嘱？或是他向什么知心朋友托孤？"

"我不知道。这事真困人的头脑！如果另有遗嘱，那就应得早早预备好，何必等到临终前方才发落？若说托孤，他既已把账册，房折，田契交给惠杰，明明指定惠杰是受托人，何必又另托他人？"

我失望地说："唉，真困脑筋！那么你的设想怎么样？"

霍桑摇几摇扇子，把思绪理一理，才说："第一点，守祖平时既然不喜欢惠杰，惠杰又不是他自己生的，但守祖临终时却把财权完全交付惠杰。我认为这是反常的。第二点，那两封信的投递时间是在守祖和惠杰会晤以后，也显然别有用意。我根据这两点，觉得惠杰的死，和守祖本人似乎有关系。可惜现在守祖已经死了，再不能够取证，那两封信又没有着落。所以我虽然怀疑，却没有着手的方法。"他的眉尖又蹙紧了："唉，包朗，这回事可算得棘手已极！我的失败大概免不掉吧！"

沉默控制了这空间。在爱莫能助的局势下，我不知道怎样回答。分忧解困是朋友应尽的义务。我当然很愿意给霍桑分忧，可是我能做些什么呀？

霍桑默默地摇着扇子，额汗还是在渗出。无言相对了一会儿，我找出了一句慰藉的话：

"霍桑，放弃了吧，别再苦思哩。人谁没有失败？"

他突地站起来："不！我没有到筋疲力尽的地步，决不放弃我的希望！"

"喔？你还有希望？"

"是。我要再到韩守祖家去查一查！"他放下了折扇，又去取衣架上的短褂。

我问道："你要再查什么——"

铃铃铃！一阵门铃声挫断了我的问句。施桂引进一个人来。

那人穿一身淡青灰色的西装，一副阔边眼镜罩住了一双黑色有力的眼睛。他的年纪在四十左右，身材颀长，行步时的状态轩昂而稳重，似乎是个富有修养的人物。

霍桑欢迎道："夏医官，难得你光顾。不是有什么关于毒杀案的消息吗？"

　　我才知这就是夏芝荪医官。夏芝荪和我打了一个招呼，彼此坐下来。

　　他笑嘻嘻地答道："正是呢。霍先生，我刚才听得你的高论，竭力替韩志蕲声辩，说他是冤枉的，谋害的一定另有他人。我因此被引起了好奇心，很想知道这件事的真相。现在我来问一问，哪一个是真凶，你已经查明了没有？"

　　霍桑定一定神，眼光从斜侧射向医生。他带笑说："唉！夏医官，你来考试我？……唔，也好。我就给你考一考！你问我真凶是哪一个吗？这何必要我说？你也早已知道了啊！"

　　答复很巧妙，防御态势中有着反攻的策略。可是对方也太狡黠。

　　夏芝荪点点头，也笑道："不错，我已经知道了。不过我要你先说出来。"

　　唉，考题相当难！我不禁替霍桑担忧。几分钟前，霍桑还没有把握，此刻又怎么能够回答？不过我听夏医生的口气，似乎真凶已有了着落，这又是一种意外的喜讯。在一喜一惧的情绪交织之下，我简直不能自持。

　　我瞧瞧霍桑。他仍不慌不忙，从藤椅靠手上拿起了那把折扇，又把一腿叠在膝上，缓缓地扇着。他的目光仍凝注着来客。

　　他仍含笑说："你这位考官真厉害！好，你既然要我先说，我姑且说一句隐语。我认为那凶手非常狡狯，他捷足先逃，法律的罗网已经罩不住他。夏考官，你说对不对？"

　　夏芝荪呆一呆，向霍桑瞧一瞧，又微笑说："隐语不算数。你得直说出来！"

　　真厉害！我仍暗暗地替霍桑捏把汗。他到底应付得下吗？

霍桑仍镇静地说："怎么？难道我的答案还不能合题旨？"

"唔，题旨是合……唔，你答得太含混。你别探我的口气。你得清清楚楚地指出来！"

"好，那也容易。我说凶手已经捷足先逃，是说他已经逃到了另一世界里去！这已够清楚吗？"

"唔，还不够。你得说出凶手的姓名！"

"韩守祖！"

霍桑这三个字的答语，像迅雷，像奔电，给予对方和我的刺激简直不能用文字形容！

夏芝荪坐直了身子，目光灼灼地从眼镜后面射出来，直射向我的朋友的脸上。他的神气分明已从诙谐而带些讥讽的变为惊异而敬佩的。答卷当然是合题了。但我实在不知道霍桑具有什么神通，竟能在片刻之间，知道了行凶的凶手！而且凶手又是这样出乎意想的一个！

霍桑舒了一口气，摇着扇子，说："夏考官，我大概可以及格了吧？凶手是惠杰的嗣父。他比惠杰先死，法律自然再及不到他的身上，是不是？"

夏芝荪惊叹道："霍先生，你的本领真不小！照我看，这一件案子实在出乎寻常，所以特地来试你一试，不料到底瞒不过你！可是你究竟凭什么方法探究出来的？"

霍桑笑着道："你还问我？……嘿嘿嘿！老实说吧。我虽然有这样一个设想，可是还不能确定。使我确定的还是你！换一句话说，就是你自己告诉我的！"

夏芝荪偻着身子，疑讶道："什么？我说过什么话？你虽像在刺探我，我可不曾说什么啊。"

"你的嘴里虽没有说，可是你的神气态度早已暗示我了。

好了，我的考试已经交卷，你也得把你所知道的宣布出来了。"

夏芝荪不回答，从衣袋里摸出一张纸来授给霍桑："你瞧吧。这是我录下来的副本。那封原信是从邮局寄给殷厅长的。信是韩守祖亲笔写的。"

桑丢下了折扇，把纸接过了，就着电灯光朗声念道：

这信发表的时候，我希望我的嗣子惠杰也已同归于尽！我承认他是我毒死的。因为他是一个阴险狠心的人，背后又有人援助。他在心目中完全不把我看作嗣父，只希望我早一天死，他可以夺取我的产业。所以我死以后，不但财权要被他独占，我儿师雄年幼，也不免要受他的欺害。我的病现在已经绝望，为着防患未然起见，便决意牺牲我自己，乘机杀死他。

我先发电叫他回来，回来后我用温语向他托孤，并将废弃的账簿契折取出来给他，使他信任不疑。他果然很高兴。那时我预先将猛烈的毒砒放入我的药里。当他送药给我的时候，我叫他先尝一口，试一试药味怎么样。他果然用力地喝了一口。那时他喝了一口药，当着我的面，似乎不好意思吐出来，只得勉强咽了下去。他告诉我药味很苦。我也就把药喝完了，又和他谈了几句，随即把契据交给他。他完全不觉察我的计谋，高高兴兴地下楼去。

我知道我的生机快尽了，急忙草好了两封遗信：一封投给警厅，一封寄给我的知己朋友——在无锡开保康堂药店的许义高，说明惠杰的死是由于我下毒，和师雄或其他人没有关系。因为我怕惠杰死了之后，也许有人要疑及师雄，那就违反我的本意了。

　　唉，我写到这里，毒性渐渐在发作了。我明知迟早之间惠杰也要和我走同样的路，可是我不能够眼见他先死，还是一件恨事！我死之后，一切财产均归我子师雄和女儿娟宝承袭。我这一次的举动实在是万不得已。恕我罪我，只能听凭公论了。

　　这件案子会有这样的结果，我就说一句"意想不到"也并不夸张。霍桑虽然也已推想到这一层，可是若没有这一封韩守祖的亲笔信发表，他只凭着空洞的想象，当然不能够结束，那就也终于免不掉失败。所以他事后回想，觉得这一次的成功，实在是太侥幸，也是非常危险的。

　　那封信经法院发表以后，又得到许义高的证实，韩志蕲当然就恢复自由。一星期后，韩承祖又满头大汗地赶来。他带了几盒人参来送给霍桑。霍桑是最反对吃补品的人，可是在承祖的盛情难却之下，只得勉强受下了。承祖说了许多感激话，说等志蕲大考终了，还要叫他亲自登门道谢。他告诉我们守祖的遗产，因着惠杰既死，又不曾成婚，他的本房中也没有嗣续，只能按照守祖的遗言处理。这一笔遗产划分的无聊帐，我们既不感兴趣，就也不去多管了。

险 婚 姻

匿名信

在青年俱乐部的阅报室中，靠近窗口的一面，我和霍桑并肩地坐着，手中各执一张报纸，静悄悄地不作一声。那时正交下午两点钟。阅报室中没有别的人。自然这是大家都忙着办公的时间。只有干侦探事务的人，有事时忙得要命，连吃饭的工夫都没有；没事的时候却又整日空闲，恰像失业的人一般。我手中执着一期《申报》的第三张，眼光只凝注在一段新闻和两张相片上面，久久不曾移动。平时凡有什么足以教我注意的新闻，总不外是些奇闻怪案之类，可是这一段新闻却另当别论。我心中不但没有惊恐，却觉得甜蜜蜜的满蕴含着愉快的情绪。这是什么新闻呢？别慌，让我来介绍给读者们吧。

那新闻道：

包朗先生和高佩芹女士的婚礼

著作家包朗君和他的老友私家侦探霍桑君，历年以来在社会上所留的成绩已是有口皆碑，介绍原是多余的了。前月里高敬修家里的惊人盗案，也是由他们二人所破获，本报早经详载。现闻包朗君和高敬修的女公子佩芹女士已经订有正式婚约。这一事所以成就，就因包君于捕盗的时候出力独多，并且他单身冒险到盗窟里去，将佩芹女士的珠项圈取回来，充分表现出他的勇敢。因此，包君和高女士两情相悦，便成为密切的朋友。现在他们的友谊已更进一步地演化为婚约。这消息各报传闻已久，最近已经被证实。婚期定在本月十九日，礼堂是市政厅。届时一班与包君交好和平素钦佩他的人，一定有一番热闹哩。

我承认这一节新闻，我已读过好几遍。每读一遍，我的心坎中便会产生一种不可名状的快感。除了这短短的新闻以外，还有那张我心爱的人的照片也足够使我瞧得出神。伊穿一件淡色素缎的夹袄，玄缎的裙子。伊的素颈上挂一串珍珠项圈，是伊的祖母遗留的东西。这是伊最心爱的，并且也就是我们俩结合的媒介物。伊的装束虽很朴素，但仍不减伊天然的妩媚。伊的眸子很灵活，睫毛又浓又长，白皙的肌肤，柔娜的体态；还有那莺啭般的娇喉和温柔的秉性，都是谁也及不上的。我不是自己夸口，我能和这位高佩芹女士结缡，实在可算得"艳福不浅"！另外一张照片，就是我自己的。我穿一身藏青哔叽的西装，侧身立着。可是我单身的照片从不曾展示在外面。这一张相片，那报馆访员从什么地方得到，却是一个疑问。

我把这个疑团问霍桑。霍桑将报上的照片仔细瞧了一瞧，方才答话。

他说："这不是你的单身照，是从一张合影上分割下来的。"

我道："不错，我也觉得如此。但这又是我和谁的合影？"

霍桑沉吟道："这仿佛是我和你的合影。你总还记得，当我们破获了那震动全上海的'五福党'案时，新华通讯社里曾派人来拍摄我们两人的合影，刊登在各报上。现在你这一张照大概就是从那张合影上分割下来的。"

我点点头，回忆当时我穿的果真是一套藏青哔叽。那照片不但在报纸上刊布，并曾在一家照相馆的橱窗里面，当作样片陈列过一回。

霍桑问我道："你们的请帖已经预备好了没有？"

我答道："还没有。我已到华文印刷公司去催过，说明天一定可以印好。"

"今天是三月十四日，你们的婚期是十九日。明天发出请帖，还算不得迟。"

"虽然，我希望这几天里面不要发生什么岔子才好。"

霍桑微笑着说："你不必着急。你不见我近来对于琐屑的案子回绝得不少吗？这一次是我的好友的吉期。无论如何，我总得向主顾们告几天假。我保证你，在这五天之中，我决不容外界的事情来阻挠你的佳期。"

我也笑道："这固然是你的好意，但事情的发生往往有出人意料的，那就说不定啊。"

我说这话，并不是自己对自己幸灾乐祸，实因我对于我们的婚姻期望太切，患得患失的心理酿成了这惴惴不安的意念。

霍桑摇手道："包朗，你定心些吧，别再疑神疑鬼。一切都有我在，只需你请新娘多敬我一杯喜酒——"

一个俱乐部的职员忽然笑嘻嘻地走进来。霍桑立即住了口，向他点点头。那人姓李，名叫润苍，本来和我们熟识。他一直走到我们的面前，掏出一封信来给我。

他说："包先生，这几天你们有空？真难得。这封信还是昨天晚上有一个人送来的。"

我谢了一声，将信接过来一瞧，那是一个白色西式信封，上面用钢笔写着我的姓名，另有"专呈"二字，字迹还流利，却很生疏。

我问道："李先生，谁送来的？你可认识？"

那职员摇摇头："不认识，是个穿短衣的，年纪还轻，像是什么工人。"

我点点头，随手将信封撕开，抽出信笺来，也同样是钢笔字，只有短短的两行。我默默地看了一遍，不由得大吃一惊。那时我不便声张，等到那姓李的职员走出去以后，我才轻声向霍桑说话：

"霍桑，不好了！你打算什么事都不干，实际上却不容你如此！我过虑的竟不幸成了事实！"

"什么事？天大的奇案，我们都一概回绝了好了。"

"你瞧这信。你能够回绝吗？"我将信授给他。

霍桑缓缓地将信纸展开来，念道：

> 包朗，你居然想结婚了吗？嘿！你历年来作了这许多孽，你清偿的日子到了！你准备好吧！

霍桑念完了，将信封信笺翻阅了一下，他的目光又凝注到地板上去。接着他缓缓地仰起头来，向我微笑着：

"包朗，这也值得担心？"

"你的意见怎么样？"

"这是一封最起码的恫吓信！何必大惊小怪？"

"你以为只是恫吓，并没有从中捣乱的意思吗？"

"据我想，要是真有什么人蓄意捣乱，那尽可以暗中行事，何必预先发一张通告书？"

"这难说。你不记得'猫儿眼'案中的江南燕吗？他要和我们斗智，不是也预先通告我们的吗？"

"虽然，这不能一概而论。这封信上并没有具名。如果像你所说的有人明目张胆地要来害你，怎么又这样子畏首畏尾？"

我略一寻思，又问："你想这恫吓的人是谁？有没有头绪？"

霍桑把信笺折拢了，沉吟地说："这却难说。和我们作对的人不止一个，凭空猜想，有什么意思？"

我低头不答，心中还竭力推想那个人到底是谁。

霍桑又含笑说："包朗，别把这种事放在心上吧！我料那发信人是个不中用的坏家伙。他也许在某一件事上受过你我的惩戒，怀恨在心，可是他缺乏胆力，不敢直接报复。现在他听得了你要结婚，便设下这个空城计，要使你的精神上感受不安，聊以泄愤。这真像一个低能的孩子，体力上斗不过人家，就拿块墙泥，在胜利者的门上写上'某某吃屎一百担'，出出气。这是一种卑怯心理的表现，没有什么意思。不过如果你这样子忐忑不定，那就恰正中了他的计。……包朗，回去吧。你要是不听我的话，那么，这五天工夫，夜长梦多，尽够使你不受用哩！"

废园中的疑迹

霍桑的譬解和劝慰果然使我安心得多。不料事变的发生竟然接连不断！我们回到寓所的时候，第一个消息，又使我心底里蕴伏的恐怖一刹那重新活动起来。据施桂说，在一刻钟前，我心爱的佩芹曾经打电话来叫我，说有要事面谈。什么要事呢？我们结婚时的一切仪式和手续，彼此早已谈定。难道伊此刻另外又产生了什么问题？

霍桑又给我譬解道："你姑且去一趟，管教你没有什么事的。我在这里等你吧。"

我答应了，慌忙走出寓所，跨上一部黄包车，叫他赶紧往南通路去。这时候霍桑给我的安慰，已完全失却了效力，我的心房仍不住地跳荡。因为刚才那一封无名恫吓信，合了这意外的电话，未免太凑巧。我虽然竭力镇定，实际上我的神经偏偏不服从命令。

车子到达南通路转角，那面东的一所洋房就是沪江大学教授高敬修的住宅；我的未婚妻的闺阁也就在向马路的二层楼上。我进了大门，沿着那条黑白相间的由卵石砌成的小径，绕过花圃，预备径自去见佩芹，问一个明白，以便解释我心中的惊疑。谁知我走了几步，还没到正屋的阶前，忽听得后面有脚步声音。我回头一瞧，大眼黑发的看门的木林，正三脚两步地追赶上来。我是在这屋子里出进惯的，平时用不着他通报。这时我不禁停住了脚步等他。

木林走近来，问道："包先生，你可是来瞧小姐？"

我道："是的。伊打电话叫我来的。"

木林张大了眼睛，呆木木地向我打量了一下。我见了他这副状态，微微有些发怒。

他忽说："小姐出去了。"

我呆了一呆。木林是个十六岁的孩子，天真还没有消逝，大概不会说谎。但佩芹刚才既然打电话叫我，怎么竟出去了呢？

我道："真的？伊往哪里去的？"

木林摇头道："我不知道。小姐没有说明。"

"伊没有关照你我要到这里来吗？"

"没有。"

奇怪。伊既然用电话招我，又不留一言，竟自顾自出去。什么缘故呢？莫非施桂听错了，打电话的不是佩芹？

我又问木林道："你可知道小姐没有出去之前可曾打过电话？"

木林又摇摇头："我也不知道。我在门房里，小姐打过电话没有，我是听不见的。"

"那么你家小姐什么时候出去的？"

"约莫有一刻钟了。伊吃过饭后，出去买了许多东西回来，没有耽搁多少时候，又匆匆出去。"

"伊出去时很仓促吗？"我有些惊异。

木林道："是。小姐出去买东西时有人送一封信来，伊回来时我就将信交给伊。大约过了二十分钟，伊走出来问我，门口有没有黄包车。我看见伊的神气非常慌张。"

我不免有些着急，又问："伊接过一封信？"

"是的，一个年轻的男人送来的。"

"你认识这个人？"

"不。他丢了信就走，也没有说话。"

我开始着急："伊就在门口坐车子出去的？"

木林点点头。

我记得进门的时候，转角上有两三部黄包车停着，不如向车夫们问一问，或者可以知道佩芹的去向。我慌忙退出大门，木林也跟在后面。我向一个车夫询问，据说在一刻钟前，果然看见一个女的从洋房中出来，吩咐车夫往味莼园去。我私诧佩芹为什么往味莼园去？可是有什么人和伊约会？我不再犹豫，回身向木林点一点头，一脚跨上一辆黄包车，赶紧往味莼园去。

昏暗的天空忽然下几点细雨。我把车篷下着，心中满怀着惊疑。味莼园本是上海的一个私人园林，也开放做公众的游憩之所。若干年前，每逢春秋佳日，士女如云，也曾盛极一时。但近几年中，因着新兴的游戏场的发达，味莼园便归于落伍。在平时这园中已绝少游人们的踪迹，何况当这阴寒的天气，既不宜于出游，佩芹又忙着筹备嫁事，怎么会一个人往那废园里去玩？那么，有什么人约伊去的？这约伊的人是谁？可就是先前写恫吓信给我的人？还是——

我不能再想下去了！好在南通路离味莼园不很远，一会儿已到了园门。我下了车子，园门前不见一人，也没有停着的车子。我向园内一望，看见园中大槐树底下，有两三个小孩子在那里绕圈子玩着。我走上前去，见是两三个邻近乡下的孩子。我含笑向一个较大的男孩子说话。

我道："天下雨哩。你们还不想回去吗？"

那孩子睁眼答道："我们要玩哩。这样的小雨不打紧。"

我又道："你们不是玩了好久了吗？刚才可曾见什么人进来？"

另一个较小的女孩子抢着答道："见过的。有一个女子来过，往安恺第背后去的。"伊伸出小手指一指。

我又问："你可曾看见伊出去？"

女孩道："还没有呢。你自己去瞧吧。"伊说完拉着同伴们的手走开了。

我急于要找佩芹，便不再耽搁，三脚两步地走向安恺第去。这时安恺第的前门已经关锁，墙壁窗户也都剥落朽蚀。回想当年宴宴集会之时，管弦嗷嘈、裙屐纷错的盛况，真不胜今昔之感。这时候我当然没心思凭吊，一口气绕到了安恺第背后的露台。何曾有什么人？我又向四面兜了一个圈子，依然是毫无踪迹。我重新回到露台下面，站住了发呆。

佩芹往哪里去了呢？据木林说，伊曾接到一封信，分明有人约伊到这里来的，更用车夫和孩子的话作证，伊果然也曾践约。但这约会人到底是哪一个？怎么鬼鬼祟祟，一霎眼便已不见？难道伊有什么秘密——

唉！这断乎不是事实。假使伊有什么秘密约会，当然不会再打电话叫我。可见伊到这里来，一定是受了我的仇人的诱骗。可是伊也太鲁莽了。伊既然打电话叫我，怎么竟不能少待一会儿，却一个人到这里来，落进我的仇敌的奸计？就时间论，前后相距没有多少工夫，佩芹即使受愚，还不会有什么危险。但安恺第和别屋的窗门既然都已紧闭，露台上又没有——

这时候我的目光依着脑球的指挥，转到露台上去。露台上有几个石磴，磴旁有两张白色的纸片，远望去还很新鲜，显见遗留在那里不久。我急急走过去，将纸拾起来一瞧，芬香扑鼻，原来是女子化妆用的粉纸。那天是北风，因着屋子的掩蔽，纸上不曾着雨。纸的一端，有一个箭贯心的压印，这就是最名贵的柯劈特牌粉纸。我的眼光同时又接触另一种东西。在那粉纸的旁边，还有一个很长的烟尾。我拾起来瞧时，是茄力克牌，并且很新鲜，不消说丢落的时间也同样不久。

唉！说也惭愧，那时我禁不住生出一个大疑点来。两星期前，我曾买过一打柯劈特牌粉纸送给佩芹。这两张纸可就是伊遗留在这里的？还有那个烟尾又是谁遗留的？佩芹是不吸烟的，当然另有一人。那人可也是女子？或者竟是一个所谓时髦男子？如果这样，这男子又是个什么样人？佩芹一接信怎么立刻就赶来会他？这真是太不可思议！我越想越觉可疑，竟假定佩芹来此实在是出于秘密的。打电话的本不是伊，只因施桂听错了，会逢其适，无意中就被我撞破机密。然而回转来一想，我又自觉神经过敏。佩芹是个温柔端娴的女子，我们的婚约又是出于伊的自愿，断不致另有什么秘密的情人。不，我决不可武断地诬衊伊的人格！我推想的结论，料定佩芹必是受了匪人的诱惑或强迫，方才到这里来。这时谅必伊已经从后门出园了。因为这里的空屋门窗完全关闭着，如果宵小们用强力将佩芹拘禁，多少总不免留些迹象，事实上却完全没有。我想到这里，便急步向后门奔去。

那后门的篱笆果然已被人撬开了。我走出去一瞧，没有人影；又向地上细瞧，想要发现什么足印，以便证明佩芹究竟曾否从后门出去。不料足印不见，却发现几个明显的马蹄印子，似乎有马车在后门外停过。距离后门不远，有几家旧式的小屋。我就走过去问一个白发近视的老婆子，可曾看见有马车在园后门口停过。

老妇答道："不错，有一辆马车在门口停了好久。我们正在诧异呢。"

我忙道："你可曾瞧见坐车的是什么样人？"

老妇道："我看见的，好像是一个男人和一个少年女人。他们向西去的。"

事情有些眉目了，而且和我的推想居然吻合。我恨不得有一辆汽车，立刻向西追去。我抬头一望，看见远远的有一辆空黄包车，就不禁高声呼叫：

"黄包车！……黄包车！"

这时候我忽闻有人在背后叫我：

"包朗，快下大雨了。你打算往哪里去？"

恶消息

这意外的呼叫声音很熟悉，我一听便辨得出是老友霍桑。他怎么也会赶来？我回头瞧时，霍桑已奔到我面前。

他说："你准备干什么？我等你好久不见回来，不免心焦，赶到高家，木林告诉我，你是到味莼园来的，才知道你的踪迹。……你为什么这样子慌慌张张？"

我低声道："霍桑，大事坏了。"

霍桑也有些诧异："唔，坏什么事？"

我就将经历的情形约略说了一遍。霍桑初听时还很注意，后来却越听越淡漠起来；等我说完，他反而笑嘻嘻地向我瞧着。他是幸灾乐祸？当然不会。那么他是想用镇静的态度来安慰我？

他说："包朗，你可是以为你的未婚夫人，因着受人诱骗，已落到了你的仇人的手中去？"

我反问道："是啊。你难道认为佩芹的失踪不是被骗，内中另有什么别情？"

他笑一笑："包朗，别再胡思乱想吧！你的未婚夫人正好端端在伊家里呢。"

我瞧瞧他的神色，分明不是戏言，忙问道："当真？你怎么会知道？"

"我看见伊的。当我问了木林，从高家乘车到这里来的时候，车子到成都路转角，看见伊也乘着黄包车转弯过来。伊一定是回家去的。"

"你没有瞧错？"

"你别多疑心了。只要到伊家里去一趟，立刻可以证明我的话。"

我沉吟地说："那么伊大概果真从后门出来，所以我没有撞见。……霍桑，你想伊到这里来，究竟和谁约会？"

霍桑挥挥手："别再疑神疑鬼了！黄包车来了，快坐了往高家去，我在寓里等你。"

我不便再说，只得坐上车子往南通路去。如果霍桑没有瞧错，我刚才的推想只算吃了一次虚惊。但伊是明明到过味莼园的。伊为着什么事来？来去虽如此仓促，露台上却还留了两张粉纸，更教人不能索解。我一路推想，越想越觉难忍，等到车子驶近高家门前，我的疑焰变成了怒火。

我在门房里找到了木林，便问道："小姐不是回来了吗？"

木林呆了一呆，忽张目摇头道："没有啊。"

我大吃一惊，愣住了不知所措。

他又说："你的朋友霍先生来过的。他向我问过几句。他是特地来寻你的。"

我道："我知道。但霍先生去了以后，你家小姐不曾回家过吗？"

"没有。伊不曾回来。"

"也许伊进来时你不在门房。"

"不，你走后，我一直在门房里。你不相信，可进去问太太。"

这又出我所料。事情真有些蹊跷。现在我进去见佩芹的母亲，应得怎样措辞？

我又问道："你家老主人可曾回来？"

木林道："还没有。他要四点过后才回。此刻只有太太一个人在里面。"

我实在有些慌，不知道怎样告诉佩芹的母亲，不如先回去和霍桑商酌一下，再打算进行的步骤。

我向木林道："我现在有事，不进去见你家太太了。但你一看见小姐回来，请伊立刻打一个电话给我。"

我的车子到爱文路七十七号时，已近四点钟。霍桑才刚回寓。我走到办公室里面，霍桑回转头来，带着诧异的声调发问：

"怎么样？你——"他已瞧见我的神色，立即将口中衔着的纸烟取下，定睛注视在我的脸上，"包朗，可是有什么变端？"

"佩芹没有回家啊！"

霍桑的脸色也有些惊异："真的？难道我竟会瞧错？"

我道："也许你见伊以后，伊另往别处去了。"

霍桑摇摇头："我遇见伊的所在，就在成都路转角。我明明看见伊的车子向东往南通路进行。伊何致过门不入？"

"那么你的眼光难道也会有失错的事？"

霍桑的脸上忽然显出一种忸怩不安的神色，那是难得瞧见的。他定了目光沉吟了一下。

他说："我自信似乎不至于此。但我遇见伊的时候，彼此的车篷都下着，并且在转弯角上，两车相接，只有一瞥的工夫。"

我道："既然如此，我们姑且假定你没有看见伊。那么你想伊到底往哪里去了？"

霍桑不答。他立起身来，一手执着纸烟，一手插在藏青哔叽的裤袋里面，低着头在室中往来踱着。他的态度也显然改变了，似乎他也承认这件事出乎他的意料，果真不能够轻视。

一会儿他立定了，说："包朗，照现在的情形看，我们对于方才你接到的那封恫吓信，似乎不能够完全不加理会。假使你的未婚夫人果真失踪，那一定是由于我们的敌党作祟。"

我惶然道："唉，你现在也以为那信不是虚声恫吓吗？但佩芹如果已经落了敌手，那是十二分危险的。我们应当赶紧设法将伊救出来才好啊。"

霍桑只点了点头，又不回答。他的眉毛蹙紧了，脸色也很严冷，显示这回事的确严重。事变既然来得突兀，作难的人是谁又没有一点儿头绪，我们怎样着手呀？

一会儿，霍桑仍镇静地说："包朗，你姑且忍耐一下。你的未婚夫人是否果真失踪，此刻还不能说定。少停伊会自己回去，也未可知。"

我道："我但愿如此。但万一伊到底不回，你可有追踪的方法？"

"这样，我们姑且假定伊是被匪人诱去的。伊接过一封信，那一定就是他们的诱饵。因此，我们可以知道他们用的是软功，也许不致有强暴行为。"

"我以为先柔后强，也未始不可能。味莼园里此刻已空废没有人了。"

"虽然，这班奸徒不会像是江南燕一流人物。他们即使和我们作对，但对于我们的虚声也不至于完全没有顾忌。所以我料他们断不敢公然用暴力相迫，只是利用什么狡猾密谋，暗中破坏你的婚姻。万一失败，他们也不致负直接的责任。但瞧方才那封信既然没有具名，又不敢直接送到我们寓里来，便可见他们胆小如鼷了。"

"不错，我记得那园门外的老妇说，伊看见的像是一男一女，坐了马车向西去的，实际上果然不曾用什么强暴手段。但你想这女子可就是佩芹？"

"这问题我此刻不能回答。不过那老妇的口气不定，未必真是一男一女，当然更不能就假定是高小姐。再停一会儿，假使伊真个不归，我们先到警署去看看汪银林探长，再打算进行的方法。"

霍桑的语气显然也像我一样，他也完全没有把握啊。我不由得着急起来。

我道："这样看来，这回事倒真棘手！你想这作弄我的到底是什么样人？"

霍桑皱眉道："这也是一个难题。你想我们经历的案子不下数十百件，对我们有好感的人固然很多，但同时狡黠不肖的人们，直接间接，因着阴谋破露失败而衔怨我们的也不在少数。现在那一封无名信上并无邮印之类，笔迹既不熟悉，也不像矫饰，凭空猜想，哪里想得出？"

话原是近情理的。霍桑的智慧虽然过人，但他不是神话小说中的人物，究竟没有超自然的神秘技能，会得"掐指一算"。这件事既然像晴空霹雳般地突如其来，他毫无凭借，当然也猜想不出。

霍桑继续说："那主动的敌人虽不知道是谁，但我料内中还有一个被动的居间人。那人也许是和你未婚妻相识的。但瞧伊一接信以后，立即就去践约，就是一个明证。"

我的心房突地一跳，答道："我也有这样的推想。那人不但和伊相识，似乎从前彼此还很知己；否则伊绝不会一得他的信，就冒昧地赶去。"

霍桑道："我还想那人诱骗的话一定非常急切，高小姐信以为真，所以等不及和你相见，就一个人匆匆去了。"

"你以为伊仓促赴约，并不是故意秘密，只因着相信了那匪人的谎话？"

"大概是的。"

"你想那是一种什么样的谎话？"

"也许假托有什么关系安危或生死的急难，求伊去援助。伊一时间不暇深思，就赶去会面。"

"这样说，伊起先打电话叫我，不是多此一举吗？"

"伊起初也许想把这事和你商量一下，后来等得不耐，时间仓促，就变计独自去。"

"这理由未免牵强。伊即使等不及和我商量，也应当说明伊的去处，为什么竟不留一句话，教我扑一个空？"

霍桑沉吟了一下，答道："那么，你以为伊仓促赴约，是故意不教你知道？"

我直截应道："是，因为有种种疑迹——像粉纸和烟尾——都使我不能不发生这样的猜想。我料那居间引诱的人，必曾和佩芹有过交谊；他写信约伊，又一定假造什么使伊不得不顾忌的故事，伊才不能让我知道。"

"但伊既然要秘密约会，起先为什么又打电话叫你？这里面不是同样有些矛盾吗？"

"电话大概不是佩芹打的；另有什么别的女子，施桂听错了。"

霍桑道："既然如此，何不就叫施桂进来问问？这是一个大关键，若使能够明白，很有益处。"

我起身叫施桂进来。我把电话的事问他，他却坚决地作答。

施桂说："不，我绝不会弄错。因为高小姐第一句就问包先生是否在家。我回答不在，回问伊是谁。伊答道：'我是高佩芹。你等包先生一回来，请他立刻到我家里来。我有要紧事和他商量。'这样清清楚楚的话，难道我会听错？"

我的推想虽然被他打破了，但听他的话说得斩钉截铁，没有一毫疑惑，却也不便再问，只得点点头叫他出去。我瞧瞧时计，已是四点三十分。雨点果然更大，天色也越发昏暗，三春气候竟有着阴沉沉的秋意。我满肚皮怀着疑骇，思绪坌涌，好似脑海中起了层层相叠的旋涡，真是说不出的难过。

霍桑又向我说："包朗，这里面虽然疑障重重，一时不容易分解，但着手的线路也不一定完全没有。你用不着这样子焦急。"

我的精神提振起来，忙问道："喔，你有办法？"

霍桑想了一想说："我看最简捷的线路，我们只需查明那诱惑的居间人。这个人一定是和高小姐相识的。从这一条线索上着手侦查，我想也不至于十二分艰难。"

我点头赞成道："对，这意见和我相同。但等到什么时候，你才打算动手？"

霍桑整一整衣襟，答道："是，我们坐等消息，当然不是上策，不如就——"

铃铃铃！

电话铃响了。施桂进来报告，电话是高家打来的。

我急急奔进电话室去，握着听筒问道："唉，你是佩芹？"

电话中答道："不，我是敬修。"

唔，是伊的父亲。我真是太鲁莽了！

敬修继续说："你是包先生？……佩芹不知往哪里去了，

至今还不回来，我很着急。能不能请你同霍先生来一趟？我等你们来谈话。"

我应了一声，回到办公室中，把消息告诉了霍桑。霍桑向我呆瞧了一会儿，脸上蒙上了一重暗影：

"唔，消息真不大好。但无论如何，你得保住你的镇静。不然不但不能成事，反而会坏事。"

话是有意思的，但我因着佩芹已陷落敌人之手，安危生死都不可知，我的心头鹿撞，实在不能够自持。平时我自信也有几分定力，可是说也好笑，事情的利害，一关系我的本身，我的定力竟就像秋天树头上的风中残叶！

霍桑又说："包朗，我知道你这时方寸已乱，绝不能干什么事。你不如在这里静坐一会儿，等我去和高敬修接洽以后，再作计议。"

我道："你一个人去？"

霍桑道："是。你一同去也徒然。至多一个钟头，一定有消息给你。"他上楼取了雨衣，就匆匆出去。

我只得强制自己静待。在独处无伴的情况中，思前想后，更加觉得难受。佩芹是一个娇弱的女子，无论经不起强暴的惊怖，即使虚言恫吓，或将伊软禁起来，伊也必忍受不住。伊的处境怎么样了呀？我仿佛看见我爱人的情影涌现在我面前，婉转哀啼地在向我乞援。我周身的热血像在沸腾，我奋拳击桌，恨不得立刻将那诱骗伊的万恶的匪徒杀一个干净！

五点钟时，电话铃又响了，是霍桑的回音。

他说："包朗，你定心些吧。事情我已有几分把握，现在我要着手进行了。"

我忙问道："可要我一同来？"

霍桑道:"不必。你的精神上受了这样的刺激,干不得事,还是安静些等我的消息。今夜里我也许不回来,你也用不着担忧。总而言之,我回来时一定有好消息给你。"

小纸包

我松了一口气,因为我相信霍桑所说的他已有几分把握,当然是实话,绝不是借此安慰我的。他既然准备着手侦探,一定已得到了什么可靠的线索。我只索凭他去干,不必再胡思乱想,自寻烦恼。吃过了夜饭,不耐坐待,我就往青年俱乐部里去消遣一会儿。临行时我叮嘱施桂,如果有什么信息,马上打电话给我。

那晚上阴暗异常,雨脚仍丝丝不绝,俱乐部中的人员也因而减少了许多。我刚走进弈棋室去,忽见那干事李润苍又含笑走过来招呼。

他说:"包先生,又有一封信,还是上灯时候来的。"

我接过信一瞧,心头又微微一震。原来那信面上的钢笔字迹和日间接得的一封信相同,不消说又是那匪人寄给我的。

我问道:"还是那个送信人?"

李润苍答道:"不,这一次我没有看见他。信是留在收发处的柜台上的。"

当时我不露声色,谢了一声,就走进图书室去。图书室里面空虚没人,我就悄悄地将信拆阅。

那信道:

包朗先生：

此番你总可以得一个教训了吧！我劝你从今以后，还不如偃旗息鼓，专心致志地干你的笔杆事业，别再跟你的老伙伴鬼混了！要是你接受这个忠告，那你还有成婚的希望。不然，无论这一次事成画饼，你也许一辈子娶不成功妻子呢！哈哈！

真可恶！这个坏蛋既然将佩芹诱骗藏匿了，还敢作书戏弄我，真使人忍无可忍！不过这两封信都是差专人投送，又都是从俱乐部转寄，不敢直接送到我们寓里，也可以想见这个人的胆力。大概果真不出霍桑所料，他是一个有智没胆的人，不敢明枪交战，只会虚张声势地暗箭害人。我也不值得过分重视。现在霍桑既已着手侦缉，这家伙迟早要落在我们的手里。到那时我少不得要给他尝些滋味，泄泄我此刻的怒气。可是我一想到我的意中人安危未卜，方寸中总不能安宁。我重新回到弈棋室去，几个朋友看见了我悒悒不乐的状态，都向我说笑。

一个人说："包朗兄，你筹备婚事，忙得太辛苦哩！"

又一个说："对，瘦得多哩！我看你不但忙碌，还有些心不定呢！不是新夫人有什么条件，你有些吃不消？"

接着是一阵哗笑。我也利用着笑声来掩饰，随即用别的说话岔开。我的心事可以说出来吗？唉！

一个侍役走进来叫我，说有电话。我抢步走出。不会是施桂打来的？莫非霍桑已回来了？或是有什么好消息？我握着电话筒一听，打电话的果真是施桂。

我问道："有什么消息吗？"

施桂答道："是，有个好消息在这里。你快些回来。"

我觉得心口卜卜地乱跳，呼吸也急促了，但我按捺着再问。

我忙应道："好，好，我就来。但这是什么消息？你先给我说一声。"

施桂答道："我刚才收到一封快信，是高佩芹小姐寄来的。"

我这时恨不能化身作电流，从那电话线上传送回去，以便立即可以看见我的爱人的信。我不敢虚费一秒钟工夫，匆匆离了俱乐部，跳上一辆车子回寓。

唉！佩芹有信来了！这可见得伊此刻不但没有危险，却还有一部分的自由，否则伊绝不能够写信给我。但这是一封什么样的信？可是困厄中的求救？如果如此，霍桑虽然不在，我也当尽我一切可能的力，无论虎穴龙潭，我也准备冒一冒险，亲自去将伊救援出来。不过这信会不会出于别人的假冒？或是佩芹是被匪徒强迫而写的，它只是一种诱饵，目的是使我一同入圈。那我又怎么样对付呢？我想起霍桑曾说要去看汪银林探长。如果那封信真有可疑，我为妥慎计，也只能去请教汪银林了。

一阵阵雨点从车篷口里飞扑到我的脸上。我默默地自问自答，竟似没有感觉。好容易车子到了爱文路七十七号寓前，我付了车钱，大踏步走到里面。施桂立刻将一个小纸包给我。我的双手接到那纸包时，我又感觉到周身的血运陡然间流动加速。

这不是一封寻常的信，是一个小小的纸包，外面是牛皮纸，似乎里面还附着什么东西。我一眼瞧在纸包面上，便见左面一行，写明"南通路九号高佩芹寄"字样；那娟秀的毛笔字，一望而知是我心上人的手笔。伊的书法我看熟了，每次信来，写我的姓"包"字的最后一钩，总喜欢写得很长。这一个"包"字依旧如此，不过笔画间略略有些屈曲；大概伊写的时候，芳心中也不免惊恐不安吧。第一个信念，我确信这字迹绝不是别人假冒的。我将纸包仔细捏捏，内中有一种坚硬的东西，不知道是什么；拆开了包封，里面却裹着许多报纸。我一层层地打开来，希望发现一张信笺。老实说，那时候我的手指都颤动而木僵了！我将报纸展到最后一层，陡觉有一股冷气从我脊梁上直泻下去！

为什么呢？我手指的触觉已报告我纸包里的东西是一只戒指。等到我将最后一层纸撕了开来，果真有一只白金镶钻石的戒指。我呆木了，几乎让戒指落在地上。

这就是我赠给佩芹的订婚约指啊！

当三星期前，我们在半淞园里的柳荫底下，我亲手将这指环套在伊的纤指上。现在伊怎么将这东西寄还我？论理，这一只约指既经退还，分明是悔婚的表示。难道佩芹竟和我决绝悔婚？那绝不会吧？然而退还约指，又不是儿戏的事，到底有什么用意呢？纸包中除了戒指以外，并不见有一张信笺。我又将一张张包裹的新闻纸仔细查验，恐防有什么暗藏的秘密信，但搜寻的结果是连字迹都寻不到一个！

佩芹果真是悔婚吗？那也应该说明原委。现在单单将戒指退还，显见伊一定是受了匪人的强迫，并不是伊的本意。瞧那封面上屈曲的字迹，就可想见当时伊必定受了某种威胁，心有所怖，手指也禁不住颤动。照这样看，伊现在一定在匪人的掌握之中，无论伊的自由完全丧失，也许还有意外的危险。那么我岂能再袖手坐待？霍桑此刻虽已在那里进行，但不知他进行的线路是否可靠。我又不知道他的踪迹，否则和他通一个消息，联手办事，自然比较容易成功。无论如何，我总得整顿精神，尽我应尽的本分。

我将纸包的封皮仔细瞧察，那是从第十一分局发出的，盖印的时间是四点钟，可知道指环付邮局的时候，在四点钟以前。那时大概就是我和木林第二次问话的当儿。现在我从哪一个方向进行呢？若到邮局里去查问，当然无益；还不如往高家去走一趟，一则探探高家人的口气，二则也许可以知道霍桑的踪迹，以便我追踪上去。

无聊的慰藉

我到得高家门前，不觉又踌躇起来。我见了敬修，怎么样开口？退回订婚指环的事，可能和他说明？我决意随机应变，先听听他们的口气再说。我走进门房，木林仿佛怔了一怔，面上也似乎露着冷淡的神色。我不禁暗暗诧异，但仍镇静地发问：

"你家老主人在里面吗？我要见他。"

木林缓缓地摇了摇头："老爷出去了。"

他的语气很冷，努着嘴唇，神色上似乎不愿意我进去。我不禁有些着恼：

"那么你去通报太太，我有事要见伊。"

木林没法，只得低垂了头，悻悻地走进去。我跟在后面，到客堂中稍待。木林为什么有这种态度？莫非悔婚的事果真是佩芹的本意，并且伊的父母也已同意，木林闻得了这个消息，才用这副面孔对待我？然而事情似乎不会如此严重。我未免神经过敏吧？不一会儿木林回出来了，说佩芹的母亲请我进去。我才知刚才的料想果然错误，否则伊也许要拒绝我了。

我走进憩坐室时，看见高老太紧皱着双眉，满面忧色，一见我便不住地叹气。

伊说："这件事实在是出乎意料的。佩芹素性温柔，心肠又软，一听得人家的惨苦忧痛，便会感动。这一次伊竟听信了什么匪人的话，落进了他们的圈套，害得一家人都惶惶不安。我真不知道有什么结果！"

我忙应道："伯母，别焦急。我的朋友霍桑方才打电话告诉我，他已有把握。大概令爱不久就会安然回来。"

高老太太道："霍先生原是这样说过的。不过拙夫究竟放心不下，夜饭都没有吃，此刻又冒着雨出去寻了。"

"他往哪里去寻呢？"

"他说他是往佩芹的叔叔家里去的。"

"他怎么往亲戚家里去寻？令爱不是被匪徒诱去的吗？"

"我们起先也这样想。但霍先生另有一个设想，料佩芹也许往亲戚家去。因为三点过后，他在南通路和成都路转角上瞧见过伊。所以他——"

"那是他瞧错的。令爱并没有回来。"

"不。那时候佩芹确曾回来过一次，不过当时我没有知道。"

我诧异道："什么？伊在三点过后当真回来过的？伯母怎样知道的？"

高老太道："看门的木林瞧见的。"

"喔？他瞧见的？但我在四点光景问过他，他说小姐没有回来。他竟敢打谎话骗人？"

"是，他不但骗你，也骗过拙夫。据他说，佩芹临走的时候叮嘱他不要声张，所以当拙夫回来问他，他也回答不知道。直到晚餐时分，霍先生来了，我们又接得了佩芹的回信。霍先生重新叫木林进来究问，他才说出真话。"

我才明白方才他那种尴尬状态，原来就因着说谎的缘故，有些内疚。但当时我竟相信他天真无邪，被他瞒过，实在出乎所料。

我接续道："伯母不是说令爱出外以后，来过一封信吗？"

高老太点头道："是，可是信中只寥寥几句，说要出去暂避几天，叫我们不要着急，理由却并没说明。这举动既然是突然发生，又不说明缘由，我们又哪里能够安心？"

我听了这话，把我从前的设想推索一下，觉得有许多已不会成事实。就现在的情势而论，似乎伊从味莼园出来以后，回来过一次，重新又出去的。这可见伊的行动出于自愿，和我所料的被匪人强迫的设想相反。情势似乎缓和了一些，但伊此刻在什么地方？是不是和我设想中的匪人在一块儿？假使如此，当然也是出于伊的自愿。再进一步推想，那寄回戒指的举动也是伊自动的吗？

我想到这里，不禁浑身发冷，真像疟疾发作时的景况一般。因为我的推想万一不幸而中，我的前途真像漫漫长夜，一些光明也没有了！

这时我当着高老太的面只能竭力忍持，不愿把戒指被退回的事实说出来。一会儿，我又敛神抬头。

我问道："伯母，当令爱在三点过后回来的时候，伯母可曾见过伊？"

高老太道："没有。我只知道伊在一点钟模样往永安公司去买东西；到了两点一刻回来，我见过伊一面。后来伊什么时候再出去，回来后又重新出外，我都没有知道。"

"我听木林说，令爱购物回来时，曾经接过一封信。这话也实在吗？"

"霍先生也问过他。他说实在接到过一封信，还说那信形式很大，是一个人专诚送来的。谅来不致再说谎。"

"那么这一封信，伯母自己没有瞧见？"

"没有。但伊购物回来后，我听见伊打过电话。"

"唔，这大概是打给我的。"

"我听见电话铃响过两次，好像伊打过两次电话。"

我暗想这两次电话中的一次，一定就是施桂接到的那一次。但还有一次，伊又打给谁呢？况且伊起先既打算和我商量，接着为什么又悄悄出去？后来又为什么退还约指？这里面究竟有怎么样的秘密，我绞尽脑筋也推想不出！

我正想告辞退出，忽然佩芹的父亲敬修回来了。我只能略停一停，和他应酬几句。他告诉我他刚从他弟弟敬德那里回来，佩芹没有去过。他知道霍桑也曾到敬德家去打听过了，但此刻他又往哪里去侦查，他不知道。

末后，他对我说："包先生，你放心，小女一时执迷，才有这举动。但伊的操守素严，绝不致有什么意外。现在霍桑先生既然在尽力探问，不久一定可以有平安消息的。"

我鞠躬答应了几句，随即辞别出来。

那时候我满腹心事，可是不能够向他们诉说。他们虽竭力安慰我，终于没有效果。他们以为佩芹绝不会有什么危险，这一着我是相信的。但他们怎知道虽然佩芹的身体上没有遇险，但伊的意志上也许已经发生了变动，足以做我的致命伤呢？因为照现在的情势看，佩芹将戒指寄还给我，分明是伊自己做主的。伊为什么要退戒指？我自问没有亏待伊的地方，伊突然悔婚，论情论理都太觉突兀。那么也许寄还戒指虽是伊自动，到底还不是伊自愿的。大概伊从前曾和什么男子有过交谊，那交谊非常密切，已到了论婚的地步。我和佩芹缔交不久，所以没有知道。这一次我和伊订婚的消息被那人闻知，因此突然要求伊毁去与我的婚约，以便和那人重续前好。那人对于佩芹或者还有什么足以要挟的事物，佩芹不能抵抗，就只能听命了。除此以外，还有一种设想。或是佩芹对于那人起先也曾倾心相爱过，后来因事分离。这一次那人一听得佩芹另外和人订婚的消息，便来向佩芹悔过认罪。佩芹旧爱重炽，便舍我而就彼。这样，伊所以退还戒指，不但是自动，并且也是出于自愿哩。

这两种假定的设想，就是我当时反复推想的结果。我私忖第一种情形，佩芹只被一种恶势力所困，我们不难用全力打破，十九日的婚期还不致被影响。若是第二种情形，差不多就是我死刑的宣告书，再也没法可想了！那么佩芹的出走到底是由于第一种被胁，还是出于第二种自动？我又想到在安恺第背后发现的粉纸，似乎和那人相见时非常亲昵。这一个回想真使我不寒而栗！

难堪的谈判

那天晚上，我等候霍桑的消息，直到天明始终没有合眼。这半夜中我精神上的种种悬虑，惶惑，忧惧，读者们也可以想象而得。到了八点一刻，好消息果然来了。霍桑寄给我一个电报。

那电报道：

事已得手。见电快来。嘉兴嘉禾旅馆霍。

唉，霍桑果然是忠于朋友的！这一夜工夫，他竟赶到了嘉兴去。现在他既然说已经得手，我哪里还敢怠慢。我取出火车表来一看，九点钟有一班慢车，一算时间还来得及，就急急准备应用的皮包，顺手将衣袋中的几张报纸放在皮包里。我赶到火车站时，九点还缺三分，幸而没有脱班。

我坐在车上，脑海中一喜一惧的思潮当然不免，我也不必记述。到了嘉兴，我刚要下车，忽见霍桑已在车站的月台上等我。我一见他，好似阔别后的相见，心中说不出的快活。霍桑也满面笑容，绝没有昨天那种恍惚不定的神气。

我忙问道："霍桑，消息怎么样？"

霍桑含着笑容答道："我早对你说过，我们再见面时，一定有好消息给你。"

我说："那么佩芹在此地吗？你可曾见过伊？还有那个引诱胁迫的恶汉，你可曾拿住了送——？"

霍桑忽摇头大笑："喂，你的问句太多了！这里人多嘈杂，我怎么能回答？现在你不觉得肚子饥吗？你把皮包给我，我们到旅馆里去细细地谈。"

我只得依他，同他走出车站。到了旅馆，霍桑便吩咐备饭。我一面洗脸，一面重新提出先前的几个问句。

霍桑笑嘻嘻地说："我先回答你一个最关切的问句，安安你的心。你的未婚夫人就在这嘉兴城内梧桐街五十三号，姓赵的家里。伊完全平安无恙。你放心吧！"

我惊喜得几乎流出泪来：

"真是好消息！但你可曾见过佩芹？"

"没有。但我敢保证，一定没有错误。我知道伊昨天乘的是三点四十五分慢车，七点半钟才到赵家。今天早晨七点钟时，伊已经起身。这可见伊身体上安然无恙。"

"唉，唉，你竟知道得这样详细！但这姓赵的是个什么样人？可有什么人和佩芹一同来吗？"

一个侍者送饭进来。我的问句又被打了岔。于是彼此坐定，我只得忍耐着举箸吃饭。这时我仍旧吃不下去，勉强咽了几口，就静坐着等待霍桑。一会儿漱洗既毕，霍桑才开始作答：

"你别多疑心了。伊是一个人来的。若说这里的赵铁生，就是你未婚妻的母舅。他的地址，我原是从高敬修那里得来的。昨天傍晚我和高敬修会面以后，揣测情势，知道佩芹出去，一定往什么亲戚家里去。因为木林既经吐实，佩芹曾回家过一次，便知被匪人要挟而去的设想已不能成立。那么这个温柔纯洁的女子，除了往亲戚家里去，一个人又会往哪里去呢？所以我在伊的叔叔和姑母家里寻访不得，便料伊已离去上海，到伊的母舅家里来了。那时我早已把几个近亲的住址问明白，就即赶到车站，乘夜车来到嘉兴。既到这里，我便探明伊的踪迹，确在赵家。于是我就发电招你。以后的手续，只能让你自己去料理了。"

经过的情形我已经明白了一部分，我的心头果然略为安宁些，但我还猜不出内中的奥妙。

我又问道："这样说，佩芹果真是一个人到这里来。但你想伊为什么有这种举动？"

霍桑微笑道："据我看好像是负气。"

"负气？伊怎么会负气？"

"那一定是被什么匪人挑拨出来的。"

"和谁负气？"

"当然是和你。"

"为什么？"

"这一层要问你自己。我怎么能够知道？"

我想起了那只戒指，又问道："霍桑，你以为这事不过负气罢了吗？"

霍桑道："是的。你若能够问问自己，你一定有了什么不到之处，那匪人才能够乘隙进谗。不过我不相信像你夫人这样的性情，竟会有这样激烈的举动，因此未免觉得诧异。……唉，包朗，你不是有什么话隐藏着不告诉我吗？"

我便把衣袋中那只钻戒取了出来："你瞧。伊把这东西寄还我了！似乎不只是负气吧？"

霍桑把戒指接过一瞧，他的头低沉下去，脸色也顿时变异。

一会儿，他抬头说："这不是你给伊的订婚约指吗？伊怎么竟会退还？"

我就把昨晚接得戒指的事，和我所假定的两种设想说给霍桑听。霍桑用右手摸着他的下颏，注目在地板上面，半晌不答。

我说："你想这事不是有些尴尬吗？"

霍桑缓缓答道："是，照这样看，内中果然有些曲折。我以为你应当从速料理，否则夜长梦多，保不住要弄假成真哩！"

我又重新惶急起来："但怎样料理呢？"

"据你自己想，你对于伊的行为和感情，有没有足以使伊悔婚的可能？"

"我们俩的感情可以算得融洽而没有间隙。不然我怎么会向伊求婚？伊也哪里肯一口应允？最近一星期中，我也曾和伊会过一次面。我既没有得罪伊，伊也绝没露过不满的表示。突然间伊竟会悔婚，我实在想不出理由。"

"你再仔细想想。你们最后一次会面的时候，伊的言语态度，和往日的比较，可有什么变异的地方？"

我低垂着头，把上次我们会面的情形，竭力地追想了一下。

我答道："我记得那天伊在书房里，说话不多，态度上似乎比较冷淡一些。"

霍桑接口道："唔，这也许就是端由的一种。你一定有什么不到之处，不过你自己没有觉察罢了。"

我辩道："没有。这一层我敢自信，实在没有。"

霍桑道："没有更好。但是此刻不可再耽搁，你应当赶紧往梧桐街五十三号伊的母舅家里去看伊。你得尽你的能力，解决这个难题。这件事除你自己以外，谁也不能够越俎代庖的。"

话果然不错。霍桑虽是我的好友，但夫妻——虽是未婚——间的事当然不能容旁人解决，我也万不能够请他帮助。这时好像矢在弦上，不能不发。无论如何，我应得马上去见见佩芹。于是我换了一身灰色薄呢的新衣，略略整理了一下，便动身往赵家去。

那赵铁生是在北方当过旅长的，因着眼见得军人们弄权捣乱，不愿意和他们同道，所以告卸了职司，在家里闲居。这一段历史也是霍桑打听出来，我临走以前他告诉我的。

当时我到了赵家，向门房里问询，要求见他家主人的外甥小姐。那看门的起初拒绝不理，后来我只得把我的未来外甥婿的头衔掮了出来，他方才给我通报。等了四五分钟，还不见他出来。我又暗暗怀疑。莫非佩芹拒绝见我吗？这个莫名其妙的僵局真是没法挽回了吗？我又等了几分钟，才见看门的匆匆出来回报。

他说："请进去吧。"

我轻轻呼出了一口长气，惊疑略定，就跟着他进去，穿过了一个大厅，就到达一个书房。我在书房门前略定定神，踏进去一瞧，却没有人。书房中陈设得非常精致，壁上的字画也都古雅高洁。那看门人送到门口，竟一言不发地回身去了。我知道少不得要再在这里等候一会儿。但从佩芹这样迟迟不出上着想，足见伊对我不十分欢迎。平时我每逢和伊约会见面时，总是心花怒放，说不出的快活；但在这个当儿，恰正相反。我心中怀着鬼胎，不知道伊用怎样的态度对我，我见了伊又怎样开口措辞。

一声咳嗽，不由使我从座中直跳起来。我抬头一瞧，看见一个长身阔肩的中年男子，穿一件蓝绸夹袍，大踏步地踱了进来。这个人的进来是出我意料的。但我瞧了他魁梧的体格，方黑的面庞和高亢的气概，便猜知是佩芹的母舅赵铁生。

他先向我招呼道："你就是包朗先生？"

我鞠躬应了一声。

那人又道："你既然能够寻到这里来，大概早已知道我了。我就是赵铁生。我们坐下来谈。"

我又鞠了一个躬，叫了一声"赵老伯"。这人谈吐爽豁，绝没有一毫流俗的敷衍话，确有些军人本色。我坐定了，正待自陈来意，赵铁生忽又先向我说话。

他说："包先生，我久闻你的大名。你不但是个急公好义的大侦探，还是一个德学兼优的文学家。我一向是很佩服的！"

这大概算是他随俗的敷衍话吧？可是他的语调非常生硬，并且还带几分冷气。这是军人的本色吗？我既然受之有愧，礼尚往来，少不得也要恭维他几句。

他摇头道："唉，现今的军人真是良莠不齐，值不得恭维。一大半表面上口口声声为国为民，暗地里却只顾自己的私利。这班口是心非的东西真可杀！"他骂了这一句，忽而睁眼握拳，外表很是可怕。

我答道："这原是事实。但老伯能够洁身引退，不和他们同流合污，足见得高风亮节。"

他不立即回答，忽而从衣袋中取出一支纸烟，擦着火自顾自地吸着。我私忖这个人态度有些奇怪，抽纸烟并不敬客，连茶都不叫仆人送一杯。这难道也包括在军人本色之内？他出来接见我，可是代替佩芹来和我谈判？或是佩芹还不便出来，他只是来敷衍一会儿？但他怎么凭空地发这种不相关系的牢骚？

赵铁生呼吸了几口烟，又说："我生平最爱的就是诚实和公道。这两种人在我们同道中实在难寻。我想像先生那样的文学家，人格一定是很高尚的。"

我忙道："这也不能一概而论。那些无赖的文人，言行不一的也随处都有。"

赵铁生突然张目道："唔？当真？但包先生一定是例外的，绝不会像那些无赖文人一样吧？我读过几种先生的著作。你不是时常赞美公道和诚实的吗？并且从字里行间看来，先生还是一个女权保障者呢！"

论情，他说了这几句话，我不得不谦逊几句。可是不！他的语调越说越冷，使听的人越觉得难受。他好像在那里讥讽，也许竟是申斥我了！他有什么权力竟敢这样无理？

他忽咯咯地笑道："哼！好一个女权保障者！"

我一听这句，他的真相已露，不由得立起身来。

我庄容说："赵老伯，请你说话上审慎些。你这种口气，好像带着侮辱的意味。我不能受！"

他也突地跳起身来，把口中的纸烟向地上一丢，瞪着双目，仿佛要用武的模样。我也准备好。他是军营中人，躯干又伟大，外表果然可怕。幸亏我也学过几年拳术，即使动手，不一定敌不过他。

他向我睐瞧着，又厉声道："我侮辱你？还是你自作自受？"

"自作自受？我做过什么事？"我也勃然大怒。

他说："我说你口是心非，表面上挂着女权保障者的幌子，实际上却是一个蹂躏女权的无赖！"

这一件事竟会弄得这样糟！他的语气分明是说我对于妇女们有过非礼的行为。这话不是佩芹对他说的吗？但我反躬自问，别说对于佩芹，对于无论谁何，几曾有过这种行为？我觉得面部热炙得厉害，心头也跳荡不止。按我的本意，恨不得举起拳头来，立刻把他打倒，作为他污衊我人格的报酬。但仔细一想，他一定是听信了别人的话，才来打抱不平的，论情似乎还可原谅。

我忍耐着答道："你可是以为我是一个蹂躏女权的无赖？那你就大大地弄错了！"

赵铁生说："你别卖弄你的口才了。你得知道我不是年轻无知的女孩子，不相信骗的。"

我又发怒道："你留神些。我的名誉很贵重，不是轻易可以侵辱的。你这几句话，若使不能够证实，我决不随便和你干休。"

他仍大声说："你要我证实？好！你听着。你在五年以前，曾经引诱过一个女子，和你私下结合。当时你原应许正式娶伊的。谁知你是人面兽心，把伊玩弄了一回，玩得厌了，就随便

将伊丢掉。你还和伊有过一个孩子，竟也狠着心肠，一概不肯
收容。这种行为，哪里还有人性？你难道还敢赖？"

我怎么样呢？说也奇怪，我刚才勃勃的怒气反而息了一
半。常闻人说，犯罪的囚徒，当罪名没有被判定的时候，那种
惊疑不定的情绪最是觉得难堪；等到判定了之后，便也安心承
受，不以为意了。我这时真有同样的情形。他起先只是含混的
侮辱，我固然万分难受；此刻他已明明白白地把我的罪名宣布
出来，我既问心无愧，自然用不着动怒。

我冷笑着说："你所说的那种行为，据我主观的意见，应
当处他一个死罪！但我却没有承受的资格。"

赵铁生道："你还想狡赖？"

"你实在是诬衊我！我说一句最后的警告，如果你再这样
放肆，我——"

他不等我说完，忽从衣袋中摸出一张东西，向我的手里
一丢：

"你自己拿回去瞧吧！还能说我诬辱你吗？"

我一看见那一张东西，不期然而然地倒退一步。那是一张
肖照，照片上一男一女，并肩地立着。女的只有十七八岁，打
扮得非常入时；男的穿着黑色的西装，明明就是我啊！

怪了！怪了！这照片哪里来的呢？这种勾当，我不但不曾
经历，连梦都没有做过。

赵铁生冷笑道："怎么？你怎么不说话？"

唉！他简直一口咬死我！我又气又恨，觉得我周身的血液
一时都涌到头部上来。

我大声分辩道："这照片是假的！你不相信，叫佩芹出来，
等我和伊——"

赵铁生摇着两手止住我:"好了,好了,省说几句吧!幸亏我家佩芹早一步觉察,没有遭你的欺侮。你如果还有一毫人性,应当快快回去,把那可怜的弃妇和无父的孤儿,重重地补偿一下。别再在这里饶舌了!"

奏 凯

半小时后,我已回到旅馆和霍桑会面。霍桑吸着一支白金龙,一面听我的愤懑而无可如何的报告,一面看着那张我从赵铁生那里带回来的照片,微微地点头。他等我把我和赵铁生会面的情形说完了,才放下照片,沉思地仰面答话:

"这也亏你。那个赵铁生果真是一个武夫。他既然固执着成见,当然不容易使他明白。"

"原是啊。他真是执拗极了,按我的性子,真要和他决斗。不过我也估量到万一真动了手,也许更不容易收拾,所以我尽力地忍耐着。现在只能请老朋友助我一臂了。"

霍桑想了一想,答道:"我早说过了,你们二人间的事,我是不能够越俎代庖的。"

我道:"我不是叫你去向佩芹说情。可恨那个笨伯从中阻梗,竟使我不能够和伊当面剖疑输诚。因此我不能不劳你的驾。"

霍桑道:"你要我去疏通赵铁生?"

"是。我跟他已近乎决裂,非有一个第三者不可。要是这阻碍的家伙不排除掉,我就没法和佩芹见面。"

"不过要疏通这样一个固执成见的人,这个职司可真不容易担任。"

那赵某确实是一个刚愎的人,霍桑的话也是实情。我若勉强他去，未免不情。可是我又怎么处理呢？

霍桑又笑道："包朗，你别听错。我只说这任务不容易担任，并没说不能够担任啊。"

我欢喜地说："这样说，你已经有了疏通方法？怎么不爽爽快快地说明？"

"方法果然是有的，可是这责任的关系何等重要，我怎能轻易说出来？"

"唉！什么意思？你又卖关子？"

"不是。我给你帮了忙，你怎么样谢我？难道你不应当预先许一个愿？"他从含着微笑的嘴唇间吐出一缕烟雾。

我也笑着说："你自己说吧。你要什么报酬，我不会不唯命是听！"

"我的欲望并不奢，只要在喜酒席上，请你的新夫人亲手给我满满地斟上三杯花雕，我便心满意足了！"

这句话，忽然触动我的旧事，使我沉默了一下。

我答道："这个要求，我们当同学的时候你早曾提出过。假使慧珠妹不罹疫而死，那年你必早已偿愿。此番如果到底圆满，那一定要补报你。"

霍桑丢了纸烟，从椅子上立起来："那么我可以保证你圆满。现在我就替你去除掉那个障碍。不过以后向你的未婚夫人去讨饶认过，或者甚至屈膝下跪等等，那仍旧要你自己去实行的！"

我立起身来："别取笑了。现在你用什么方法去疏通赵铁生？"

霍桑不答，自顾自走到床背后去，把我的旅行皮包打开来，取出一张登载我们俩结婚新闻的《申报》来。

他问我道："那两封恫吓信呢？拿出来给我。这就是疏通的凭证。"

我依言将信取出来给他。霍桑又把那张伪造的照片拿在手里。

他又说："你瞧，这一张照片原是拼合印成的。那张原片，就是我们俩的合影，也就是报纸上分裂刊登的一张。但瞧两个人的姿势状态不相匀称，已是很明显。这本是一出老把戏，可惜你的未婚夫人不加深察，便轻信人言。那赵老先生也一样的糊涂，因此才中了匪徒的小计，闹出这个岔子。好了，现在证据齐备，他虽然固执，我也不怕他不服输。"

事情的变幻真是不可思议的，恰像暑天的雷雨，一刹那间天空中乌云密布，迅雷奔电，形成了怖人的局面，可是一阵雨过，风卷残云，霎时又会霁光朗照。我这一回婚事上的挫折，真有这一种形势。霍桑离了嘉禾旅馆，我等不到一个钟头，霍桑第一步的疏通果真已奏凯而归。

第二步当然是我亲自出马了。但因着第一步胜利的影响，一团纷纠的乱丝，在我和佩芹见面以后，幸而也终于迎刃而解。于是我究问根由，才知道佩芹在两星期前，早接到过一封假名的信，信中有一个女子具名，自称叫刘贵凤。伊说曾和我私下结合，并且造了许多谎话，污蔑我的人格。那女人假称本着同情的好意，特地忠告佩芹。佩芹当初并不相信，置之不理，但也不曾说给我听。这就铸成了一个大错。因为夫妇或情侣之间，只有"坦白"二字才是维持情感和扫除疑障暗影的密钥。伊当初既然隐忍不说，我自然也无从剖解。后来伊又接到第二封信，措辞更加动听。佩芹仍不为所动，可是伊心中的疑影却滋长而扩大了。所以当我们末后一次相见时，伊的态度冷漠也并非无因。可惜伊始终没有说明，我也没有剖解的机会，因而造成了一个危险而几乎不可挽回的局势。

直到那天十四日午后，伊又接得第三封信，信中附着那张假造的照片。这时候伊精神上受了意外的刺激，竟不能自主。伊立刻打电话叫我，预备当面诘问，如果属实，就准备和我决裂。不料伊给我的电话还没有回音，那个设计陷害我的匪人忽也打电话给伊。那刘贵凤声言还和我生过一个孩子；如果佩芹不信任伊的忠告，可以到味莼园安恺第后面去，瞧瞧那个孩子的面貌是否像我。

在惶惑中的佩芹一听这个报告，意志昏乱了。伊不再等我，果然就悄悄地赶到味莼园去。伊到了安恺第背后，果然看见那个照片中的女子已先在那里等候。一见面后，那女子似乎有着演剧的天才，说得天花乱坠，表演又十二分逼真。伊又说那孩子因着下雨没有带来，只把一张照片给佩芹瞧。佩芹仿佛中了那女子的催眠，对于我的信任心一时竟完全丧失，伊看了那照片中小孩子的状貌，竟觉得果然像我。那女子还说自从伊被我离弃以后，因着母子们没法活命，只得忍羞含垢地改嫁，做了人家的妾，所以伊劝佩芹千万小心，不要再蹈伊的覆辙。于是佩芹便毅然决然地信我是一个貌是心非的坏人。事后，那女子先从后门出去，佩芹也跟着离园，乘黄包车回家。那时伊觉得我们的婚约再没有磋商维持的余地；但这事既突然发生，伊的父亲又是绝对信任我的，必不肯轻易赞成，就想到了在嘉兴的伊的舅父赵铁生。赵铁生是一个刚直不屈的人，一定能够代伊出力。主意决定了，伊就嘱咐木林守秘，又把戒指寄还了我，便悄悄地乘了三点四十五分的慢车往嘉兴来。

内幕中的曲折既然明白，满天风云化为乌有。我和佩芹自然彼此谅解，更没有一丝翳障。于是我们十九日的婚期，当然也没有发生变更的问题。

霍桑所说的认过手续当时确曾行过，不过认错的不是我，却是佩芹。因为这一件事，伊第一着错是不告诉我；第二着又未免太觉粗心。我呢，固然也有几分不是。当我在味莼园里瞧见了粉纸和烟尾，便以为粉纸是佩芹所用，烟尾却疑定是一个男子所遗下的；却不料这两种东西都是那个受人雇用而陷害我的刘贵凤留下来的成绩。这是我意想上的错误，我当然用不着向佩芹说明，只暗暗地自己责自己神经过敏罢了。

那个赵铁生起先固曾冤屈辱骂我，后来却也自悔孟浪，亲自向我谢罪，而且非常恳挚。我也完全原谅他，决不介意。因为他老人家性情虽然粗暴些，可是那种疾恶如仇和当仁不让的气概倒实在是我们的同志。那晚上他坚执着要款留我们。霍桑虽婉言辞谢，但赵铁生仍再三相劝。

霍桑忽含笑说："赵先生，你忘记了我们的约了吗？当我说明了这回事只是我们的某一个敌人，吃过我们的亏，现在就借端中伤，并把报纸上的照片取出来对照之后，证明那照片实在是假的，你还有些半信半疑。后来我应许你在三天之内，一定把照片中的那个娼妓和幕背后主使伊的匪人捉到送官，以便彻究真相，你方才相信我的话。现在你虽然信得过我们，但我的信约还没有实践，我们不能不马上赶回上海去。谢谢你的好意。你此刻不必坚留，倒不如早一日动身，就和我们一块儿往上海去吃喜酒吧。"

三月十五日的夜间，我们回到上海。警厅侦探长汪银林就打电话来报告。他在那天傍晚，凭着李润苍的指认，已在青年俱乐部的门口捉住了那个送信人。原来霍桑在上一天动身往嘉兴以前，就和汪银林接洽过，所以在俱乐部方面早有了布置。那送信人竟然再送第三封侮弄信来，就因此落网。送信人是个漆匠，叫吴天禧，供出信是一个叫小马的旧邻居叫他送的，每一次给他十块钱。小马是靠赌场吃饭的，有个姘妇叫冯桂柳，是个"半开门"的私娼。小马和我们有什么怨嫌，信中写些什么，这吴天禧完全不知道。我也想不出在哪一件事上和这小马结过怨。我本来要追究那两个无赖男女，彻查一下，但下一天我告诉了佩芹，伊却以为婚期已近，不必再多费心思。伊的父亲高敬修的意思，也认为这种无赖小人，不值得深究，不如网开一面，宽放了他们。霍桑并无成见，听凭我决定。汪银林虽主张侦缉那个小马，让他吃些苦，但因着我接受了敬修和佩芹的建议，也就只把那吴天禧拘禁了二十四个小时，从轻发落。于是这一番小小的风波就给洋溢的喜气完全冲散了。